はじめに

九州大学キャンパス計画室長　理事・副学長
福田　　晋

九州大学では、伊都キャンパスの計画に関わった教員により、低年次向けの教育科目「伊都キャンパスを科学する」を2005（平成17）年４月より開講している。この講義は、キャンパスの環境と計画を主題に、計画の実現を巡って出てきた様々な課題をどのように解決したかをわかりやすく解説するとともに、次世代のキャンパス像に関する理解を深めることを目的としたものである。世界の大学キャンパスおよび九州大学のキャンパスの歴史、自然環境および歴史環境の調査、学生や教職員、市民の参画、学術研究都市構想、マスタープラン、施設建設とマネジメントなど、プロジェクトに関与する教員がリレー形式で授業を担当している。また、講義により得られた知見を実体験し、これからの学生のライフスタイルやあるべき都市像について展望するため、キャンパス計画室と事務局スタッフによる伊都キャンパスのツアーを実施し、学生の意見を募り、その後のキャンパスづくりに活用している。

九州大学教育憲章は、「九州大学の教育は、日本の様々な分野において指導的な役割を果たし、アジアをはじめ広く全世界で活躍する人材を輩出し、日本及び世界の発展に貢献することを目的とする。（第２条）」とうたっている。この目的を達成するために、①人間の尊厳を守り、生命を尊重すること、②人格、才能並びに精神的及び肉体的な能力を発達させること、③真理と正義を愛し、個性豊かな文化の創造をめざすこと、④自然環境を守り、次世代に譲り渡すこと、の４項目をあげている（第３条）。この教育憲章に則し、創立100周年を期に、「自律的に改革を続け、教育の質を国際的に保証するとともに、常に未来の課題に挑戦する活力に満ちた最高水準の研究教育拠点となる」ことを基本理念として掲げ、策定したアクションプラン2015-2020のなかで、「Ⅳ．学生・教職員が誇りに思う充実したキャンパスづくり」を掲げた。

講義では、時代の変化に応じて自律的に変革し、活力を維持し続ける開かれた九州大学にふさわしいキャンパスの計画と、それを実施するうえでの様々な課題、それを乗り越える知恵の結集とデザインに関する取り組みと考え方を伝えている。とくに、自然や歴史を大切にしつつ、機能的で美しく快適な環境をつくるマインドの伝達に腐心しており、これまでの講義で受講生とやりとりをした限りでは、その理解は深まったとの印象をもつ。「伊都キャンパスを科学する」を通して、自然環境と歴史環境を守り、次世代に譲り渡すこころ、個性豊かな文化と科学技術を創造するこころを育み、本学が進める学生・教職員が誇りに思う充実したキャンパスづくりの一端を学ぶとともに、この伊都キャンパスをそれぞれの学びの中で十分に活かしていただきたい。

初版を2019年８月に出版して２年が経過した。改訂版ではその後に生まれたプロジェクトや関連データの追加・更新を行った。ご一読いただき、感想や意見を頂戴し、これからの都市と大学キャンパスづくりの参考にしたい。

2022年３月

CONTENTS

ITO CAMPUS HISTORY

I 伊都キャンパスのこれまで

01 伊都キャンパスと学術研究都市

安浦　寛人・坂井　　猛

九州大学伊都キャンパスへの移転にともなう新しいキャンパスの構築と伊都キャンパスを核とする学術研究都市の構築についての理解を深める。

大学は都市の活力源

1911（明治44）年に、東京、京都、東北に続く日本で４番目の帝国大学として創設された九州大学は、伊都キャンパスへの統合移転を進めてきた。創設時には、人口や産業や教育環境（例えば旧制高等学校の設置）において熊本、長崎、鹿児島などに劣っていた福岡市が、今のような九州の中核都市として発展した背景には、この帝国大学の誘致に成功したことも大きな要因であったといわれている。2020（令和２）年、福岡市には、国公私立の13大学が立地している。その学生数7.3万人の福岡市の人口161.4万人に占める割合は約５％であり、京都市や東京都に次いで全国３位となっている。

第２次大戦後、国立大学となった九州大学には、文、教育、法、経済、理、医、歯、薬、工、農学部が設置され、全国屈指の総合大学として多くの人材を世に送り出してきた。2003（平成15）年10月には、九州芸術工科大学と統合し、我が国でも数少ない芸術系の芸術工学部を設置した。さらに2018（平成30）年度には新たに共創学部を開設した。［参照：06. 九州大学史と伊都キャンパス］

大学の大きな経済効果

大学は、知識を創造し、蓄積し、継承する貴重な知の拠点である。九州大学は、2021（令和３）年には、18,585人の学生と8,062人の教職員を擁し、総資産約4,500億円で年間予算が1,332億円の九州内でも有数の事業体でもある。また、世界中の90を超える国・地域から、2,270人もの留学生を受け入れている国際交流の場でもある。種々の国際会議の誘致も多く、福岡市の国際会議開催数全国２位（2016年まで７年連続）にも大きな貢献をしている。そして、九州大学だけでも、学生や職員で年間4,000人以上の人口の移動を生み出している。

九州大学は、六本松キャンパス（昔の教養部、現在の基幹教育）、理工農学系と人文社会科学系の箱崎キャンパス、病院と医歯薬系の馬出キャンパス、芸術工科系の大橋キャンパス、総合理学系の筑紫キャンパスに分かれており、キャンパス間の移動が大きな課題であった。1993（平成５）年に、福岡市西区の元岡・桑原地区への移転が決まり、国立大学と福岡市の共同事業として、現在の伊都キャンパスへの移転のための調査と計画が始まった。最終的には、六本松、箱崎の両キャンパスと原町地区（農場）が伊都へ統合移転することになった（図１）。帝国大学設立後、約100年ぶりにメインキャンパスである箱崎キャンパスが移転することになり、福岡市における人口構成や交通体系の再編にも大きな影響を与えることになった。［参照：07. 統合移転の決定から土地造成まで］

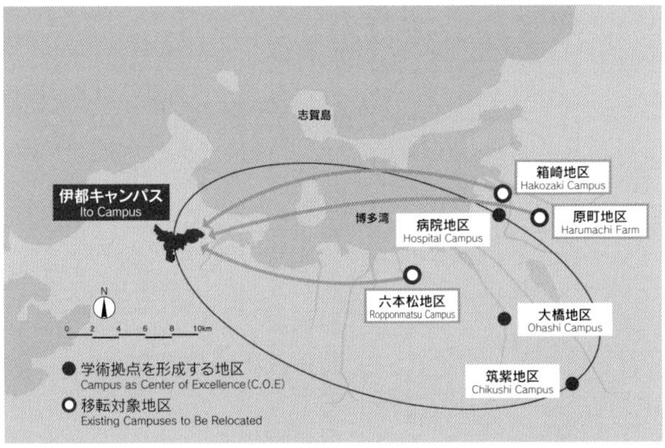

図1　伊都キャンパスへの統合移転

伊都キャンパスへの統合移転

移転は、福岡市による土地の代替取得、キャンパス用地の造成、それに伴う埋蔵文化財調査などを経て、2005（平成17）年度の工学系の移転に始まる第Ⅰステージ、2008（平成20）年度からの六本松キャンパスの移転などの第Ⅱステージ、そして2012（平成24）年度からの農学系と人文社会科学系の第Ⅲステージの３つのステージに分けて行われた（図２）。移転事業の途中で、2004（平成16）年の国立大学法人化など国の制度の変更もあり、

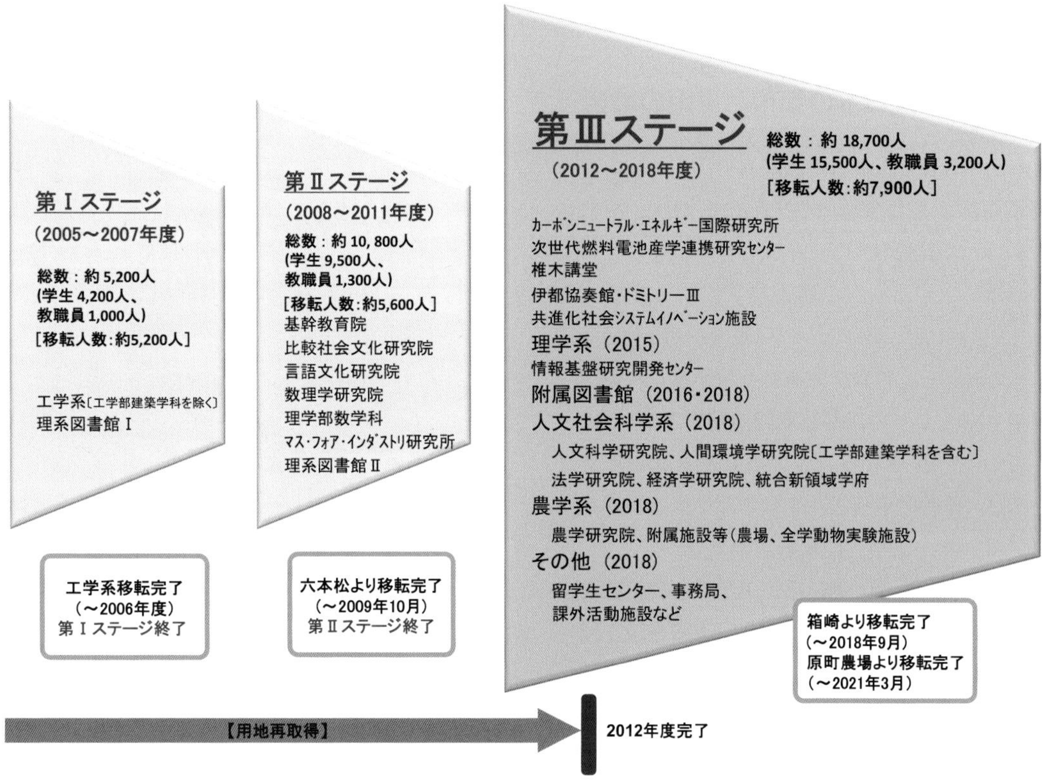
第Ⅰステージ
（2005～2007年度）
総数：約5,200人
(学生4,200人、
教職員1,000人)
[移転人数:約5,200人]
工学系〔工学部建築学科を除く〕
理系図書館Ⅰ
工学系移転完了
（～2006年度）
第Ⅰステージ終了
第Ⅱステージ
（2008～2011年度）
総数：約10, 800人
(学生9,500人、
教職員1,300人)
[移転人数:約5,600人]
基幹教育院
比較社会文化研究院
言語文化研究院
数理学研究院
理学部数学科
マス･フォア･インダストリ研究所
理系図書館Ⅱ
六本松より移転完了
（～2009年10月）
第Ⅱステージ終了
第Ⅲステージ
（2012～2018年度）
総数：約18,700人
(学生15,500人、教職員3,200人)
[移転人数:約7,900人]
カーボンニュートラル･エネルギー国際研究所
次世代燃料電池産学連携研究センター
椎木講堂
伊都協奏館・ドミトリーⅢ
共進化社会システムイノベーション施設
理学系（2015）
情報基盤研究開発センター
附属図書館（2016･2018）
人文社会科学系（2018）
人文科学研究院、人間環境学研究院〔工学部建築学科を含む〕
法学研究院、経済学研究院、統合新領域学府
農学系（2018）
農学研究院、附属施設等（農場、全学動物実験施設）
その他（2018）
留学生センター、事務局、
課外活動施設など
箱崎より移転完了
（～2018年9月）
原町農場より移転完了
（～2021年3月）
【用地再取得】
2012年度完了

図2　移転スケジュール

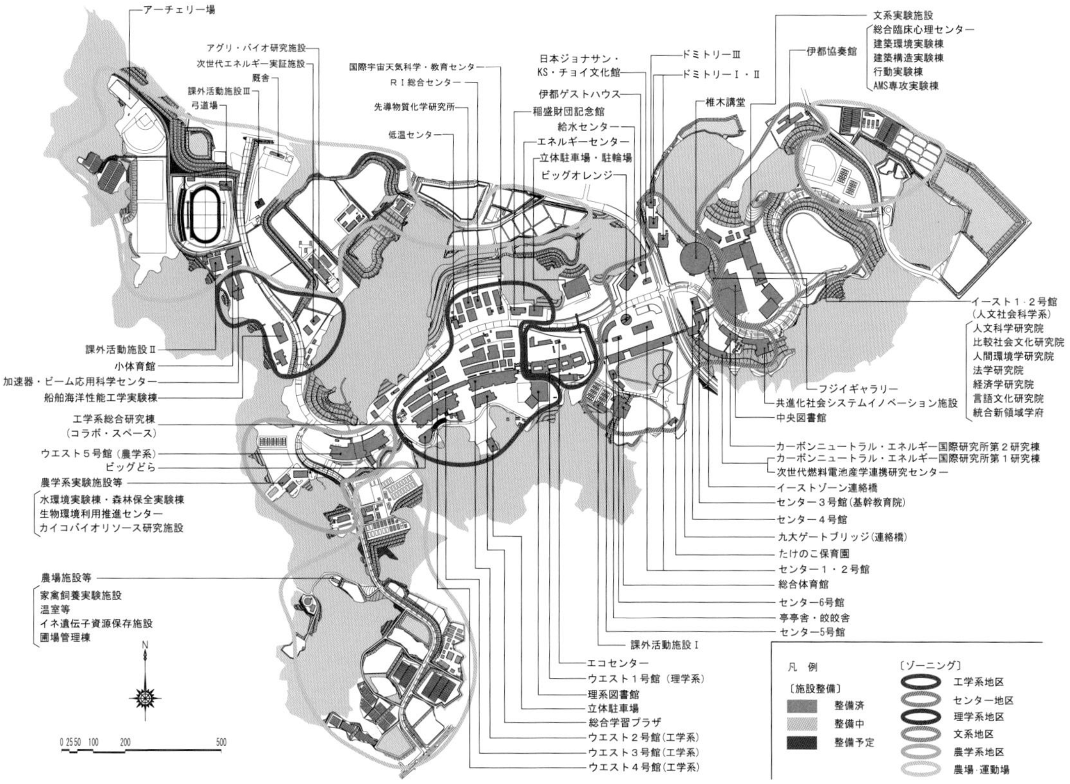
アーチェリー場
アグリ・バイオ研究施設
次世代エネルギー実証施設
厩舎
課外活動施設Ⅲ
弓道場
国際宇宙天気科学・教育センター
RI総合センター
先導物質化学研究所
低温センター
日本ジョナサン・
KS・チョイ文化館
伊都ゲストハウス
稲盛財団記念館
給水センター
エネルギーセンター
立体駐車場・駐輪場
ビッグオレンジ
ドミトリーⅢ
ドミトリーⅠ・Ⅱ
椎木講堂
伊都協奏館
文系実験施設
総合臨床心理センター
建築環境実験棟
建築構造実験棟
行動実験棟
AMS専攻実験棟
イースト1・2号館
(人文社会科学系)
人文科学研究院
比較社会文化研究院
人間環境学研究院
法学研究院
経済学研究院
言語文化研究院
統合新領域学府
フジイギャラリー
共進化社会システムイノベーション施設
中央図書館
カーボンニュートラル・エネルギー国際研究所第2研究棟
カーボンニュートラル・エネルギー国際研究所第1研究棟
次世代燃料電池産学連携研究センター
イーストゾーン連絡橋
センター3号館(基幹教育院)
センター4号館
九大ゲートブリッジ(連絡橋)
たけのこ保育園
センター1・2号館
総合体育館
センター6号館
亭亭舎・皎皎舎
センター5号館
課外活動施設Ⅰ
エコセンター
ウエスト1号館（理学系）
理系図書館
立体駐車場
総合学習プラザ
ウエスト2号館(工学系)
ウエスト3号館(工学系)
ウエスト4号館(工学系)
課外活動施設Ⅱ
小体育館
加速器・ビーム応用科学センター
船舶海洋性能工学実験棟
工学系総合研究棟
(コラボ・スペース)
ウエスト5号館（農学系）
ビッグどら
農学系実験施設等
水環境実験棟・森林保全実験棟
生物環境利用推進センター
カイコバイオリソース研究施設
農場施設等
家禽飼養実験施設
温室等
イネ遺伝子資源保存施設
圃場管理棟
N
0 25 50 100 200 500
凡例
〔施設整備〕
整備済
整備中
整備予定
〔ゾーニング〕
工学系地区
センター地区
理学系地区
文系地区
農学系地区
農場･運動場

図3　伊都キャンパス配置計画

文部科学省や九州大学だけでなく、福岡市や糸島市および福岡県を始めとする多くの自治体や組織の協力を得て行われる大規模な国家プロジェクトである。

伊都キャンパスは日本の都市と里山の縮図

単一のキャンパスとしては我が国最大の伊都キャンパスは、福岡市西部の糸島半島の中央部に広がり、南北2.5km、東西３km、総面積272haと広大である。そこに東西約２kmにわたって大小の建築群を建設している(図３)。

東側のイーストゾーンには、人文社会科学系や中央図書館及び留学生寮としての伊都協奏館を配置している。福岡市内からの主幹線となった学園通り線を挟むセンターゾーンには、基幹教育施設や大学本部の入る椎木講堂、３つのドミトリー、事務関係の建物が建つ。また、西側のウエストゾーンには、理学系、工学系、農学系が配置されている。ウエストゾーンから南へ下る丘陵と周辺の平野部には、農場を配置している。北西部には、各種研究施設やグラウンド、課外活動施設が並んでいる。センターゾーンからグラウンドまでは、大型バスも運行される幹線道を整備し、キャンパスの交通の背骨となっている。

丘陵地の自然豊かな里山を残すため、生物多様性保全ゾーン14ha（図４）を含む約100haを保全緑地とし、開発する地区にしか生息していない植物種は保全緑地へ移植するなどして、キャンパスの造成によって生物の種を減らさない取り組みを行ってきた。一方で、原町農場施設の移転に伴い、水田、畑地、牧草地、果樹園、桑畑の整備も進んでおり、キャンパス全体が日本の農村や里山の縮図となっている。

キャンパスの整備が周辺の農業用井戸水利用に与える影響を極力小さくするため、キャンパス内に降った雨水を地下に浸透させるとともに（図５）、新たに建設した８つの調整池に表面流出した雨水を一旦貯水して、周辺のため池・河川に放流している。また、大学は上水を福岡市から購入し、排水を処理する設備として給水センターを建設し、排水の６割以上を浄化して、実験用水やトイレの洗浄水として再利用している。さらに、キャンパス内と周辺の河川や地下水の水質検査、植物や昆虫などの自然環境の詳細な調査を20年以上継続して行ってきており、伊都キャンパスの整備による周辺環境への影響を監視しつつ、工事手法や建設計画の変更も継続的に行っ

図4　生物多様性保全ゾーン

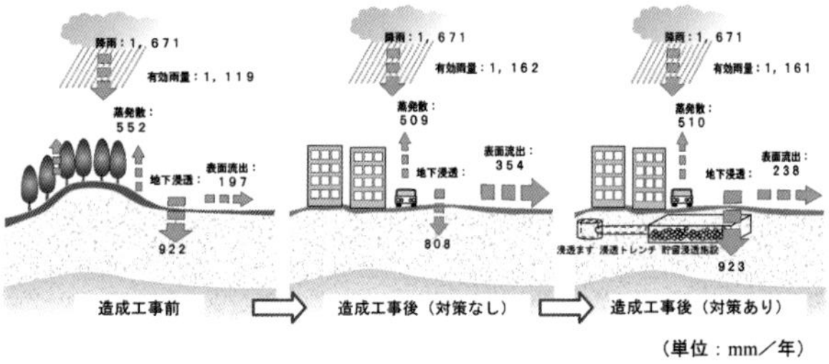

図5　雨水の保全

図6　元岡古墳群内のG6号墳

てきた。まさに、環境に配慮した新しい都市開発のモデルとなっている。[参照：10. 伊都キャンパスの水循環，11. 伊都キャンパスの環境アセスメント，12. 伊都キャンパスの緑地管理，13. 伊都キャンパスの農場と整備，14. 伊都キャンパスの生物多様性の歩みを振り返る，22. これからの緑地環境]

歴史との共生

伊都キャンパスがある糸島半島は、歴史的にも早くから大陸との交流が進んだ地域である。キャンパス用地から74基の古墳およびその副葬品、多数の古代の製鉄遺構などが発掘された。西暦570年と推定される大刀などの重要文化財に指定された出土品も含まれる（図6）。保存するものは保存し、保存できないものは記録保存をしっかりと行ってきた。2018（平成30）年に完成したイースト1号館10階は、記録保存し削平した石ヶ原古墳の石室の位置とほぼ同じ高さに位置しており、展望展示室を設けて古墳時代と同じ景色を現代の人々に見てもらえるよう工夫している。将来的には、キャンパス内に保存された古墳や遺跡、さらには出土品などを巡る散策路、ネイチャートレイルを整備する予定である。このような多くの歴史的資産との共生も伊都キャンパスの課題であり魅力でもある。[参照：04. 糸島の歴史と伊都キャンパスの文化遺産，05. 伊都キャンパスの歴史遺産活用]

伊都キャンパスの整備

キャンパスの整備にあたり、最初に建設されたのは、工学部の入居するウエスト3号館、同4号館、水処理のための給水センター、キャンパス整備の広報施設となるビッグオレンジであった。

2005（平成17）年10月に、ウエスト3号館と4号館へ工学系（機械航空系と物質化学系）の移転が行われ、伊都キャンパスへの本格的な移転が開始した。新キャンパスの名称は公募し、古代の伊都国にちなんで「伊都キャンパス」と命名した。移転当初は、仮設の食堂しかないなど、当時の学生や教職員には多くの不便を強いるものであった。翌2006（平成18）年秋には、ウエスト2号館へ工学系第II陣（地球環境系と電気情報系）が移転し、第Iステージ終了時における学生と教職員は5,200人となった（図7）。学生宿舎として、254人収容のドミトリーIもオープンし、食堂の「ビッグどら」の営業も始まっ

図7　第Iステージ移転（ウエスト2、3、4号館）

図8　あかでみっくらんたん

図9　移転当初のセンターゾーン

てようやくキャンパスらしくなった。しかし、学生街として約100年続いた箱崎の地と比べると交通の便や住居などの学生生活に及ぼす変化は大きく、移転の問題点も指摘された。そこで梶山千里総長の発案により、学生及び教職員の憩いと地域住民との交流の場として居酒屋「あかでみっくらんたん」が設置された（図８）。

2008（平成20）年からの移転の第Ⅱステージでは、六本松キャンパスからの基幹教育の移転が最も大きな課題であった。学部の１年生と２年生を収容する多様な講義室の準備や交通問題、住居問題など多くの問題を抱えながらも、5,600人の学習の場と職場の移転を2009（平成21）年４月に行った。センター１号館、同２号館、生活支援施設（ビッグサンド）、総合体育館、多目的運動場、課外活動施設などがセンターゾーンに整備され、伊都キャンパスに通う学生・教職員は一気に10,800人に倍増した（図９）。

伊都キャンパスの整備は、国の施設整備補助金だけでは賄えず、六本松や箱崎キャンパス跡地の売却益、さらには、多くの団体や個人からの寄附などによって賄われている。特に2011（平成23）年の創立100周年に対しては、稲盛財団から稲盛財団記念館、椎木正和様から椎木講堂、ジョナサン・KS・チョイ様から日本ジョナサン・KS・チョイ文化館などの寄附をいただき、立派な施設が整備できた。椎木講堂は、最大3,000席の講堂であり、わが国でも最大級の大学講堂となった（図10）。これまで、学生数の増加により、2008（平成20）年より学外で行ってきた入学式や卒業式が、学内で行えるようになるとともに、多くの学会やイベントにも広く利用されている。また、大型プロジェクト研究に関連して整備された建物も多い。最先端有機光エレクトロニクス研究棟（現在のパブリック２号館）、カーボンニュートラル・エネルギー国際研究所（I^2CNER）と次世代燃料電池産学連携研究センター（NEXT-FC, 図11）、共進化社会システムイノベーション施設などが、大型プロジェクト研究などとの関連によって整備された。主に国外からの短期滞在研究者用の宿泊施設である伊都ゲストハウスは、林業振興の助成金制度を利用した和風の木造３階の建築である。また、キャンパスを横切る学園通り線の上には九大ゲートブリッジを設け、東西のキャンパスをつないでいる（図12）。これによりキャンパスの全面にわたり、イーストゾーンの人文系の建物からウエストゾーンのウエスト５号館まで、約２kmを雨に濡れずに移動できる歩道（ユニバーサルレベルルート）が完成した。

図10　椎木講堂

図11　カーボンニュートラル・エネルギー国際研究所（I2CNER）と次世代燃料電池産学連携研究センター（NEXT-FC）

図12　九大ゲートブリッジ

図13　伊都協奏館

学生宿舎の整備も並行して進めてきた。ドミトリーⅠ（254人）、ドミトリーⅡ（274人）、ドミトリーⅢ（136人）とともに、国際化に対応するための伊都協奏館（図13、582室うち30室は夫婦室）も完成し、合計1,246人の留学生や研究者を受け入れることが可能になった。

2015（平成27）年には、第Ⅲステージの最初の大型建造物として、ウエスト１号館が完成し、理学系の移転が行われた。ウエスト１号館の東側の６、８、10階には、眺望の良い学生用の情報学習室が設けられている。第Ⅲステージの最後の移転は、2018（平成30）年10月の人社系（イースト１、２号館、図14）と農学系（ウエスト５号館、図15）の移転であった。これによって、伊都キャンパスへの統合移転は、農場の一部を除き完了した。最終的には、２万人近い学生や教職員が活動する一つの都市が誕生したと言える。

センターゾーンの西側、３号調整池を望む２棟の平屋木造建築がある。亭亭舎と皎皎舎である（図16）。亭亭舎は、六本松キャンパスにあった学生集会所の名称であるが、卒業生の有志が在学生・卒業生・教職員・地域住民のコミュニケーションの場として再生させるため寄附を集め、九州大学生活協同組合（生協）も協力して完成したものである。51畳の掘ごたつを設けた集会所として設計されており、昼間は学生たちの学習や憩いの場となっている。皎皎舎は、生協の寄付によるもので、現在は書籍を中心とした売店として運営されている。亭亭・皎皎の名は、古くは漢籍によるが、近代では二葉亭四迷が作品の中に使ったことが知られている。寄付に賛同された先輩たちの意を汲んで、有効に活用してほしい。［参照：08．新キャンパス・マスタープラン2001と５つの地区基本設計，09．キャンパスづくりの推進体制，15．伊都キャンパスのパブリックスペースデザイン，16．伊都キャンパスにおける施設マネジメント］

図14　イースト1･2号館と中央図書館

図15　ウエスト5号館

図16　亭亭舎（奥）と皎皎舎（手前）

伊都キャンパスの周辺整備

新しいキャンパスの整備は、その周辺にも大きな影響を与える。特に、1.8万人もの人が通学・通勤するための交通機関の整備が必要であった。JR九州は、最新設備を備えた九大学研都市駅を2005（平成17）年に新しく設置した。今やJR九州内でも乗降客数がトップ20位に入る駅となっている。九大学研都市駅からキャンパスまでは、福岡市が片側２車線で幅員27～36m（幅９mの歩道付き）の学園通り線（約４km）を整備した（図17）。

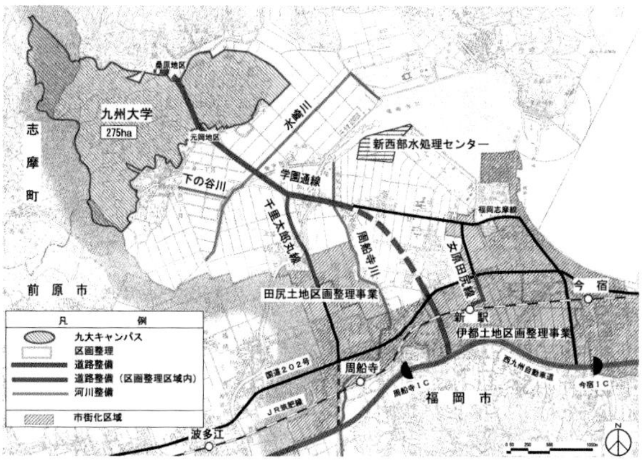

図17　学園通り線の整備（福岡市）

2017（平成29）年４月には元岡郵便局から国道202号線までの未開通区間も全線開通し、九大学研都市駅からキャンパスへの直通バスの運行が始まった。二連バスの導入など、駅からのアクセスの改善も期待される。また、2008（平成20）年からは、糸島市からのバスもキャンパスまで運行している。西鉄バスも、都市高速を利用して、博多駅や天神からの直通バスを運行しており、移転開始時に比べると交通の便は随分よくなった。しかし、雨天時や大規模な学会の開催時には、大きな混雑が発生しており、まだまだ課題は多い。

住居に関しても、移転当初キャンパス内のドミトリーなどの学生宿舎は限られており、民間の学生用住居の充実が必要であった。九大学研都市駅の周辺では、2007（平成19）年から2013（平成25）年にかけて福岡市の土地区画整理事業により、130.4haの住宅用の土地が整備され、多くの学生用および一般用の集合住宅が整備された（図18）。人口1,000人程度の地域が10年足らずで13,000人を超える街に変わった。キャンパスの周辺も、元岡地区土地区画整理事業により16.2haが開発され、住宅用地や研究開発機関のための用地も整備され、大学の門前町の構築が進んでいる（図19）。

この結果、両地区における学生用住居は、学内の学生

図18　伊都土地区画整理事業（130.4ha）

図19　元岡土地区画整理事業（16.2ha）

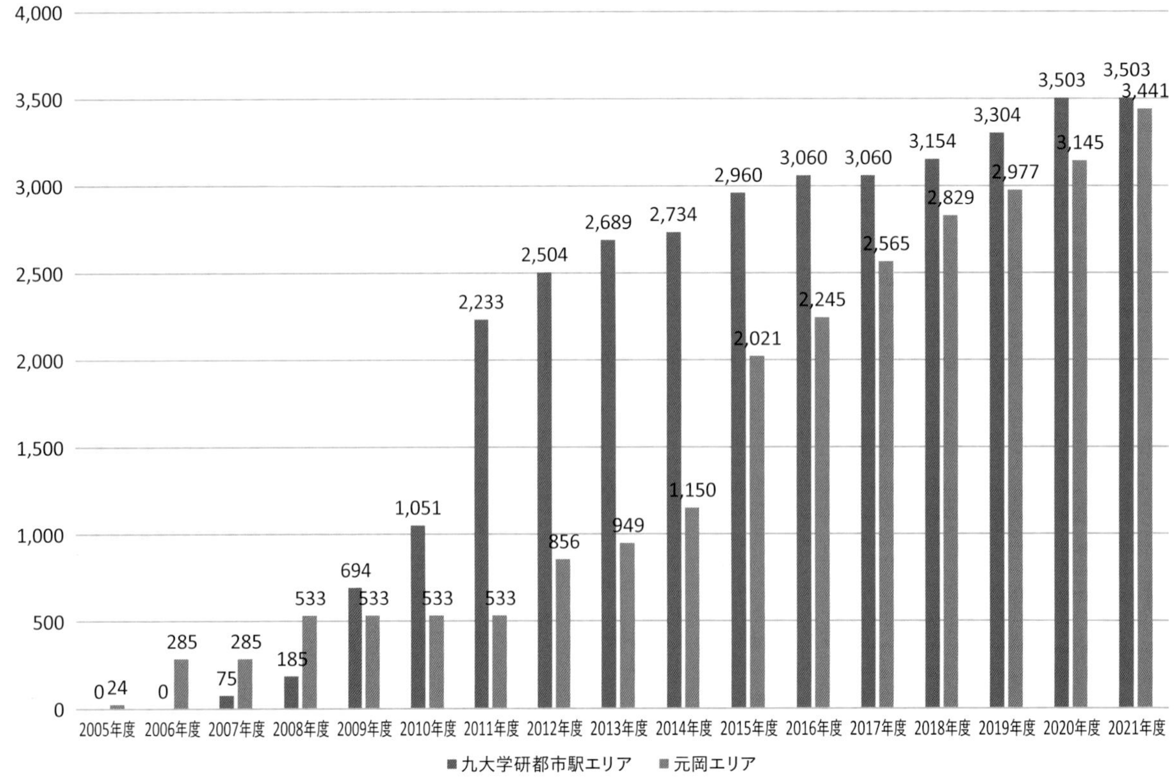

図20　学生用賃貸住宅供給戸数

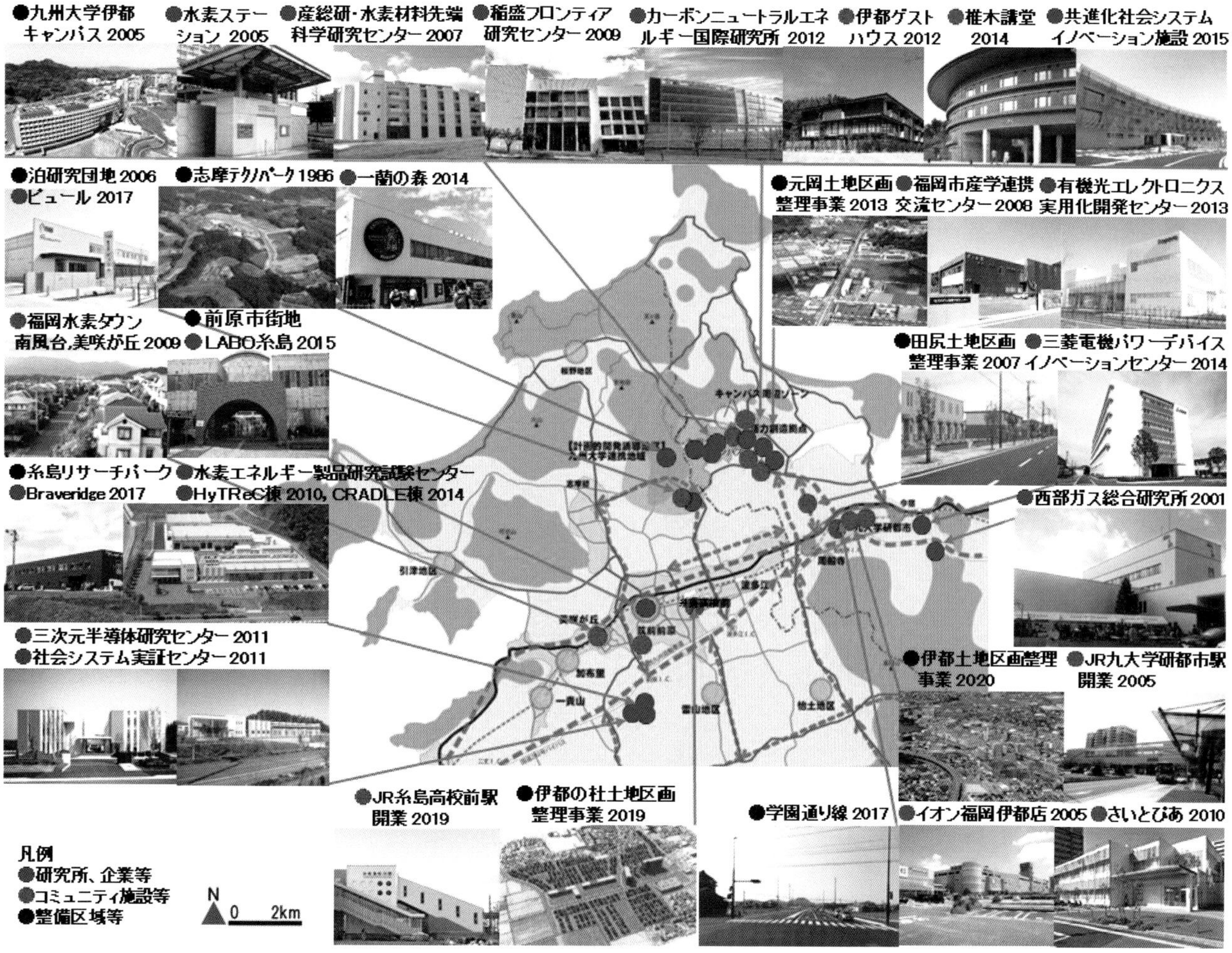

図21 九州大学学術研究都市構想の展開

用宿舎（ドミトリーと協奏館）分も含め、5,300戸を超えた（図20）。2018（平成30）年の人社系と農学系の移転にあたり、両地区でさらに500戸程度の学生用住居が建設された。さらに、キャンパスの南口の周辺の泊地区（糸島市）では、国際村の建設が進み、学生用宿舎が整備された。

九州大学の移転に伴い、商業施設や医療機関、飲食店などのサービス業、不動産業など地元の産業構造も変わっている。移転によって、長垂山より西の福岡市西区の西部７校区と糸島市の人口は、２万人以上増加したと試算されている。一方で、開発の進み方は、地域によって偏りがある。学研都市駅周辺には大型ショッピングセンターが、国道沿いには多くの飲食店が次々と開業した。しかし、キャンパスの隣接地には、コンビニエンスストアや少数の飲食店しかなく、生鮮食料品などをあつかうスーパーマーケットや学生達のコンパができるような大規模な居酒屋などが求められており、今後バランスのとれた整備が必要である。

キャンパス周辺の整備にあたっては、地元との連携や相互協力が欠かせない。元岡、桑原地区はもとより、元岡小学校区や福岡市西区、糸島市などとのさまざまな連携も行われている。元岡、桑原地区とは、キャンパス造成に伴う騒音や水質などの自然環境の変化、農業への影響、交通量の増加などいろいろな問題を共有しながら解決してきた。地元の人々と学生や留学生の交流事業、酒造りや祭りへの参加など、いろいろな形での新しい地域交流が行われている。［参照：17. 伊都キャンパスの交通計画，18. 九州大学学術研究都市推進機構の取組み］

学術研究都市構想

伊都キャンパスの建設が決まった時点で、新しいキャンパスを中心として学術研究都市を作る構想が生まれた（図21）。2004（平成16）年に、九州経済連合会を中心とした産業界、福岡県、福岡市、糸島市（当時は、前原市、志摩町、二条町）、九州大学によって財団法人九州大学

図22　福岡市産学連携交流センター

図24　水素エネルギー製品研究試験センター

図23　有機光エレクトロニクス実用化開発センター（i3-OPERA）

図25　三次元半導体研究センターと社会システム実証センター

学術研究都市推進機構（通称OPACK）が設立された。

OPACKは、伊都キャンパスへの移転を契機として、新キャンパスを核とした日本とアジアの知的交流拠点としての新しい学術研究都市づくりを促進することを目指して設立された。アジアの頭脳拠点として重要な存在である九州大学の研究成果を産業化・事業化して、地域の経済発展に反映していこうとする構想である。九州大学の研究成果と産業界の事業化の需要とを結びつけるための機能として、大学の基礎研究の成果を産業化するための産学連携のコーディネート機関が必要となる。OPACKは、九州大学を中心とした研究機関等の知的資源を活かし、産学官の連携や企業・研究機関等の立地促進等のための調査検討、情報提供並びに先端技術に係る調査研究などを推進し、地域経済の活性化を図ることを目的としている。

元岡地区には、2008（平成20）年に福岡市が産学連携交流センターを建設し、ナノテクノロジーを中心とした産学共同研究の場を提供した（図22）。産学連携交流センターは停留所の名前にもなっているので、バス利用者にとって馴染み深いと思う。主に、工学系の物質科学分野の企業が大学と連携して研究室や実験室を設置し、幅広い産学連携が行われている。すぐに満室になったことで、2013（平成25）年には第２センターが増設され、いろいろな共同研究が進められている。

また、安達千波矢教授の有機EL材料の研究を実用化するために、福岡県、福岡市と九州大学が連携して、2013（平成25）年に有機光エレクトロニクス実用化開発センター（i3-OPERA）が開設された（図23）。このように大学の研究成果を実用化し、産業界へ繋ぐための研究が進められている。すでに、その研究成果の一部は、九州大学発ベンチャーであるKyulux社によって、有機EL用材料として商品化の途上にある。［参照：21．有機光エレクトロニクスが切り拓く未来社会とキャンパスを中心としたイノベーションの集積］

西九州自動車道の前原インターを降りた南側には、福岡県が中心となって糸島リサーチパークを建設している。2010（平成22）年に、日本初の水素エネルギー関連機器の試験を行える公的な試験施設として水素エネルギー製品研究試験センターが開設された（図24）。水素を貯蔵するボンベは、その素料に吸収された水素によって強度が弱くなる水素脆化を起こすが、どの程度の圧力にまで耐えうるか、どのくらいの加圧減圧の繰り返しに耐えうるかなどを試験できる我が国唯一の試験機関である。大型の水槽の中で加圧や減圧を繰り返し、破裂させるまでの実験が行われている。［参照：20. 水素キャンパス構想］

糸島リサーチパークには、九州の重要な産業である半導体の製造や利用に関する研究センターも立地している。2011（平成23）年に、福岡県が中心となって、三次元半導体研究センターと社会システム実証センターが建設された（図25）。三次元半導体研究センターは、半導体デバイスの微細加工技術の限界に対し、３次元に積層することでさらなる集積度の向上を目指す実装技術の研究開発センターであり、福岡大学と九州大学の研究者が産業界と連携しながら、世界標準となる実装技術を開発している。社会システム実証センターは、半導体の新しい応用分野として、社会情報基盤への展開を狙い、無線通信技術も含めた新しい応用技術の開発と社会における実証実験を行っている。九州大学のICカードVRICSの技術を用いて、糸島市民の４分の１に当たる25,000人に、市民カードであるイトゴンカードを配布し、児童や高齢者の見守り、玄海原子力発電所の事故を想定した避難訓練の効率化などの社会実装を行っている。2018（平成30）年には、２つのセンターの設備を利用するために、無線通信の専業メーカーの工場もリサーチパーク内に完成した。［参照：19. 先端技術が創り出す社会とキャンパス］

終わりに

九州大学の伊都キャンパス移転は、単なる大学の移転にとどまらず、土地開発のあり方に関する種々の工夫、新しいキャンパスのあり方に関する挑戦、周辺の街づくりや産業育成の取り組みなど、多様な意味を持っている。伊都キャンパスで学びながら、これらの活動を肌で感じとってほしい。

関連するホームページを参考文献としてあげているので、興味のある人はさらにこちらから情報を得てほしい。

参考文献

- 福岡市統計書, 令和2年版, 福岡市, 2020.12
- 九州大学概要, 九州大学, 2021.7
- https://campus.kyushu-u.ac.jp
- http://shiiki-hall.kyushu-u.ac.jp/aboutus/
- http://i2cner.kyushu-u.ac.jp/ja/
- http://fc.kyushu-u.ac.jp
- https://www.kyushu-u.ac.jp/ja/topics/view/7
- http://www.city.fukuoka.lg.jp/jutaku-toshi/chiikikeikaku/machi/003.html
- http://www.opack.jp/area/img/f_C03.pdf
- http://www.opack.jp
- http://sangaku-center.city.fukuoka.lg.jp
- http://www.i3-opera.ist.or.jp
- https://www.hytrec.jp
- http://jiss.ist.or.jp/semiconductor.html
- http://jiss.ist.or.jp/social.html

02 世界の大学キャンパス　欧米編

坂井　猛

欧米の高校教育機関、大学キャンパスの歴史を概観し、
その成り立ちに関する理解を深める。

大学以前ー高等教育の起源

ギリシャにおいてピタゴラス（Pythagoras, B.C.582-B.C.496年）、ソクラテス（Sorates、B.C.496-B.C.399年）などの科学者、哲学者が生まれ、紀元前4世紀にアテナイ（現在のアテネ）郊外で、プラトン（Platon, B.C.427-B.C.347年）により、教育施設アカデメイア（Akademeia, B.C.387年）が創設され、アリストテレス（Aristoteles, B.C.384−B.C.322年）のリュケイオン（Lykeion, B.C.335年）に受け継がれた。アリストテレス一派は、リュケイオンの歩廊を散策して講義したことから逍遙学派（Peripatetic school）と呼ばれた。

図1　アルアズハル大学　988年

大学以前ー宮廷または宗教の附属教育機関として

中世まで、王侯貴族の子弟を教育する機関、あるいは宗教の教義を教える附属機関が各地につくられた。フランク王国（751−987年)のもとで、アーヘンに宮廷学校(Scola palatina)、フランスのノワイヨン近郊に大学アカデミー・ブレクスガタ大学（Brexgata University Academy, 798年）が創設された。アフリカ北部のイスラム圏では、モスクの宗教教育機関として、モロッコのフェズにアル・カラウィーン大学（Al-Quaraouiyine University, 859年）、エジプトのカイロにアル・アズハル大学（Al-Azhar University, 988年、図１）等が創設された。

図2　パリ大学　12世紀

大学誕生ー学生と教師の同業組合として

中世欧州の都市に生まれた大学は、長らく市街地の街区を占める複合建築に巣くうギルドの一種、つまり学生と教師による同業者の集団であった。11世紀のイタリアでは、自治都市であったボローニャに、現存する西欧最古の大学であるボローニャ大学（Università di Bologna、1088年)、北部交通の要地パルマにパルマ大学（Università

図3　カルチェ・ラタン

degli Studi di Parma, 11世紀)、イタリア南部の保養地サレルノに医科大学サレルノ大学（Università degli Studi di Salerno）が創設された。これらの大学はウニヴェルシタス（Universitas＝同業組合、uni＝１つ、versite＝めざす、ユニバーシティの語源）と呼ばれ、学生は有名な教師の下に国境や民族・言語を越えて全ヨーロッパから集まった。はじめから固有の建物を持っていたわけではなく、橋のたもとや教会前の広場、修道院の中庭、教師宅などが教育・訓育の場であった。教師と学生は、やがて市民の所有する家を借りて共同生活をするようになり、それがカレッジ（学寮）となる。市民とは隔絶されたコミュニティであり、建物から一歩出れば公共の道路であり、キャンパスは存在しなかった。

パリでは、キリスト教の大司教座聖堂附属学校が発展して、パリ大学（Université de Paris, 12世紀、図２）が創設された。中世ヨーロッパの大学の講義は共通語であるラテン語が使われ、パリ大学の周辺には、ラテン語の飛び交うカルチェ・ラタン（ラテン語地区、図３）と称する学生街が形成された。

イギリスの大学—タウンとガウン

イギリスでは、ロンドンの西北西約120kmの交通の要地オックスフォードに最初の大学がつくられた（図４、５）。英語圏で最古であり、1096年には教育を行っていたようである。学生が共同で一軒の家を借り、自分たちの選んだ長の元で共同生活を営んだ。この家が、国王により法人格を認められてカレッジ（college）となった。やがて、カレッジには、学生の居室、食堂、チャペル、図書館、事務室、談話室（コモン・ルーム）、教員室、バーなどが配置され、四角形の１階中庭を囲むクワッドラングルがその基本形態となった。

市民と大学の関係は、「タウン–ガウン」という言葉で表される。タウンはまちに住む市民をさし、ガウンは大学の行事に正装してガウンを身につける学生と教師をさす。オックスフォードでは、家賃の支払いが滞ったこと、ワインの味にけちをつけたことなどの様々な理由で学生教師たちと市民とが抗争になり、大学を一時閉鎖するほどに深刻な事態を招いた。教師と学生の一部は、オックスフォードからタウン–ガウンの紛争を逃れて、ロンドンの北北東約80kmに位置する商業拠点にケンブリッジ大学（図６）を創設した（1209年）。

図4　オックスフォード大学

図5　オックスフォード大学

図6　ケンブリッジ大学

02 世界の大学キャンパス　欧米編

大学の増加

14世紀、ヨーロッパの大学は、主として宗教の附属教育機関として発展を遂げ、それを国王などの権力者が庇護し、45校前後の大学が成立していたといわれる。15世紀になると、フランスでは大学が過剰となり学生募集難という状況も生まれたが、16世紀のルネサンス期に東方貿易で富を得て都市が発展し、17世紀のニュートンによる新しい力学などの自然解釈が打ち出され、それまでのキリスト教をベースとしたスコラ哲学とは違った学問が誕生した。多様な価値観が生まれるにつれ、教育に対する需要も増え、ヨーロッパ諸国とその植民地に多くの大学が生まれた。

アメリカの大学―キャンパスの誕生

植民地時代のアメリカ東海岸で、広大な敷地を使って大学独自の構内を持ち、道路、公園、運動場を備えた、都市の縮版ともいえる「キャンパス」が生まれた。「キャンパス」は、大学の校地全体または建物間のオープンスペースのことであり、1770年代のアメリカで使われ始めた。建物とオープンスペースを多様に展開できるため、アメリカの多くの大学で取り入れられるようになる。ハーバード大学（1636年創設、図7）のヤード、第3代大統領トマス・ジェファーソン（Thomas Jefferson、1743–1826年）が設計に関わったバージニア大学（1819年創設、図8）のローン等がモデルとなった。アメリカの国土づくりのために、実用的な工学や農学を修めた人材が大量に求められるようになり、州が実業大学を設立する際、国が土地を払い下げて助成するモリル法が1862年に公布され、全米に76校が創設された。広大なキャンパスの設計にF.L.オルムステッド（1822–1903年）などのランドスケープアーキテクトが登用され、集落分散型のキャンパスづくりが行われた。建物そのものより、それらの間にあるオープンスペースの価値を重視するキャンパス型の大学は、その後の新興諸国の大学キャンパス計画に波及していった。

フランスのグランゼコール

フランス革命後の1790年代末期、ナポレオンによって布かれた教育制度の下で、フランス独自の高等専門教育機関として、グランゼコール（Grandes Écoles、大学校）が創設された。グランゼコールは、社会発展に直接寄与

図7　ハーバード大学

図8　バージニア大学（撮影:藍谷鋼一郎）

図9　ベルリン・フンボルト大学

図10　スタンフォード大学

する高度専門職業人の養成を理念として、学問の普及と教育を行う専門家養成学校である。最初のグランゼコールは、ルイ15世（Louis XV、1710−1774年）の勅令によって、国家建設に不可欠な土木・建築領域におけるテクノクラート養成を目的として創立された国立土木学校（École nationale des ponts et chaussées、1747年創設）である。また、軍需省（現在は国防省）管轄の理工系大学校として、軍需技術者、土木技術者、民生技術者等を教育し養成するエコール・ポリテクニーク（Ecole polytechnique、理工科学校）、グランゼコールや大学の教員・研究者の養成を目的とするエコール・ノルマル・シュペリウール（École normale supérieure、高等師範学校）が、1794年に創設された。

ドイツ・ベルリンのフリードリヒ・ヴィルヘルム大学

ナポレオン戦争でフランスに敗れたドイツでは、中世のギルド的であった大学を廃止し、首都ベルリンに国家を組織的に統制するための高等教育機関をつくりだそうとする考えが生まれた。学問研究の自由、学習の自由、孤独の中の自由、研究と教育の一致、哲学による諸学の統一といった近代大学の理念のもとで、大学としての威厳を備え、知の殿堂を体現する大学として、1810年、フリードリヒ・ヴィルヘルム大学（Friedrich-Wilhelms-Universität）が創設された。後のベルリン・フンボルト大学（Humboldt-Universität zu Berlin、図９）である。第一線の研究者が教育者として教壇に立つスタイルを確立し、学長に哲学者フィヒテ（Johann Gottlieb Fichte, 1762年−1814年）など、当代随一の学者が招聘された。プロイセン王国は、周辺諸国を束ねてドイツ帝国の盟主となり、大学は、首都ベルリンに位置する国家の大学として発展を遂げた。大学の施設は、ウンター・デン・リンデン沿いの宮殿を大学に転用したものであった。シンメトリカルな構成と両翼に伸びるウイングによって威厳を備え、知の殿堂を体現するにふさわしい様相を呈していた。

シリコン・バレー

19世紀、エール大学、ハーバード大学、ミシガン大学、コロンビア大学などのアメリカの拠点大学でも、学生は研究をベースにした教育を受けるようになった。1876年に、米国カリフォルニア州に創設されたスタンフォード大学（Stanford University、図10）では、20世紀に入ると、在学生や卒業生がシリコン・バレーで次々と起業するようになり、20世紀末には、スタンフォード大学を中心とするシリコン・バレーがIT産業の中心地として、世界の注目を集めるようになる（図11）。大学は、地域経済を支えるエンジンとして、また、地域の均衡ある開発と発展を実現するための重要な切り札として、次の世代の産業を生み出すシーズの宝庫として捉えられるようになった。

図11　シリコン・バレー

参考文献

[1] H.ラシュドゥール「大学の起源−ヨーロッパ中世大学史」横尾壮英訳, 東洋館出版, (1966)
[2] C.H.ハスキンズ「大学の起源」青木靖三・三浦常司訳、法律文化社、(1970)
[3] 島田雄次郎「ヨーロッパの大学」玉川大学出版部、(1964)
[4] 横尾壮英「中世大学都市への旅」朝日選書、(1992)
[5] 潮木守一「ドイツの大学」講談社、(1992)
[6] 潮木守一「アメリカの大学」講談社、(1993)
[7] 中山茂「大学とアメリカ社会」朝日選書、(1994)
[8] 谷聖美著「アメリカの大学」ミネルヴァ書房、(2006)
[9] 樺山紘一「都市と大学の世界史」日本放送出版協会、(1998)
[10] 安原義仁・大塚豊・羽田貴史「大学と社会」放送大学教育振興会、(2008)
[11] 永井道雄「日本の大学」中公新書、(1965)
[12] 天野郁夫「大学の誕生」中公新書、(2009)
[13] 大沢勝「日本の私立大学」青木書店、(1981)
[14] 熊明安編著「中国高等教育史」重慶出版社, (1982)
[15] 渡邉定夫著「都市における大学立地整備計画に関する研究」東京大学、(1984)
[16] 岸田省吾「大学の空間−その変容に見る持続する原理」SD別冊28, (1996)
[17] P.V.ターナー「CAMPUS−An American Planning Tradition」MIT Press, (1984)
[18] 小林英嗣＋大学連携まちづくり研究会編「地域と大学の共創まちづくり」学芸出版、(2008)

03 世界の大学キャンパス　アジア編

坂井　猛

アジアにおける高校教育機関と大学キャンパスの歴史を概観し、
成り立ちに関する理解を深める。

大学以前—南アジア、東アジアの教育機関

19世紀までは、政権の庇護を受けた仏教や儒教などの寺社が主な教育機関であった。紀元前6世紀から5世紀にかけては、南アジアの古代王国ガンダーラ（Gandhara）の都市タキシラ（Taxila）に仏教僧院があり、国の宰相などが教育にあたっていた。5世紀から12世紀には、インド東部ナーランダ（Nalanda）の仏教僧院に、校舎や図書館の揃った古代世界で最大の教育施設が設置され、中国から中東まで、学生約1万人、教師約千人を集めた。

中国では漢時代（紀元前206−263）に、儒学が国の教学となり、紀元前124年には首都長安（現在の西安）に官立の高等教育機関としての太学が創設され、五経博士がそれぞれの専門とする経学を教授した。後漢（25−220年）の太学（25年創建）には、天文台、明堂、辟雍が置かれ、学生は3万人に達し、すべてが太学の宿舎に住み、妻子を連れて住む学生もいた。隋代（581−618）には、教育機関としての国子監が設置され、国子学、太学、律学、書学、算学などを教え、官僚の登用試験である科挙が、598年より実施されるようになった。唐、元、明、清の歴代王朝でも、国士監は最高学府として、西に国子監の学問所、東に孔子廟を構え（左廟右学）、孔子廟で孔子を祭る儀式を行った。

朝鮮、ベトナム、日本でも、中国の太学、国子監に倣って、王朝による教育機関が創設された。朝鮮では、372年に高句麗に太学が設けられ、儒学に基づく教育を行った。高麗王朝末期の1398年に国士監を成均館と改称し、首都漢陽（現在のソウル市）に設置されていたが、文禄・慶長の役（1592−1598）に消失し、後に再建された。初期の定員は150人であり、1429年には200人に増えている。科挙に合格すると、官僚の卵として成均館で国に保証された寮生活を送った。この成均館を母体として、成均館大学が1946年に創設された。

中国王朝から939年に独立したベトナム李朝は、1070年に孔子を祀る文廟を首都タロン（現在のハノイ）に設立し、1075年に初の科挙を実施し、王族と貴族の子弟の教育機関として、国子監を設置した（図1）。国子監と科挙の制度は、歴代王朝によって1919年まで続けられた。

大学以前—日本の教育機関

日本では、大化年間（645−650年）より改革を進めていた大和朝廷が、律令制のもとに都に大学を一つ、国ご

図1　ハノイ文廟・国子監

図2　天龍寺（京都五山）

とに国学を設置し、官僚の子弟に対して、博士と助教が五経等の儒教の教典を主とする国家の運営に必要な知識を伝授したが、律令制の衰退とともに10世紀までに実態を失った。唐に留学し仏教を学んだ空海（774–835）は、高野山金剛峰寺を開き、さらに京都で、貴賤に関わらず庶民に真言密教を教える綜藝種智院（しゅげいしゅちいん）を828年に創設したが、こちらは空海の死去後に閉鎖された。

古代インドの初期仏教における天竺五精舎の故事に基づき、中国南宋に径山寺、雲隠寺、天童寺、浄慈寺、育王寺を五山と称して保護したことに倣い、鎌倉幕府、室町幕府は、有力な５つの仏寺を鎌倉五山、京都五山と定め（図２）、幕府の外交文書作成や交渉を担当させ、禅の思想とともに漢文学が広められた。

江戸幕府は、1690年に湯島に聖堂を創建し1797年に幕府直轄の学校として昌平坂学問所（通称、昌平黌）を設置して幕臣子弟の教育にあたった。この学問所は、日本の近代教育の発祥といわれている。湯島の敷地に大規模な聖堂、講堂、教官室、寮舎を設け、儒学の中心をなす学校となった（図３）。また、1684年に設置された天文方は、主に編暦作業を担当する機関であり、天文、測量、地誌、洋書の翻訳なども行っていた。天文方と昌平坂学問所は種痘所とともに、1877年の東京大学創設の基礎となった（図４）。

仏教寺院における僧の教育機関は、江戸幕府の保護によって発達した。江戸幕府は、寺院統制を行うなかで、寺院に設けられた僧侶の養成および研修機関である壇林、学寮、学林、禅林などを保護した。これらは、1919年施行の大学令（1919年施行）により、立正大学、駒澤大学、龍谷大学、大谷大学などの私立大学として設置認可されることになる。

大阪では豪商や著名な医師による民間の教育機関が生まれ、町民を対象とした実学教育が行われた。豪商たちが出資した学問所「懐徳堂」と緒方洪庵（1810–1863）が創設した私塾の最高峰「適塾」は大阪大学の源流となった。適塾で学んだ福澤諭吉（1835–1901）は、1858年に蘭学塾を創設し、後に慶応義塾大学となった。

1876年、広大な開拓地を抱える北海道で札幌農学校が創設された（図５）。マサチューセッツ農科大学学長

図3　湯島聖堂

図4　東京大学

図5　札幌農学校モデルバーン

であったウィリアム・スミス・クラーク（William Smith Clark、1826年−1886年）を教頭として招き、札幌農学校を創設した。後の北海道大学であり、開拓使営繕課による米国風を基本とした様式の建築群を有した。

日本の大学

1877年、日本で最初の国立大学として東京大学が創設された。法・理・文の３学部に加え、旧東京医学校を改組し医学部を設置した。また、1880年に東京法学社（法政大学）、専修学校（専修大学）、1881年に明治法律学校（明治大学）、東京物理学講習所（東京理科大学）、東京職工学校（東京工業大学）、1882年に東京専門学校（早稲田大学）などが次々と創設された。

1886年には、帝国大学令が公布され、東京大学は、東京帝国大学と改名した。その後、京都帝国大学（1897）、東北帝国大学（1907）、九州帝国大学（1911）、北海道帝国大学（1919）、京城帝国大学（1924）、台北帝国大学（1928）、大阪帝国大学（1931）、名古屋帝国大学（1939）の９帝国大学が創設された。1918年の大学令によって帝国大学に限られていた「大学」を私学にも認めることとなり、これにより1920年に慶應義塾大学、早稲田大学、法政大学、明治大学、中央大学、日本大学、國學院大学、同志社大学が認可され、大学数は増加した。

戦後、帝国大学は「帝国」の２文字を使用しないこととなり、国立学校設置法に基づき一府県一大学原則などの地方分散化政策が示され、地域では土地の寄附や募金を集め、1949年に70校の国立大学が認可された。急ごしらえであったために、複数の教育機関を統合してつくられた大学では、同一の大学が市内にいくつも存在することとなり、後に「たこ足大学」とよばれ、物理的統合が課題となった。

中国の大学

中国天津では、1895年に西洋の学問を教える近代中国最初の理工大学として北洋大学が創設され、1951年に天津大学となった。また、1896年、中国上海に南洋公学が創設され、1921年に交通大学と改称した。1959年に国の重点大学となり、上海の大学は上海交通大学、西安の大学は西安交通大学となった。北京では1898年、清朝の行政改革に伴い最高学府として京師大学堂が創設され、欧米列強に対抗するために時代遅れとなっていた科挙を1905年に廃止し、1912年の辛亥革命に伴い、北京大学となった。一方、1911年に、清朝政府によるアメリカ留学の予備校として北京に清華学堂が創設されたが、大学学部および国の開発研究院を設置し、1928年に国立清華大学となった（図６）。1937年、日中戦争がはじまると、清華大学は長沙、昆明と移転し、1946年に北京の清華園に戻り再び活動を始めた。今では中国における科学技術研究の拠点のひとつとなっている。

タイの大学

国王ラーマ５世チュラロンコン王（1853−1910）が設立した教育学校は、1902年に王立近習学校となり、1917年に大学としての地位を与えられ、チュラロンコン大学（Chulalongkorn University、図７）となった。1933年には、タマサート大学（Thammasat University）が法学校を受け継いで大学となり、さらに、1888年に創設された王立病院を引き継いで1969年にマヒドン大

図6　清華大学

図7　チュラロンコン大学

学（Mahidol University）が創設した。この３大学は、王室の庇護をうけたタイの拠点大学となっている。

韓国の大学

日本植民地時代に創設され1945年の日本敗戦とともに閉鎖した京城帝国大学に代わって、米国の支援を得て、1946年にソウル国立大学校が創設され、ソウル市南部の丘陵地へ1966年に移転し、政府の人材を養成する最高学府となった（図８）。釜山では、人文学部と水産学部からなる釜山大学校が1946年に創設され、韓国第二の都市釜山の総合大学となった。

マレーシアとシンガポールの大学

1949年、マラヤ大学（University of Malaya、図９）が創設された。クアラ・ルンプールとシンガポールに２つのキャンパスを有していたが、1960年には、マレーシア政府の国立大学となる意向を表明し、1962年、法的手続きを経て、マラヤ大学はマレーシアの国立大学となり、シンガポール校はシンガポール大学（University of Singapore）として分離した。マラヤ大学は、現在、クアラ・ルンプールの南西に309ヘクタールを有する総合大学として、エドワード７世医科大学の時代から、マレーシアのリーダーを輩出している。

シンガポール大学は、新生都市国家を支える存在として整備充実される必要があり、1969年にシンガポールの南西部ケントリッジ（Kent Ridge）と呼ばれる丘陵の一帯の敷地に新キャンパスを定め、すべての学部の移転を開始した。1980年にシンガポール国立大学（National University of Singapore）となり、1986年にはすべての学部のケント・リッジへの移転を完了している。シンガポール国立大学は現在、アジアでも評価が高い大学の一つであり、学生32,000人が在籍する。東南アジア諸国、中国、欧米やアフリカなどを含め100ヶ国以上からの留学生を迎える大学となっている。

インドネシアの大学

第二次世界大戦で日本の降伏後、独立を宣言したインドネシア共和国と、再植民地化を目論んだオランダとの間で行われた独立戦争を経て、独立戦争時の臨時首都ジョグジャカルタ（Yogyakarta）で1949年にガジャマダ大学（Universitas Gadjah Mada、図10）が創設された。ガジャマダ大学はインドネシアでも最大の総合大学である。

日本における大学の郊外移転と都心回帰

1960年代に文部省は、都市部への大学の極度の集中と地域間の格差を是正するため、首都圏および近畿大阪

図8　ソウル国立大学校（武田裕之氏撮影）

図9　マラヤ大学

図10　ガジャマダ大学

周辺の大学が定員増加を申請しても認可せずに抑制し続けた。首都圏の既成市街地における工業等の制限に関する法律（1959年制定、2002年廃止）、近畿圏の既成都市区域における工場等の制限に関する法律（1964年制定、2002年廃止）により、首都圏では、大学の新設と大幅な増員は事実上不可能となった。こうした大学に厳しい状況が続き、1970年代になって、多くの大学の郊外移転が本格化した（表）。都市の急速な発展と交通量の増加、公害、騒音等が、大学の教育研究の環境を著しく低下させていることも大きな理由であった。

1973年に開学した筑波大学（図11）は、師範学校を前身とする東京教育大学（1949年）の５学部を閉学し、東京都心から北東約60kmにある筑波へ統合移転した。移転を契機に大学改革を行い、「学群・学類」制などを特色とする総合大学となった。日本で初めて建設されたサイエンス・シティ「筑波研究学園都市」の中核として位置付けられたことに大きな特徴がある。筑波研究学園都市は、1963年の閣議了解によりその建設が決定されたものであり、1980年までに国の試験研究機関、大学等の施設が移転・新設され、基幹的な都市施設もほぼ完成した。その後、都心部の施設整備や、周辺部の工業団地等への民間企業の進出も進み、人口約20万人、約300の研究機関と企業、１万人以上の研究者を擁する都市となっている。これにより国は、必ずしも東京に立地する必要のなかった国の試験研究・教育機関を研究学園都市に計画的に移転し、首都圏既成市街地への人口の過度集中の緩和に役立たせるとともに、跡地利用によって、均衡ある発展に寄与することを目指した。

2002年になって、大学の郊外移転の根拠法となっていた工場等制限法が廃止されたことにより、郊外では学生が集まらず経営が逼迫した小規模の私立大学を中心に、都心に回帰する動きがみられる。さらに、都心にサテライトキャンパスを置く大学も増えている。

表　首都圏の大学の郊外移転

1961	東洋大学、埼玉県川越キャンパスに工学部を開設
1973	筑波大学、茨城県つくば市に開学。東京教育大学を閉学
1977	東洋大学、埼玉県朝霞キャンパスへ各学部の二部と工学部を除く学部の1・2年を移転。文系5学部の1・2年の授業開始
1978	中央大学、多摩市八王子キャンパスへ本部、理工学部、理工学研究科を除く全学部、研究科を移転
1979	共立女子大学、多摩市八王子キャンパスへ家政学部、文芸学部の1・2年を移転
1982	青山学院大学、厚木キャンパスに理工学部1年、理工学部以外の1・2年を移転
1984	法政大学、多摩キャンパスに経済学部第一部等を移転
1987	早稲田大学、所沢キャンパスに人間科学部等を新設
1990	慶應義塾大学、湘南藤沢新キャンパスに総合政策学部等を新設
1990	日本女子大学、川崎市に人間社会学部等を新設
1990	立教大学、武蔵野新座キャンパスに観光学部等を新設
1991	東京都立大学八王子市キャンパスに全学部・学科を移転
1997	武蔵工業大学、横浜キャンパスに環境情報学部等を移転
2001	東京大学、柏キャンパスに新領域創成科学研究科等を移転

図11　筑波大学

参考文献

[1] 侯幼彬他, 中国古代建築歴史図説, 中国建築工業出版社, (2002)
[2] 大塚豊, アジアにおける高等教育の伝統, 大学と社会, 日本放送出版協会, (2008)
[3] 文部科学省, 学制百年史. 1981, 株式会社帝国地方行政学会, http://www.mext.go.jp/b_menu/hakusho/html/hpbz198101/index.html
[4] 国土交通省ホームページ, http://www.mlit.go.jp/crd/daisei/ tsukuba/index.html
[5] 桃裕行「日本の大学の歴史」東京大学出版会, (1968)
[6] 樺山紘一:都市と大学の世界史, NHK人間大学, 日本放送出版協会, (1998)
[7] 永井道雄:日本の大学, 中公新書, (1965)
[8] 首都圏の既成市街地における工業等の制限に関する法律」(1959年制定、2002年廃止)
[9]「近畿圏の既成都市区域における工場等の制限に関する法律」(1964年制定、2002年廃止)

＼コラム／

01

ドライブスルー型障害者用駐車場

肢体不自由者にとって、自動車による移動は、電車やバス等公共交通機関による移動の不便さを回避し、身体的及び精神的な負担を軽減する手段である。障害者ドライバーは、令和２年時点で全国に約23万人いると報告されており、自動車利用の円滑化は障害者のQOLを高める。

脊髄損傷者は、頭部の回転が難しく振り返ることができないため、後進時にはサイドミラー等を頼りに運転する。駐車時に後進を必要とせず、前進で入庫し、そのまま前進で出庫できる駐車場は、脊髄損傷者ドライバーの快適性を大きく向上させる。

車椅子利用者は、車両からの乗降時に健常者よりも広いスペースを必要とする。車椅子利用者を対象にした障害者用駐車場における行動観察から、特に福祉車両の場合、駐車場の範囲を越境して乗降することが確認されている。スロープやリフトを用いる福祉車両では、乗降で利用する車両後方に大きなスペースが必要となる。

駐車場の車止めは、入庫する車両と、周辺構造物との接触や衝突を避けるのに役立っているが、脊髄損傷者ドライバーにとっては、車止めによる強制的な停止は身体への衝撃が大きく苦痛を伴う。また、福祉車両の中には、車両後部のスロープが車止めと干渉してしまう車種があり、車椅子利用者の乗降を妨げる。福祉車両が前進で入庫して乗降すれば、乗降を行う車両後方と通過車両が交錯することになり非常に危険である。実際に、福祉車両のスロープと通過車両が接触した事故の体験談を当事者から聞くことがある。

九州大学伊都キャンパスでは、上記のような当事者ニーズに配慮して、ドライブスルー型の障害者用駐車場が整備された（図１、写真１）。これは、駐車車両が通り抜けでき、かつ十分な乗降スペースを有するものである。駐車車両は、前進で入庫し前進で出庫でき、後進を必要としない。車椅子の乗降に必要となる車両前後のスペースが十分に確保されており、福祉車両から安全に乗降できる。車止めを設けないため、福祉車両のスロープが干渉することはなく、また、脊髄損傷者が強制停車による身体への衝撃で苦痛を感じることもない。さらに、駐車場に進入する経路が明快であり、利用者に分かりやすい。駐車スペースには屋根が設けられ、雨天時も快適に乗降できる。これらの機能に対して、肢体不自由の当事者から利用しやすい構造であるとの声が寄せられている（写真２）。

ドライブスルー型の駐車場は、肢体不自由者だけでなく、多くの人のQOLを高めるものである。後進を必要とせず見通しの良い構造は、高齢者や健常者においても事故を減じ、駐車時の快適性を高める構造である。これは、マイノリティに限らず多くのマジョリティを包摂するインクルーシブな駐車場であるといえよう。

（羽野 暁）

図1　ドライブスルー型駐車場の概要

写真1　ドライブスルー型駐車場（側面）

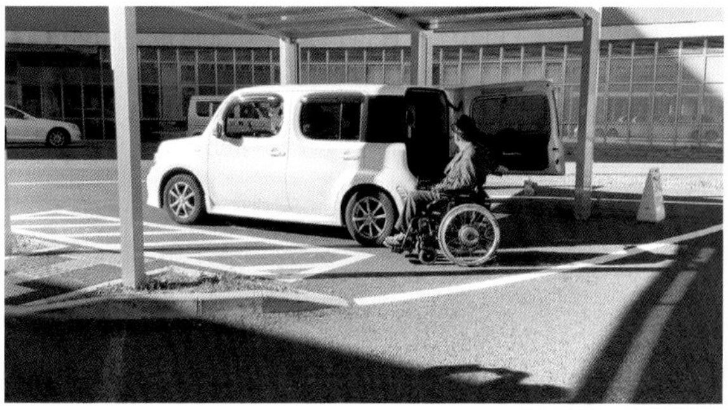

写真2　脊髄損傷者ドライバーによる検証の状況

04 糸島の歴史と伊都キャンパスの文化遺産

宮本　一夫

糸島の先史時代から古代に至る歴史から、
伊都キャンパスの文化遺産の理解を深める。

糸島の旧石器・縄文時代

約２万年前の氷河期における旧石器時代の遺跡が糸島丘陵部に存在する。この時期、海面が現在よりも120メートル低い位置に存在した。１万６千年前から始まる縄文時代の遺跡で、草創期や早期といった縄文時代初期の遺跡は旧石器時代と同じ糸島丘陵部に位置している。元岡伊都キャンパスにも、このような旧石器・縄文時代早期の遺跡が存在している。１万３千年前に氷河期が終わり、次第に温暖化し海面が上昇するとともに玄界灘から博多湾に海が侵入していく。海面が最も高くなった時期が今から6500年前の縄文前期の縄文海進期である。この時期から今津湾と加布里湾には海が入り込み、志摩半島は島嶼のような地形環境を呈する（図１）。このような景観は中世まで続き、その後、近世になって湾が徐々に埋積し、あるいは干拓によって現在のような陸化した地形環境に至っている。

糸島の弥生時代

狩猟採集社会であった縄文時代から水稲農耕社会へ移行したのは、糸島地域では紀元前９～８世紀であった。糸島半島と前原地域を繋ぐ陸橋部に志登支石墓がある。支石墓は朝鮮半島の墓制であり、弥生時代は渡来系文化の影響で始まっている。糸島地域の弥生時代の中心集落は、前原地域の三雲遺跡群である。ここでは漢の楽浪郡からもたらされた楽浪系土器が出土しており、紀元前１世紀には楽浪郡との交易が始まっていた。伊都キャンパスにも弥生時代後半期を中心とした遺跡が存在するが、元岡・桑原遺跡群第42・52次調査の流路からは弥生後期の琴板や青銅製鞆尻金具など大陸との関係を持つ遺物が出土している。

糸島の古墳時代

弥生時代後半期からの鉄器化により、土地開発が活発となり経済力が伸長し格差が進行する中、地域ごとに首長が出現し始める。その奥津城が古墳である。３世紀半ばの古墳時代の始まりは、邪馬台国の卑弥呼の時代でも

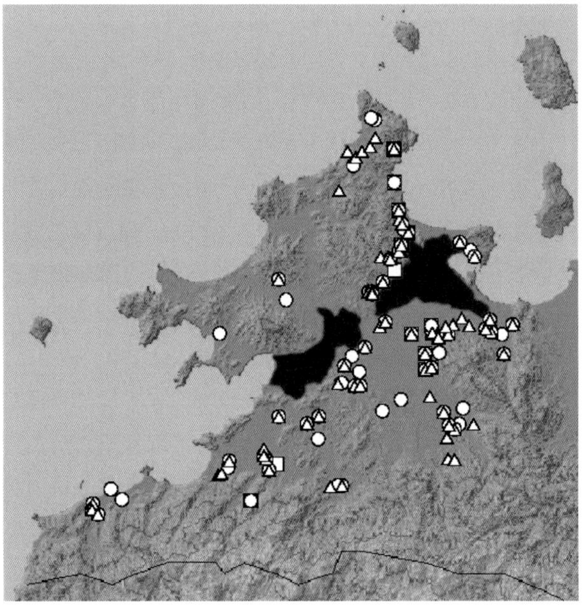

図1　今津湾と加布里湾と縄文～古墳時代遺跡
（□縄文時代、○弥生時代、△古墳時代）

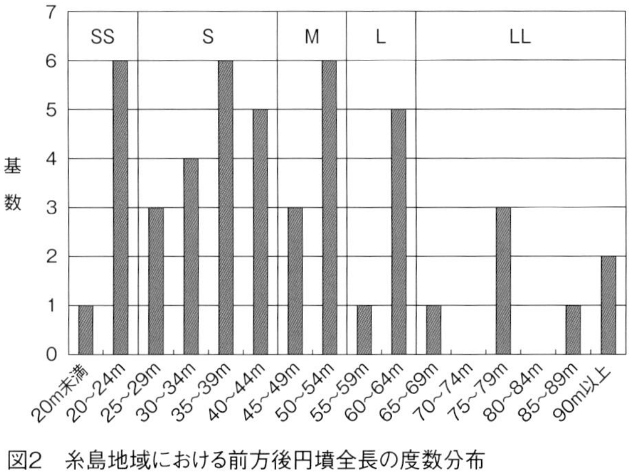

図2　糸島地域における前方後円墳全長の度数分布

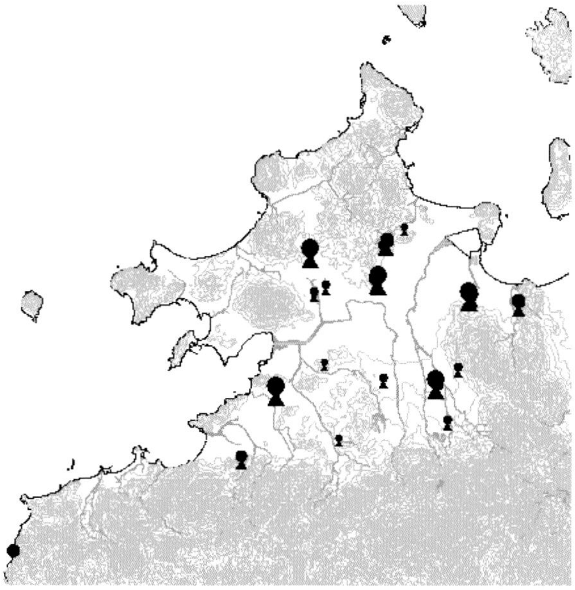

図3　古墳時代前期の糸島地域における前方後円墳

図4　古墳時代中期の糸島地域における前方後円墳

あった。古墳には前方後円墳や円墳などの墳丘の違いとともに、大きさの違いが存在する。前方後円墳が最も地位の高い首長の高塚と考えられるが、その中でも大きさにより違いが見られる。大きさの違いは古墳築造の労働投下量を表し、首長の権威や経済力を示している。

図２の度数分布にあるように、糸島地域の前方後円墳は大きく五つの格差で示すことができる。この格差と古墳時代前・中・後期の前方後円墳の糸島地域内での分布の関係を眺めてみよう。古墳時代前期（３世紀後半～４世紀）には、大きく五つの群が拮抗し、各群の首長墓には同等に大きなものが存在した（図３）。古墳時代中期（５世紀）には、大きく２群で首長墓が対抗しており、一つが糸島半島の元岡丘陵にあり、もう一つが前原地域の今津湾南岸にある（図４）。古墳時代後期（６世紀）には糸島半島では元岡丘陵に、前原地域では今津湾南岸と長野川流域の２群が認められるものの、今津湾南岸の方がより大きな古墳をなす（図５）。このように、古墳時代中期以降、首長間の格差が広がり、糸島半島では元岡丘陵が、前原地域では今津湾南岸が中心的な首長墓域をなすようになった。すなわち、伊都キャンパスが位置する場所が糸島半島の中心的な墓域であったのである。

図5　古墳時代後期の糸島地域における前方後円墳

石ヶ原古墳と元岡Ｇ３号墳

伊都キャンパス内にあった６世紀中葉の石ヶ原古墳は全長49mと伊都キャンパス内では最大級の前方後円墳である（図６）。石室長も長さ3.6m、幅2.1m、高さ2.0mと糸島半島では最大級である。『日本書紀』欽明天皇17（556）年には、百済王子恵を筑紫火君が兵1,000人を率いて百済に送り届けたとある。年代的に見ると、筑紫火君の墓が石ヶ原古墳であったかもしれない。この後、糸島半島では前方後円墳が作られなくなるが、これはヤマトの地方支配が進むことによるものである。伊都キャンパスの石ヶ元８号墳からは単鳳太刀が出土したが、ヤマトにより国造として扱われていたためとも考えられる。

伊都キャンパス南部Ｇ地区の元岡Ｇ６号古墳は７世紀前半の円墳であったが（図７，８）、横穴石室内からは金象眼による銘文をもった太刀が見つかった。銘文には「大歳庚寅正月六日庚寅日時作刀凡十二果□」とあり、これは元嘉暦で西暦570年にあたる。元嘉暦は百済からもたらされたものであるが、この発見によって『日本書紀』に記載された元嘉暦が倭で用いられていたことが明確となった。また、同じ地区の元岡Ｇ１号墳（図８）は７世紀初頭の方墳であり、ヤマトの有力氏族である蘇我氏の墓と同じ形態をなしており、伊都キャンパスの古墳群が国造である筑紫火君一族の墓域であった可能性が高まっている。

古代の嶋郡と怡土郡

古墳時代に糸島半島と前原地域ではそれぞれ首長勢力が拮抗していたが、これが８世紀に律令制が施行された段階の嶋（志麻・志摩）郡と怡土（いと）郡の原型をなす。国、郡、里という行政組織の内、郡は古墳時代後期の国造であった首長が郡長を司っていた。そして、里は古墳時代後期の群集墳がその地域単位の原型をなしていると考えられ、図９がその里を推定したものである。

伊都キャンパスが嶋郡の川辺里に相当し、郡司の大領肥君猪手一族がこの地に居を構えていた可能性がある。郡司の肥君一族の祖先の墓が、伊都キャンパスの石ヶ原古墳、石ヶ元古墳群、Ｇ１・６号墳などであったのである。一方で、怡土郡の郡司は良人に存在していた可能性があり、その祖先が今津湾南岸の前方後円墳群の首長たちであった。８世紀には、これらの勢力がこの地に朝鮮式山城である怡土城を築造することになる。

また、伊都キャンパスが嶋郡における拠点であっただけでなく、ヤマトの対朝鮮半島政策においても軍事的な拠点となっていたのである。『日本書紀』には、推古天皇10（602）年に征新羅将軍の来目皇子が筑紫嶋郡で駐屯し船舶を集めて軍量を運んだことが記載されている。キャンパス北部の元岡・桑原遺跡群第18次調査地点の６世紀末～７世紀の倉庫群が、年代的には来目皇子の駐屯地である可能性がある（図10）。

図6　建設中のウエストゾーンと石ヶ原古墳

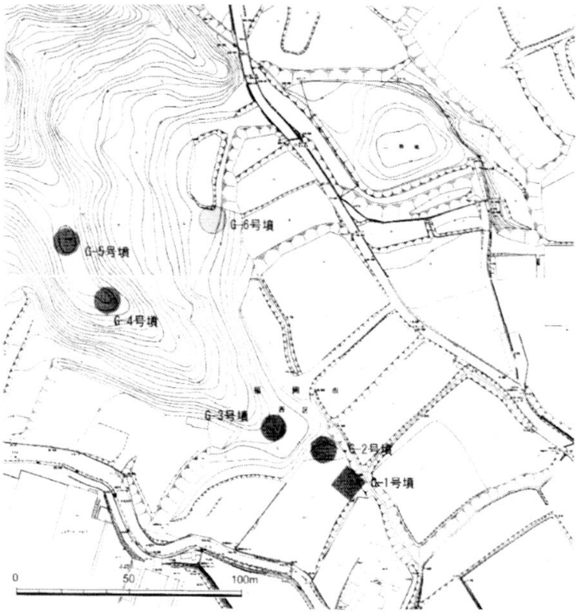

図7　伊都キャンパスG地区の古墳群

図8　元岡G6号墳の石室

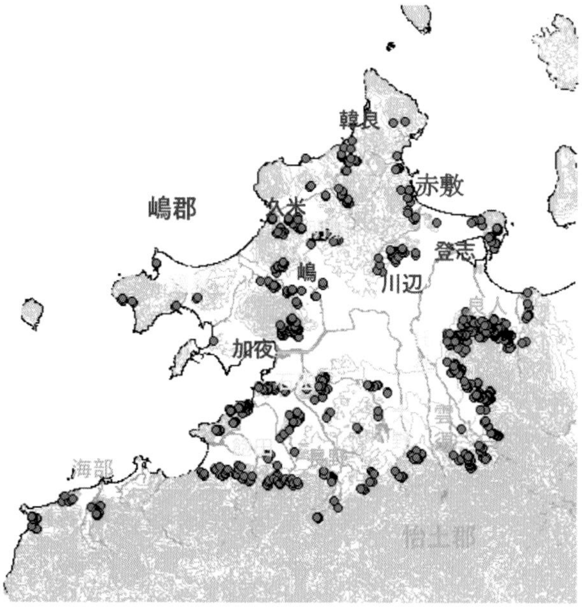

図9　古墳群からみた律令期の郡･里の推定

大領肥君猪手と川辺郷

日本最古の戸籍が正倉院に残されているが、その一つが大宝２（702）年の嶋郡川辺の里の戸籍である。この戸籍には、嶋郡の郡司である大領肥君の一族の戸籍が記されている。肥君の所在地である川辺の里が伊都キャンパスに相当する可能性が高いが、その拠点であると考えられる館衙遺構が、元岡・桑原遺跡群第20次調査地点の８世紀代の倉庫群や池状遺構である（図11）。ここからは帯金具や銅製権（重り）など官衙に関係する遺物が出土している。また、元岡・桑原第７次調査地点では692年に推定される「壬申年韓鐵□□」銘の木簡が出土しており、７～８世紀代の製鉄集団の存在が想定される。元岡・桑原遺跡群第12次調査地点では西日本で最大級の27基の箱形炉からなる鍛冶遺跡が見つかっている。古代の嶋郡において鉄生産が重要な生業であったことを示している。

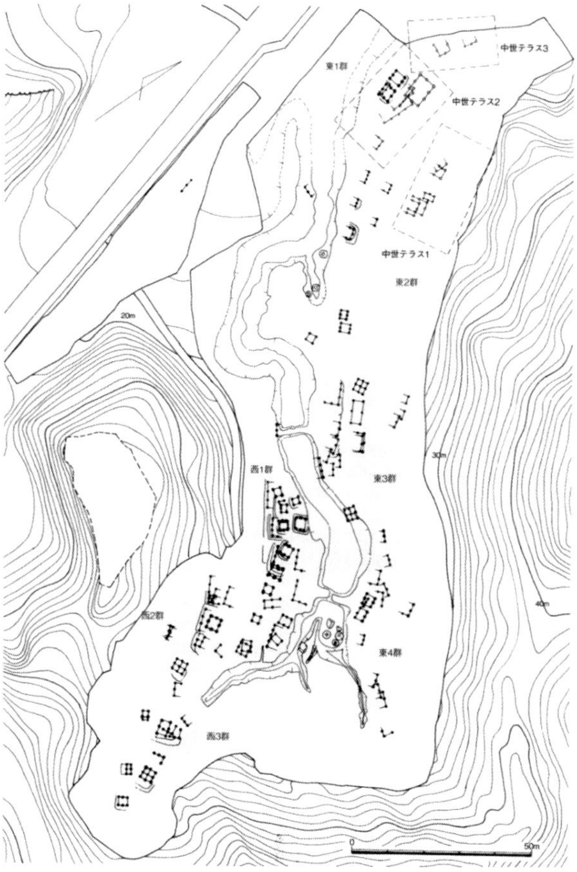

図10　元岡･桑原遺跡群第18次調査地点出土倉庫群

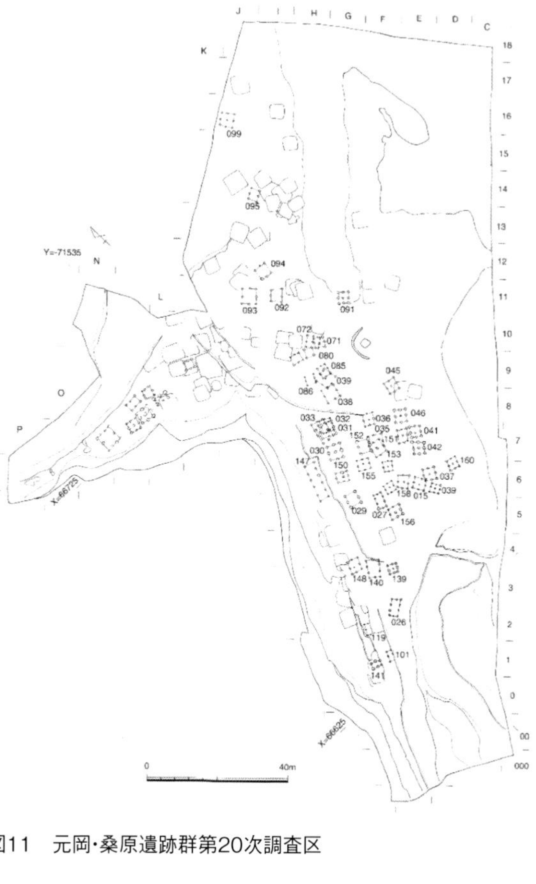

図11　元岡･桑原遺跡群第20次調査区

参考文献

[1] 小畑弘己編「新修福岡市史　資料編1　遺跡からみた福岡の歴史ー西部編ー」福岡市、2016
[2] 宮本一夫編「新修福岡市史　資料編3　考古遺物からみた福岡の歴史」福岡市、2011
[3] 宮本一夫編「新修福岡市史　特別編　自然と遺跡からみた福岡の歴史」福岡市、2013

05 伊都キャンパスの歴史遺産活用

岩永 省三・田尻 義了

伊都キャンパスには、多数の遺跡が保存されており、
全国的にも有数の歴史的遺産に富んだキャンパスと言える。
歴史遺産の保全と活用について理解を深める。

伊都キャンパスの開発と文化財保護

九大の伊都キャンパスへの移転決定から現在までの様々な取り組みを概観する。

1991年に、福岡市西区元岡・桑原地区への移転が決定された。1993～1998年に、造成基本計画が策定され、古墳等の歴史的環境への配慮が謳われた。伊都地区での埋蔵文化財調査は、福岡市教育委員会が担当することになった。伊都地区が未買収であったことと、学内に埋蔵文化財調査組織がなかったことによる。1995年に、開発に先立つ埋蔵文化財分布調査が実施され、福岡市教育委員会に大規模事業等担当課が設置された。

1996年に、造成予定地で試掘調査（第１次）、続いて本調査（第２次～）が開始され、以後続々と重要遺跡が発見されていった。遺跡の保存と開発計画との関係を円滑化するため、1997年に「新キャンパス基本構想における埋蔵文化財の取扱い方針」を定め、埋蔵文化財保全と基盤整備を可能な限り両立するため、前方後円墳・群集墳・山城の保存を決めた。

2000年に、「新キャンパス用地等における埋蔵文化財の取扱いの基本的考え方」を定めた。これは、キャンパスと埋蔵文化財の両立がキャンパスの特長となるよう配慮し、現状保存・記録保存に関し、具体的復元・活用の仕方を明示したものであり、以下の４ケースの分類に基づき保存活用を図ることとした。

Ⅰ. 現地をそのまま保存するか、学内外に展示公開するため復元・整備する。

Ⅱ. 土盛りなどによって、遺構を破壊しないかたちでキャンパスとして利用するが、遺構の部分については位置関係と構造を正確に復元して展示公開する。

Ⅲ. 土盛りなどによって、遺構を破壊しないかたちでキャンパスとして利用する。

Ⅳ. 記録保存した後造成し、キャンパスとして利用する。

以後、新たな遺跡が発見されるたびに、学術的価値を勘案してⅠ～Ⅳのどの対応を採るのか検討していった。

2001年に、『九州大学新キャンパス・マスタープラン2001』が策定されたが、その中で、新キャンパスへの統合移転を目指した、秩序ある施設整備と整備後の管理・運営の拠り所となる全学的指針が示された。保全緑地の遺跡の保存活用を図り、保全緑地を積極的に開放し、遺跡や眺望のきく視点場を巡る散策ルートを設け、キャンパスに憩いと潤いを与える場を形成することとした。

2005年に、『九州大学新キャンパス保全緑地維持管理計画』が策定され、保全緑地のゾーニング・動線計画・園路整備の方針が示された。「史跡の森散策ゾーン」・「歩道（ネイチャー・トレイル）」を設定し、園路整備は、史跡等を考慮し、現地に合わせ微調整することとした。

2004年に「石ケ原古墳の保存方法及び新キャンパスにおける文化財の活用について」を定めた。イースト地区建設予定地にあった石ケ原古墳の記録保存（破壊）に伴う対応として、古墳があった位置に展示室を設け、石室をイースト・ゾーンに移設・公開・活用することとした。また、埋蔵文化財等の調査研究・活用体制の整備方針として、「アジア埋蔵文化財研究センター」を設置し、学内遺跡を含む埋蔵文化財の研究を組織的に展開することとした。

2016年に、伊都地区内の埋蔵文化財調査がほぼ終了したことを受けて、保存された遺跡群の今後の整備・活用のための『九州大学伊都キャンパス文化財整備基本計画』、『石ケ原古墳展望室における展示計画』を策定した。

以下、この二つの計画の概要を説明する。

なお、2020年にはイーストゾーンに所在する水崎城へ登るための歩道（ネイチャー・トレイル）を先行整備しているが、コロナ禍のため一般公開は行っていない。

伊都キャンパス開発前・後の変化

開発前の伊都地区はほとんどが山林で谷筋に水田が営まれていた（図１）。福岡市教育委員会による分布調査

図1　伊都キャンパス開発前の状況

図3　伊都キャンパス開発後の状況（2015年）

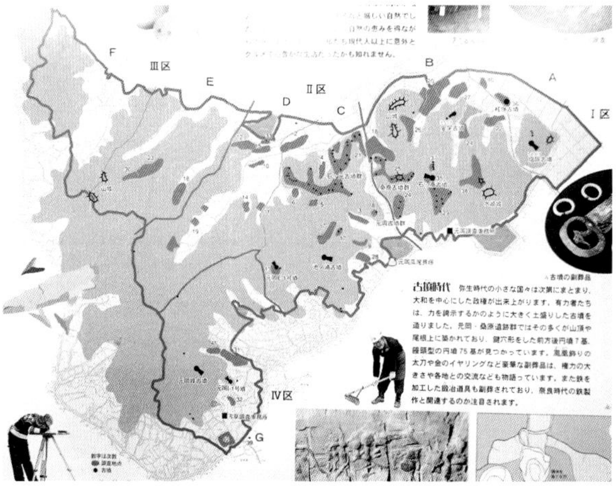

図2　開発予定地内の遺跡（福岡市教委2005）

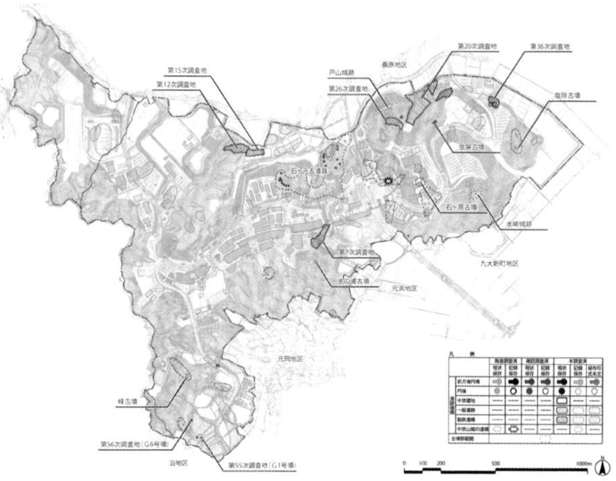

図4　伊都キャンパス開発後の諸施設と遺跡

までは、あまり遺跡は多くないと推定されていた。しかし、調査が進展すると旧石器時代遺跡・弥生時代遺跡・前方後円墳・群集墳・古代官衙出先機関・製鉄遺蹟などの重要遺跡が次々と発見された（図２）。それらの中で重要な遺跡は保存措置を講じ、やむを得ない場合は破壊して、キャンパスの造成を進めていった（図３）。図１と図３を比較すると、その変貌ぶりに驚くが、周辺部に残された緑地帯の中に多くの遺跡が残されているのである。

図４に、造成後の諸施設と保存された遺跡の位置を示した。イーストゾーンのみは、建物と破壊された遺跡を重複させて示してある。これは、イースト１号館９階の展望展示室が、石ケ原古墳のあった位置にできることを表現するためである。

代表的遺跡とその整備計画

以下、調査地区ごとに遺跡の状況と整備計画を述べるが、紙幅の関係で代表的な遺跡のみとする。

●石ヶ元古墳群

ウエスト１号館の北側、立体駐車場の両側に見える森が石ケ元古墳群である（図５）。北へ延びる尾根上で５世紀中葉～６世紀末にかけて造営された円墳32基が検出された。直径８～21mの墳丘を有す。横穴式石室から金銅装単鳳環頭太刀などの鉄製武器・馬具・鍛冶工具・装身具・須恵器などの豊富な副葬品が出土し、律令体制期の志摩郡の郡司層につらなる有力集団の墓と考えられる。この重要性から32基のうち北半の17基（図５黒丸）を保存した。整備計画では、古墳墳丘を整え見学路を設け、群集墳の状況が学べるようにする（図６）。

●第12次調査区―製鉄遺跡

工学部から北へ下ったキャンパス北端の第12次調査区では、奈良時代後半の製鉄遺跡が発見された（図７）。

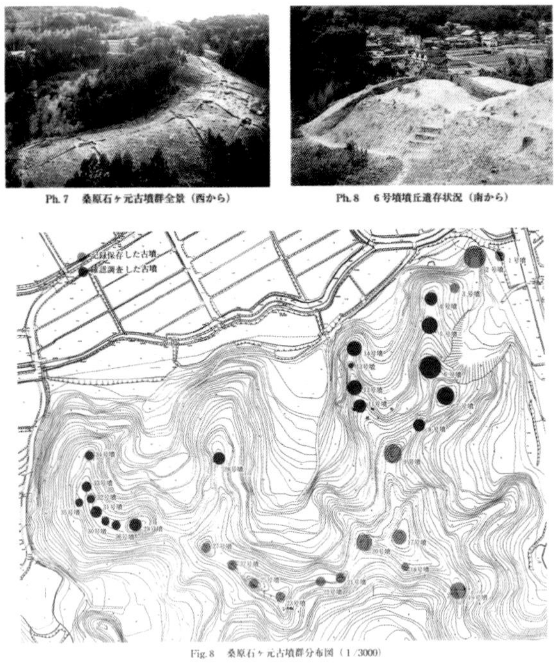

図5　石ケ元古墳群の状況（福岡市教委2001）

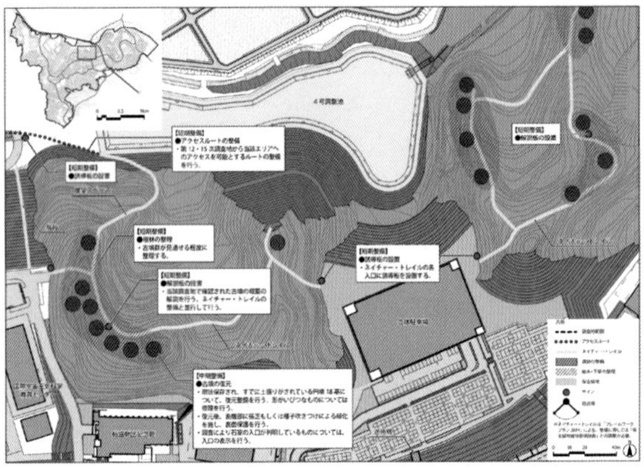

図6　石ケ元古墳群の整備計画

東西に延びる谷の北斜面に製鉄炉27基が群集する。炉の基部構造が良く残り、谷には膨大な量の鉄滓が廃棄されている。製鉄遺跡として九州最大で、全国的にも最大級の規模である。天平宝字年間の恵美押勝（藤原仲麻呂）政権の新羅征討計画に際し、政権は大宰府に軍事行動マニュアル作成を指示し、500隻の船の建造を計画した。国際紛争の有事には最前線となる志摩郡の地での大量の鉄生産は、戦争に必要な武器生産のために違いなく、この新羅征討の際のものの可能性が高い。古代史研究上大きな意義を持つことから製鉄炉群全体を保存し、特に残りが良い3か所の実大象り模型（7.3×6.5m、6.0×6.0m、6.5×3.3m）を作成した。整備計画では、遺構自体は埋め戻されているため、実大象り模型を谷の南側に並べ置き、

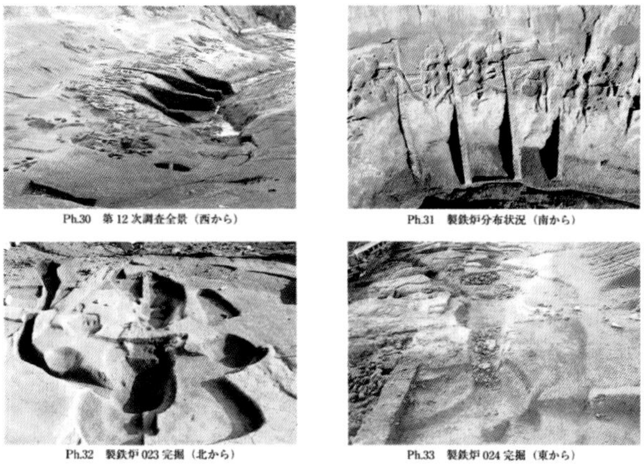

図7　第12次調査区の製鉄遺構（福岡市教委2001）

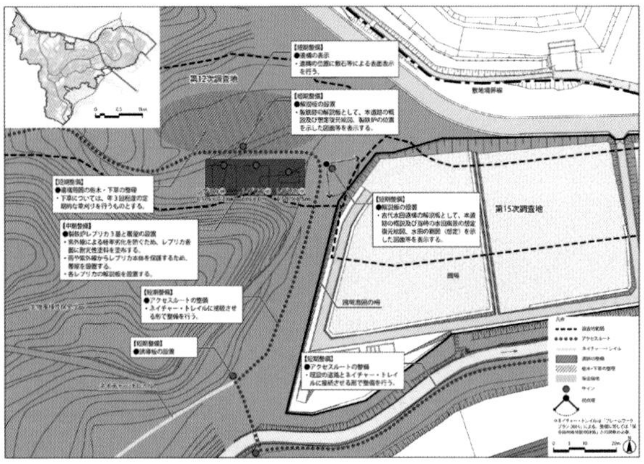

図8　第12次調査区の整備計画

覆い屋をかけて見学できるようにする予定である（図8）。

●元岡古墳群G群

農学部から南に下ったキャンパスの西南隅にも元岡古墳群が存在する。北から南に延びる尾根上に群集墳がある（図9）。このうちG１号墳は南端にあり、墳丘上半部は失われていたが、周濠の痕跡から一辺18mの方墳に復元できる。巨石を用いた横穴式石室から装飾付圭頭大刀などの鉄製武器・馬具・青銅鏡・装身具・須恵器などの豊富な副葬品が出土した。７世紀初頭の首長墓である。G６号墳は直系18mの円形ないし多角形墳であり、横穴式石室から鉄製武器・青銅大型鈴・装身具・須恵器などが出土した。「庚寅」銘象嵌大刀は570年製作と考えられ、古墳時代の銘文を有す刀剣として８例目、紀年銘を有す２例目であり、極めて学術的価値が高い。G１号墳は７世紀初頭、G６号墳は７世紀中頃の首長墓であり、ともに大和政権から下賜された大刀を有し、政権の地方支配体制に組み込まれ、後に評督・郡司となった在地首長の祖先の墓の可能性が強い。

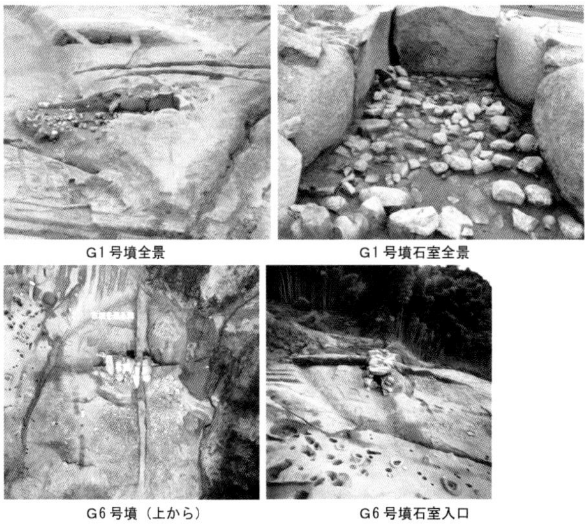

図9　元岡古墳群G1号墳・G6号墳（福岡市教委2010・2011）

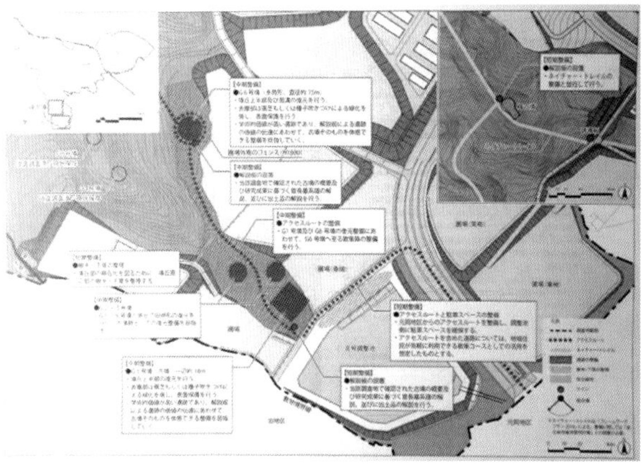
図10　元岡古墳群G1号墳・G6号墳整備計画

図11　元岡古墳群G1号墳の復元墳丘

整備計画では、G１号墳・G６号墳の墳丘を復元し、南方からの見学路を整備する（図10）。伊都キャンパスの整備は関係全部局の移転後に実施する予定であったG１号墳の地がキャンパス南端で、糸島市からキャンパスへの進入路の造成計画を変更して頂いて保存した経緯から、先行して方形墳丘の復元を実施した（図11）。

●第20次調査区―嶋郡衙関連施設

イーストゾーンの高台から伊都協奏館へ至る通学路となる谷筋で奈良時代の役所の出先施設が発見された（図12）。谷の北斜面に掘立柱倉庫が多数建ち、倉庫群の南に人工池がある。池からは奈良時代の帯金具、銅製・石製の権（秤の分銅）、硯、木簡、国産陶器、輸入陶磁器、祭祀具などが出土し、帯金具は郡の大領の装着品に相当する。木簡には嶋郡内の複数の郷名が記され、個々の郷の上位にある機関であることを示すなど、郡衙（郡役所）と関連した施設であったことが明らかになった。倉庫群に人工池が伴う点は律令「倉庫令」の規定に合致する。遺構・遺物から大宝２年戸籍の「肥君猪手」で著名な古代嶋郡の中心地の一つであったことを物語っており、高い学術的価値を有する。また、調査地には古墳時代の住居も100基以上存在し、古墳時代からこの地が嶋郡の中心地の一つであったことも明らかとなっている。

整備計画では、当面、掘立柱倉庫・池の復元は行わず、

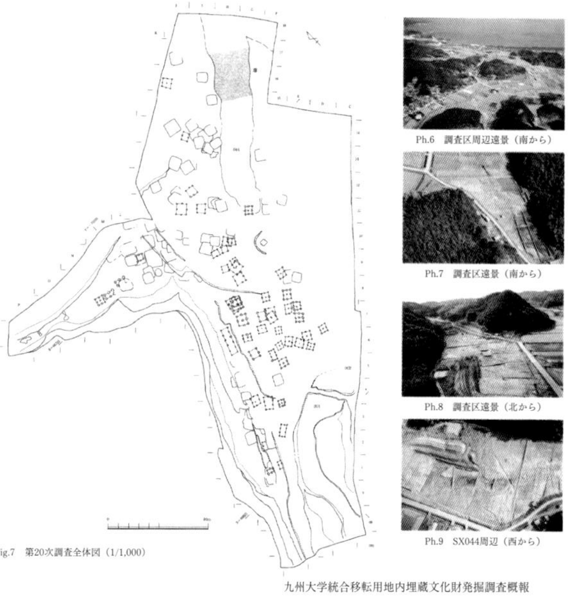

Ph.6　調査区周辺遠景（南から）
Ph.7　調査区遠景（南から）
Ph.8　調査区遠景（北から）
Ph.9　SX044周辺（西から）
Fig.7　第20次調査全体図（1/1,000）
九州大学統合移転用地内埋蔵文化財発掘調査概報

図12　第20次調査区の嶋郡衙関連施設（福岡市教委2003）

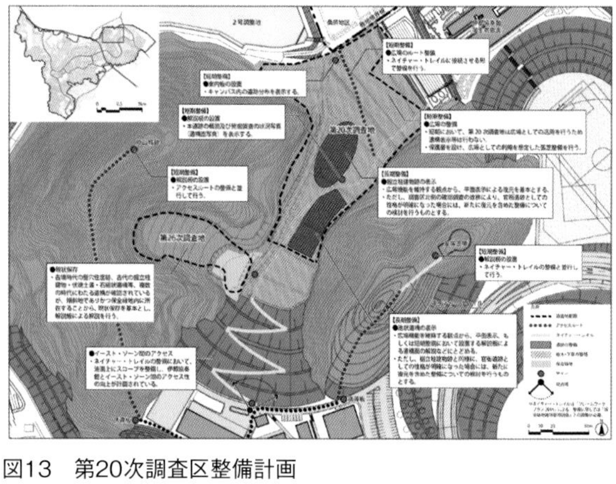
図13　第20次調査区整備計画

芝張り広場とし、協奏館からの通学路沿いに説明板を設置するにとどめるが、将来的には平面表示や復元を行う予定である（図13）。池は水を張ると維持管理が大変であるので、玉石を底に敷いた枯山水式とする。掘立柱建物の表示・復元手法には各種あり、展示効果を勘案して選択する予定である。

●石ケ原古墳

イーストゾーンの建物群がある場所にはかつて標高70mほどの丘陵があり、その頂上に前方後円墳である石ケ原古墳があり（図14）、その周囲に円墳が群集していたが、キャンパスの造成に伴い削平された。

石ケ原古墳は、伊都キャンパスで確認された６基の前方後円墳のうち最後の６世紀中葉に造営され、全長49m、後円部径25m、前方部幅20mに復元できる。後円部の横穴式石室は残存長5.6mで、本来の高さは2.5～３mと推定できる。発掘時にすでに石材がほとんど抜き取られ、基底部の石材のみが残存し、副葬品は少量の須恵器のみであった。この古墳の被葬者は、石ケ元古墳群の被葬者の上位に位置し、当時の糸島半島東部地域を統べる首長であったと想定される。

当初、この古墳を保存し、丘陵の北方低地の第20次調査地にイーストゾーンを建設する予定であったが、第20次調査地で奈良時代の重要遺跡が良好な状態で発見され保存することになったので、主体部の破壊がひどいこの古墳を削平してイーストゾーンを建設することとなった。その代わりにキャンパス移転後には石ケ原古墳の主体部があった場所の近くで、ほぼ同じ標高のイースト１号館の９階に石ケ原古墳跡展望展示室が設けられた。そこでは古墳の断面土層剥ぎ取り標本や石室石材を展示し、石ケ原古墳の詳細な紹介展示を行っている（図15）。また比較社会文化研究院棟正面のロータリー内には、保存した石室石材で横穴式石室基底部を復元し、教育・研究に役立てている。

展望展示室では、石ケ原古墳のみならず、伊都キャンパス全体で発見・保存された遺跡の詳細な展示をおこない、遺跡の歴史的価値やそれらに基づく本学の考古学・古代史学の研究成果を紹介している。なお、2019年には元岡G6号墳から出土した「庚寅」銘象嵌大刀などが国指定重要文化財に指定され、展望展示室に大刀や青銅大型鈴のレプリカを展示し、見学者が間近で見ることができるようになっている。また、キャンパス内遺跡の見学に訪れる学内外の方々に知識・情報を提供し、興味関心を深められるようビデオ映像や学生説明ボランティアを配置している。

図14　発掘調査中の石ケ原古墳（福岡市教委2005）

イースト・ゾーンの総合教育研究棟最上部に位置する展望室（図の中央）

眺望を活かした展示室

図15　イーストゾーン建物群と展望展示室（屋上の突出部分）

展望展示室は、伊都キャンパスのみならず糸島平野や博多湾を一望できる絶好な場所であることから、福岡市西部・糸島市内の重要遺跡群とキャンパス内遺跡との歴史的連関についても考慮して展示をおこなっている。現在は火曜、木曜の10時から16時まで開室している。

●その他の整備予定地

ウエスト１号館の南側には第７次調査地があり、古代の掘立柱建物・製鉄炉・鍛冶炉・池状遺構・道路状遺構などが発見され木簡も出土し、何らかの公的施設と考えられる。埋め戻され地表に痕跡は留めないが、１号館南側の広場に解説版を設置する。その南側には池の浦古墳がある。古墳時代前期の前方後円墳で全長60mである。未発掘で詳細不明のため墳丘整備は将来の課題とし、周囲に見学路を設ける予定である。（図16）

イーストゾーン周辺部には３基の重要古墳がある（図17）。金屎古墳は古墳時代前期の前方後円墳で全長24m、発掘調査済である。経塚古墳は古墳時代中期の円墳で直径26m、未調査である。塩除古墳は古墳時代前期の前方後円墳で全長54m、未調査である。これらは見学路

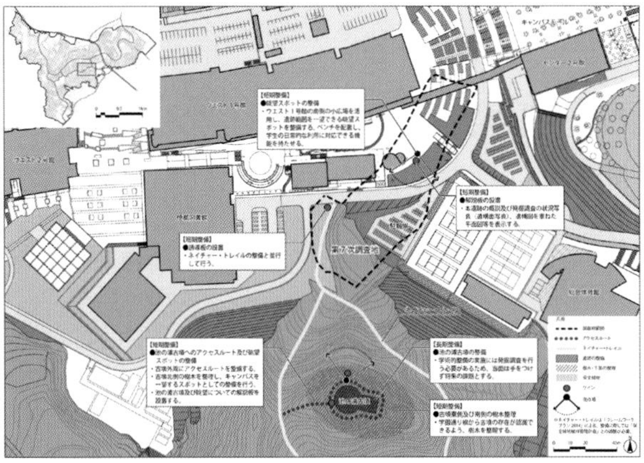

図16　第7次調査地と池の浦古墳の整備計画

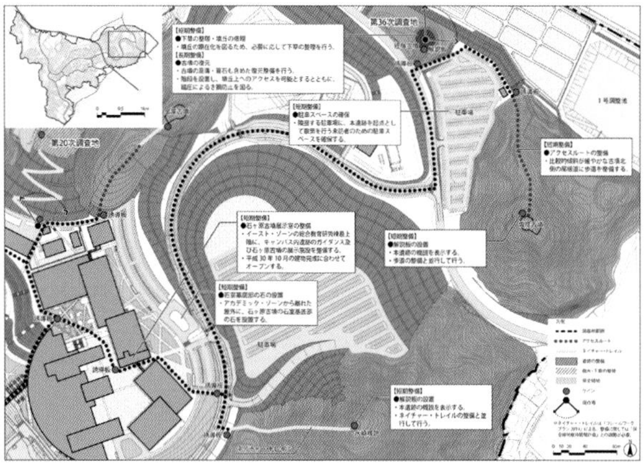

図17　イーストゾーンの3古墳の整備計画

を設け解説板を付す予定である。

各種の整備手法

遺跡の整備は、保存された遺跡の地下の状況を地表に様々な方法で表示し、来訪者にいかなる遺跡であるのか分かり易く示す方法である。日本の遺跡には古墳・寺院・城郭などのように地表に痕跡を残しやすいものと、集落・古代都市のように地表に痕跡が残りにくいものとがある。ただし、前者の場合でも何らかの程度で自然的・人工的改変を受けている。後者の場合は、地表には全く痕跡をとどめず発掘調査で初めて存在が知られる場合が多い。

整備手法には平面的表示法と立体的表示法がある。平面的表示法は、発掘調査で検出した遺構の平面形を表現するもので、相対的に安価だが、遺構の理解を説明する必要があり、上部構造は説明板の復元図を添えないと分かりにくい。立体的表示法は建造物の上部構造を作ってしまうもので、非常に高価だが、分かりやすい。ただし、上部構造の復元には、考古学・建築史学・美術史学などの知識を総動員した綿密な研究が必要で、複数の可能性がある場合でも、強引に一案に絞らないと設計できないため、復元物が唯一の解だという誤解を与えやすい。

下の写真（図18～図21）で、各地の遺跡で実施されている様々な整備実施例を紹介する。伊都キャンパスの各遺跡で具体的にどのような整備を行っていくかは、今後の検討課題であるが、仮にソフトなものになるにしても、現地説明板や展示解説・パンフレットなどで、研究成果を解説し、見学者自身に、遺跡の意義と価値、歴史的景観、遺跡保存の重要性・必要性を考えてもらう事が大切だと考える。

多大な努力で保存された伊都キャンパスの豊富な歴史遺産が、九州大学に不可欠な財産として末永く未来に継承されることを切望する。

図18　平面的表示法　福岡市鴻臚館遺跡・北館

図19−1　立体的表示法
佐賀県吉野ヶ里遺跡・北内郭

図19−2　立体的表示法
佐賀県吉野ヶ里遺跡・甕棺墓地

図20　奈良県平城宮跡・第一次大極殿

図21　遺構の露出展示　奈良県音如ケ谷瓦窯跡

06 九州大学史と伊都キャンパス

折田 悦郎・藤岡 健太郎

九州大学は前史を含めれば140年余りにおよぶ古い歴史を持つ。
戦前期の九州帝国大学を中心に、
各学部の創設・設置運動に焦点を当て概観する。

九大の前史と高等教育制度

1903（明治36）年４月、京都帝国大学福岡医科大学という一風変わった名前の大学が福岡に設置された（現九大病院キャンパス）。それから８年後の1911（明治44）年１月、勅令第448号をもって創立される九州帝国大学（以下九州帝大）は、このときに新設された工科大学（現九大箱崎サテライト）に、上の福岡医科大学を合併させるという方法で開設されたので、九州帝大の直接の前身は1903年の京都帝国大学福岡医科大学ということになる。そしてこの医科大学は1888（明治21）年４月設立の県立福岡病院を母胎にし、同病院は1879（明治12）年７月の福岡医学校に繋がるので、九州帝大の前史は1870年代末の福岡医学校にまで遡ることになる（図１）。

ただし九州帝大の法令上の創立は、あくまでも1911年１月の勅令施行の時点にあり、創立記念行事も1936（昭和11）年の25周年以来、全てこのときから起算して行われてきた。それは以下でも説明するように、1886（明治19）年３月制定の帝国大学令（勅令第３号）で、帝国大学（以下帝大）は官立でかつ複数の分科大学を有するものでなければならないとされたからである。九州における最初の大学は、財政上の問題から最低２分科からなる独立の帝大を構成することができず、1897（明治30）年６月創立の京都帝大に第二医科大学を置き、それを福岡に設置するというかたちで始まったのである。

ここで九州帝大が創立された時期の高等教育制度について簡単に見ておこう。欧米の制度を取り入れたわが国の高等教育制度は、大学と専門学校・実業専門学校という２種類の異なる教育機関から構成されていた。このうち大学とは、前述のように1886年３月の帝国大学令制定によって東京に大学が置かれて以降、京都、東北、九州、北海道、大阪、名古屋と設置されていく帝大のことを、まずは意味していた。大学＝帝大は官立でなければならず、またそれは２つ以上の分科大学を持つ、「総合」大学でなければならなかった。そこへの入学は、中学校（旧制）→高等学校（旧制）→帝大という、いわゆる「正系」（高等学校を経る）コースが基本であった。

一方、専門学校・実業専門学校は、1903（明治36）年３月の専門学校令（勅令第61号）に規定された学校で、わが国の職業専門教育を実質的に担ってきた高等教育機

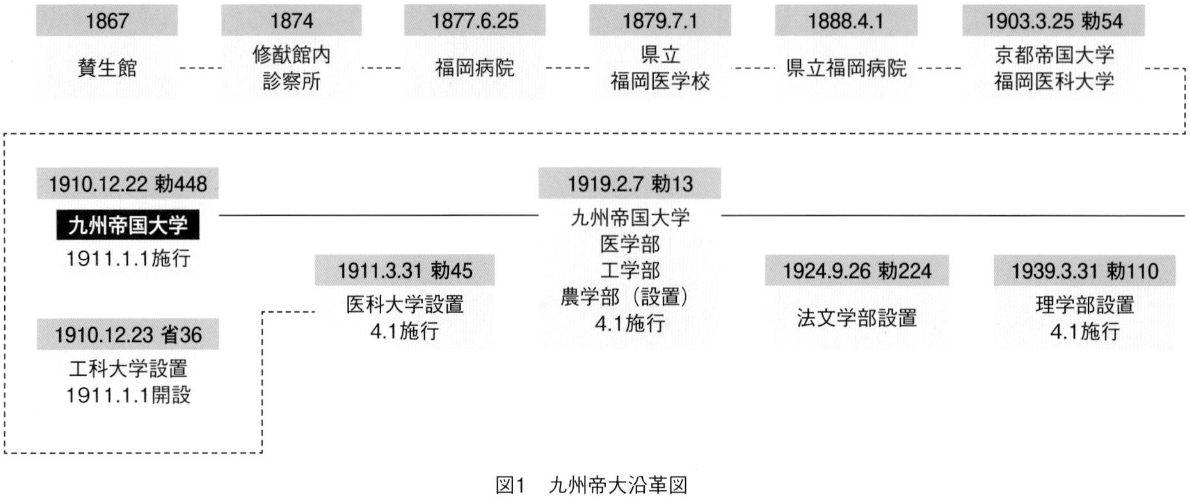

図1　九州帝大沿革図

関であった。現在の私立大学や官立単科大学の前身校等が、当初は専門学校・実業専門学校として位置づけられていた。そこへの入学は、中学校（旧制）→専門学校という、「傍系」（高等学校を経ないことから、こう呼ばれた）コース出身者が主であった。

ためしに昭和初期の帝大、専門学校・実業専門学校への進学率を見てみると、前者「正系」の場合で該当年齢人口の１％未満、後者「傍系」でも２～３％ほどである。ともにエリートコースだったが、ただ２つの異なる教育機関で構成されていたわが国の高等教育制度のうち、政府がより重視したのは帝大であった。そのことは、専門学校による大学昇格運動を大正中期までは認めようとしなかった対応に象徴的に現れている。しかし、明治後期から続けられてきた専門学校側の大学昇格運動が功を奏し始め、またデモクラシーの風潮のなか、高等教育の機会が国民に広がり始めた大正期になると、政府もついに専門学校の中でも歴史があり、また経営基盤もしっかりとした学校を大学として認めるようになった。

これが1918（大正７）年12月に制定され、翌年４月から施行された大学令（勅令第388号）である。この法令により、これまでの官立総合大学＝帝大のほかに、私立・公立大学や単科大学も「大学」として認められることになった。こうして制度的には初めて、私立大学や官立単科大学、たとえば早稲田、慶應義塾、東京商科（現一橋）、東京工業等の大学が誕生した。これらの大学の『年史』には、在学生・教職員はもちろん、卒業生や旧職員を巻き込み全学総力で昇格運動を展開した様子が熱い筆致で記されている。

これに対して九大は、当初から帝大として始まっており、特別の大学昇格運動を行う必要はなかった。この事実は、九大が非常に恵まれた状況にあったということを意味すると同時に、一方では大学としてのアイデンティティー形成の困難さも示唆するものである。そしてこのことは、現在の九大にも大きな影響を与えているように思われる。

なお、帝国大学令では、いまで言う学部は医科大学、工科大学のように分科大学と総称されていた。これが現在のように学部と改称されたのも1918年の大学令からであり、これ以後、たとえば九州帝大医科大学は九州帝大医学部と呼ばれるようになる。

福岡医科大学の創設

医学部の前身である福岡医科大学の創設については、福岡、熊本、長崎の各県で激しい誘致運動が展開されたことが有名である。1899（明治32）年１月、福岡県立尋常中学修猷館（現福岡県立修猷館高等学校）の館長だった隈本有尚は、東京での高等教育会議に臨み、文部省に〝九州に大学を置く〟意向があるとの情報を得ると、帰県後すぐに『福岡日日新聞』（以下『福日』＝現西日本新聞の前身）に「九州大学と高等学校」という談話を寄せ、「学校建設地人民の熱心奮発次第」「是れ一に県民の熱心と運動に依る（中略）注意覚悟せざる可けんや」（1899年１月28日）と、大学誘致運動の口火を切った。これに呼応して福岡県会（現福岡県議会）は、同年11月、「九州大学設置に関する建議」を可決、福岡市も「大学設置期成会」を組織して運動を展開した。また、博多紙与商店の渡邉與八郎は誘致運動資金5000円を寄付し、「大学設置期成会」の中心メンバーとして運動を支えた。風紀上問題となっていた医科大学近くの遊郭移転に尽力し、移転先の当時福岡市外であった住吉の私有地を提供、同時に市内電車の博多電気軌道を敷設して、福岡市発展の礎を築いたのも渡邉である（いまも福岡市内に残る「渡辺通」という町名は、彼の死後、その活動に敬意を表して名付けられたものである）。同様に、前述の隈本は「九州大學設立ノ位置ハ福岡縣最好適地タルノ説明書」（資料１）を作成して熊本に対する福岡の優位を説き、地

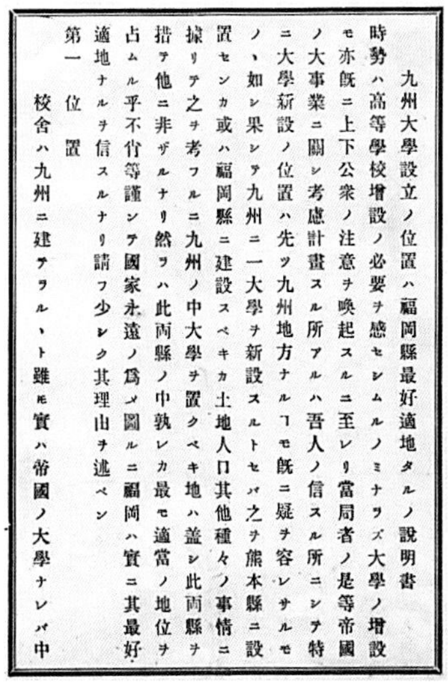

九州大學設立ノ位置ハ福岡縣最好適地タルノ説明書

時勢ハ高等學校増設ノ必要ヲ感セシムルノミナラズ大學ノ増設モ亦既ニ上下公衆ノ注意ヲ喚起スルニ至レリ當局者ノ是等帝國ノ大事業ニ關シ考慮計畫スル所アルハ吾人ノ信スル所ニシテ特ニ大學新設ノ位置ハ先ツ九州地方ナルヿモ既ニ疑ヲ容レサルモノ、如シ果シテ九州ニ一大學ヲ新設スルトセハ之ヲ熊本縣ニ設置センカ或ハ福岡縣ニ建設スヘキカ土地人口其他種々ノ事情ニ據リテ之ヲ考フルニ九州ノ中大學ヲ置クヘキ地ハ蓋シ此兩縣ヲ措テ他ニ非ザルナリ然ラハ此兩縣ノ中孰レカ最モ適當ノ地位ヲ占ムル乎不肖等謹ンテ國家永遠ノ爲メ圖ルニ福岡ハ實ニ其最好適地ナルヲ信スルナリ請フ少シク其理由ヲ述ヘン

第一　位置

校舍ハ九州ニ建テラル、ト雖モ實ハ帝國ノ大學ナレハ中

資料1　「九州大學設立ノ位置ハ福岡縣最好適地タルノ説明書」（1899年）
本説明書は、福岡における誘致運動の基本資料となった。

元の『福日』は「九州大学の位地」(1901年10月６日)、「九州大学を失ふ勿れ」(同年10月20日)等の記事を掲載して、誘致運動を積極的に後押しした。中央では福岡県選出の衆議院議員藤金作が「九州東北帝国大学設置建議審査特別委員会」の委員長となって帝国議会の議論をリード、政治結社玄洋社の平岡浩太郎が医科大学の創設に貢献したことも知られている。

一方、熊本・長崎両県でも誘致運動が行われ、なかでも第五高等学校や陸軍第六師団を有した熊本では、県会や地元新聞紙上を中心に積極的な運動が展開された。熊本の『九州日日新聞』は「曩に福岡が医科大学を該県に横奪せんと企て、当局者も亦た稍心を動さんとせし者は、同県人の得意とする陰暗狡獪の運動に惑ひしものならずんばあらず」「犯罪人の多数なるは福岡実に天下に冠たらんとす。(中略)且つ坑業家金銭の暴費が種々の悪誘惑物を多からしめ、福岡の空気が一般に溷濁せるは天下の実際認識せる処にあらずや」(1901年12月５日。傍点引用者、以下同)と激しく福岡を論難した。しかし政府は、財政問題や地理的条件、県立福岡病院の存在等から、福岡に医科大学のみを置くことにし(写真１)、1902(明治35)年２月の第16回帝国議会で同大学の必要経費が可決された。

写真1　福岡医科大学正門(1909年)

写真2　工科大学正面(1914年)
写真中央の建物は、1914年3月竣工の工科大学本館。その左隣は講堂。正門の左に門衛所が見えるが、この建物は1924年の法文学部創設に際し移築され、現在は向かって右側に建っている。

九州帝大の創立と工科大学の創設

九州帝大の創立と工科大学の創設については、地元では〝京都帝大福岡医科大学はわが国３番目の帝大である〟との意識が強く、京都帝大の一分科大学から九州帝大への独立は当初からの目標だったという点に注意しておくべきであろう。九州帝大は、福岡医科大学の創設から３年後の1906(明治39)年、当時足尾銅山鉱毒事件で社会の厳しい批判を受けていた古河財閥が、世論緩和策として福岡の工科大学のほか、仙台(理科)、札幌(農科)に大学を建設し、これらを国庫に献納するという申し出を行ったことによって、図らずも実現を見たものであった(写真２)。

工科大学の創設に際しては、福岡県会も資金25万円と土地約６万坪の寄付を行う建議を可決している。ただし、県・福岡市等の熱心な運動にもかかわらず、地元の糟屋郡箱崎では工科大学予定地が近郊農業(蔬菜生産)の良好な畑地だったことから実際の用地確保については反対が強く、最終的には土地収用法の適用がなされた。

こうして、前述した九州帝大の創立がなされたが、その経緯は、まず1910(明治43)年12月23日、九州帝大の設置が公布されたのち(勅令第448号。施行は翌年１月１日)、翌年１月１日からの工科大学の開設が公示され(文部省令第36号)、ついで同年３月31日、福岡医科大学を九州帝大の医科大学に所属換えするとともに(勅令第45号)、４月１日、初代総長に元東大総長山川健次郎が就任することで一段落する(写真３)。創立当初の工科大学は、土木、機械、電気、応用化学、採鉱、冶金の６学科からなり、10月４日、第１回生83名の入学が許可された。

写真3　初代総長 山川健次郎

農学部、法文学部、理学部の創設

1919（大正８）年２月創設の農学部は、当時の九大総長真野文二や福岡県農政研究会が設置を熱望し、これを受けて福岡県会が1918年度以降の６年間で設立費135万円の寄付を決議したことで、その創設がなされた（写真４）。福岡医科大学のときと同様、県・地元新聞等による誘致運動が行われ、また、九州帝大が創立当初から朝鮮や樺太、台湾に広大な大学演習林を所有していたことも、設置の大きな理由となった。ただ、農学部の場合、同じ九州帝大ながらその設置場所については、鹿児島県と佐賀県が誘致運動を起こした。鹿児島は既存の鹿児島高等農林学校（現鹿児島大学農学部）を母体にした大学（学部）昇格を模索し、佐賀は農業県であること、当時の首相が同県出身の大隈重信であったことに頼った運動であったが、結局は福岡県箱崎町の工学部の隣接地に置かれることとなった。

1924（大正13）年９月の法文学部の創設は、従来の医・工・農学部の場合とは対照的である。法文学部では地域や九大による設置運動はなされず、官費のみで敷地・建物が用意された。九州帝大でのこのような学部の創設は法文学部の場合だけである。法文学部の敷地は箱崎キャンパスの南西部分に設定され、学部本館も建築されたが、このときに従前は斜めに切られていた正門が道路（大学通り）と平行に整備され、向かって左側にあった門衛所が右側に移り（曳屋）、箱崎キャンパスの正門付近は現在と同じ配置となった（写真５）。

法文学部は増加した高等学校（旧制）文科生の収容を目的に設置されたもので、長崎高等商業学校（現長崎大学経済学部）等からの「傍系」入学や、中国、朝鮮、台湾等からの「留学生」の受入れなどによって特徴ある学部だったが、ここでは当時の九大自身の増設要求が法文学部よりは理学部にあったという点だけを記しておこう。

その理学部は、日中戦争中の1939（昭和14）年４月に創設された（写真６）。理学部の段階になると、大学創立期になされたような複数の県による誘致運動はもう見られない。理学部の創設は福岡医科大学時代から切望されていたが、1920年代前半の学内火災（工学部本館全焼や２度に渡る医学部の大火）や、北海道帝大（1918年）、大阪帝大（1931年）の創立もあって、なかなかその実現を見なかった。福岡県会や福岡市会も創設要望の「建議」は行うが、医・工・農科のときのような実際の寄付は行われなかった。しかし、地元財界、特に麻生太賀吉

写真4　農学部キャンパス（1927年頃）
写真中央が農学部キャンパス。埋め立て前の箱崎キャンパスの様子がわかる貴重な写真である。

写真5　九州帝大正門より法文学部本館を望む

写真6　理学部化学科第1回卒業生と教官陣（1941年）

からの100万円の寄付申し入れがあり、これが理学部創設の決め手となった。九大の理学部は、当時の帝大・官立大理学部の中では最小規模で、また時節柄、基礎研究より応用研究を重視する編成であったが、理系学部の基礎となる学部の設置により、九州帝大は名実ともに総合大学となった。当時の『福日』は、「九大こゝに完璧 名實共に綜合大學へ」（1938年11月29日）との見出しを打っている。

ただし、理学部専用のキャンパスはなく、工・農両学部の境界付近に建物群（平屋）が用意されただけであった。以後、この敷地と建物の問題は理学部の大きな課題となっていく。同様の狭隘問題は法文学部にも見られ、戦後、法、文、経済学部に分立、教育学部も新設された九大の文系学部は、1960年代には全学部が箱崎の埋立地（貝塚地区）に移転する。文系学部と理学部のこのようなあり方は、のちのキャンパス移転の一因ともなった。

写真7　桜の下を歩く福高生（1941年）
六本松地区正門の桜並木を懐かしむ福高生・九大生は多い。

写真8　教養部（1967年）
福高本館の後に教養部本館が建っている。
福高本館は1967年に取り壊された。

六本松地区、筑紫地区、大橋地区、別府地区

ところで、いまは往時の面影もなくなったが、福岡市の六本松には九大の六本松キャンパスが置かれていた。同キャンパスは戦前（大正）期に創立された旧制福岡高等学校の故地であり、戦後に新制九大の第一分校となったところである。1949（昭和24）年～2009（平成21）年の長きにわたり、九大のほとんどの新入生が親しんだキャンパスなので、本節でもやや詳しく説明しておきたい（写真７）。

官立福岡高等学校（以下福高）は、1921（大正10）年11月、勅令第432号をもって創立されたもので、それまで五高（熊本）や七高（鹿児島）といった他県の高等学校に進学していた福岡県中学出身者は、以後必ずしも地元を離れる必要はなくなった。同校の創立にあたっては、1919年１月、元衆議院議員藤金作が『福日』に「縣民の奮起を望む」（1919年１月11日）を寄せてその誘致を力説したほか、同年には福岡県会も創立費42万5000円の寄付を決議した。当時の福岡県は中学校数18校、生徒数約１万名と、学校・生徒数ともに東京府に次ぐ規模の教育県であり、また早くから九州帝大が存在していたこともあって、その設置はむしろ当然の成り行きだった。

最初の入学生は修猷館以下、福岡、小倉、明善、嘉穂と、上位５校を福岡県立の中学校（旧制。現新制高等学校）が独占し、全体でも７割近くが福岡県の出身者であった。これは同じ九州でも他府県からの入学者が多い五高などに比べると、福高の大きな特徴であり、同校のこの性格は２回生以降についてもほとんど変化が見られない。福高は1949（昭和24）年に新制九大の第一分校となり、翌年３月には廃校となるが、総計5077名の卒業・修了生を出し、このうちの2650余名（52％）が地元の九州帝大に、1340余名（26％）が東京帝大に、590余名（12％）が京都帝大に進学している。

九大「第一分校」は1955年10月に九大「分校」と改称、1963年４月には正式に九大「教養部」となり（写真８）、1994（平成６）年３月には教養部の廃止で「大学院比較社会文化研究科」等に改組されたが、2009（平成21）年３月の六本松キャンパス閉校にともない、これらの組織は伊都キャンパスに移転した。

戦後九大の主要なキャンパスは、箱崎、病院、六本松の３キャンパスであった。これらは分立していた上に各キャンパスの面積も狭かったことから、九大では統合移転についての議論が行われてきた。1972（昭和47）年春の米軍春日原ベースキャンプ返還の発表は、この議論を一気に加速させ、同年６月の評議会で医学部地区を除く九大全学の春日原地区への移転が正式に決定された。しかし、福岡県庁の誘致を望んでいた地元春日市・大野城市では学生運動の激しかった九大の移転について根強い反対があり、また割り当て面積の関係もあって、翌年５月には春日原地区への全面移転を断念することとなった。

ただ、1977（昭和52）年６月、一部ではあるが春日原基地跡地の大学用地への転用が認められ、九大は同地に応用力学研究所、生産科学研究所、総合理工学研究科、健康科学センターを中心とする理工系の研究所・センター等を設置することにした。1979年４月創設の総合理工学研究科は九大初の独立研究科・学際大学院である。新営工事の着工に先だって埋蔵文化財の調査が行われたが、これも九大キャンパス史上初めての事業であった。1980年３月、春日原地区の起工式が挙行され、翌81年６月にはキャンパス名も九大「筑紫地区」と名付けられた（写真９）。

九大大橋キャンパスは、1949（昭和24）年５月に設立された福岡学芸大学（現福岡教育大学）が1952年４月に旧制筑紫中学校（1926年６月創立。現福岡県立筑紫丘高等学校）の跡地に移転、同大学が1966（昭和41）年４月に宗像郡宗像町赤間（現宗像市）に再移転するまで設置されていた場所である。福岡学芸大学の移転が決定すると、跡地利用策として地元財界や文化団体が「九州芸術大学」設置を提言した。この提言は「国立産業芸術大学」設置構想となり、最終的には九州芸術工科大学として1968年に創立された（写真10）。九州芸術工科大学は2003（平成15）年10月に九州大学と統合し、そのキャンパスは九大大橋地区となった。旧制筑紫中学校→福岡学芸大学→九州芸術工科大学→九大芸術工学部と変遷したキャンパスの歴史には興味深いものがある。

なお、九大には大分県別府市に別府キャンパスがある。同キャンパスは、1931（昭和６）年11月に九大初の附置研究所として創設された温泉治療学研究所の置かれた場所で、その設立には九大当局はもちろん、当時の大分県朝日村・石垣村や九州水力電気会社等、関係地域の尽力があった。温泉治療学研究所から生体防御医学研究所附属病院、九大病院別府先進医療センターの時代を経て、現在は九大病院別府病院となっている。

写真９　筑紫地区福利厚生施設（1982年竣工）

写真10　1963年頃の大橋地区
旧制筑紫中学校の校舎もまだ残っている。同地区に1968年４月、九州芸術工科大学（現九大芸術工学部）が創立された。

むすびにかえて—箱崎・六本松キャンパスから伊都キャンパスへ—

後掲表１は九大の分科大学・学部創設と「地域」との関係、寄付金や設置運動をまとめた年表であるが、ここに挙げた医科大学、工科大学、農学部、理学部は、前述したように1924（大正13）年９月創設の法文学部を除けば、戦前期九大に置かれた全学部である。法文学部のみが、創設当時の総長真野文二が「法文学部を開設すると云ふのは全く文部省の直営だから寧ろ文部省が頭痛に病むのが当然で当方では唯文部省の意図に応じて行動するのみ」（『福日』1922年10月６日）というように、国費だけで創られた学部であった（予算総額約151万円）。真野の言葉を裏返せば、九大の場合、法文学部以外は地元政財官の設置運動・寄付金等でできた学部である、ということになろう。九大は帝大ではあったが「地域」の

表1　分科大学・学部創設と誘致運動（法文学部については運動なし）

創設年月	分科大学・学部	寄付金・団体等
1903年3月 （明治36年3月）	福岡医科大学	福岡県　①現金25万円（3ヶ年分割） ②県立福岡病院敷地（1343坪）及県立避病院敷地（1456坪） ③県立福岡病院の建物器具機械等一切 福岡市　土地（2万6637坪を移転費用雑費を含めて4万2652円50銭で買収）を県に寄付 ＊福岡市大学設置期成会 総業費約131万円（うち国費＝約81万円）
1910年12月 （明治43年12月）	工科大学	福岡県　現金25万円（4ヶ年分割） 福岡市・糟屋郡・箱崎町 土地（福岡市6万5740円、糟屋郡4000円、箱崎町1万8225円 計8万7965円で土地5万2197坪を買収）を県に寄付 ＊箱崎町工科大学期成同盟会 古河家　60万8050円 （国費＝8577円〈1907～09年度〉。明治1910年度工科経常費7185円）
1919年2月 （大正8年2月）	農学部	福岡県　現金135万円（6ヶ年分割） 総業費219万6260円（うち国費＝84万6260円）
1939年3月 （昭和14年3月）	理学部	麻生太賀吉100万円、松本幹一郎・貝島太一・石橋正次郎等20万円 合計約120万円 総業費約150万円（うち国費＝経常費として約30万円）

本表の「創設年月」は法令の公布日を採った。

協力なしには存在しえなかった大学であり、また、各学部が一斉にスタートした大学でもなかったのである。

このような「地域」の協力と学部（学科）増設の関係は、戦後においても同様で、たとえば1950（昭和25）年４月の医学部薬学科の設置には「九大医学部薬学科設置期成会」が、1967（昭和42）年５月の歯学部の創設には「歯学部設立期成会」が結成されている。

1991（平成３）年10月、九大は福岡市西部への移転を正式に決定した。その造成工事は2000（平成12）年６月に着工、2018年10月、文系ゾーン、農学部ゾーンの造成、建物建築工事が終わり、移転事業は完了した（写真11，12）。

前述のように九大（史）と「地域」との関係は深い。たとえば、伊都キャンパスの広大な敷地（272ha）の確保だけをとっても、周辺自治体をはじめとする「地域」の協力は不可欠である。新キャンパス用地の買収にあたっては、まず福岡市都市開発公社がまとめて先行取得し、それを大学側が買い戻すという方式が採用された。これ

写真11　伊都キャンパス（2007年）
建設中のセンターゾーンからウエストゾーンを臨む。

写真12　伊都キャンパス（2017年）
センターゾーンから建設中の文系ゾーンを臨む。

は寄付金により福岡市が用地を購入し、それを国へ献納した福岡医科大学のときの手法と似ている。

大学は地域の側にとっても重要な存在である。キャンパス移転の候補地としては、宗像市が一時は候補として有力視されていたが、移転決定の最終段階で福岡市側の強力な巻き返しにより、現在の伊都キャンパスへの移転が決まった。福岡市としては九州大学を失うことは都市としてのステイタスにかかわることであり、なんとしても市内に残さなければならなかったわけである。

また、病院地区は伊都キャンパスへの統合移転の対象とならなかった。これは九大病院が移転してしまうと、福岡市東部地域には大規模な病院がなくなり、また、伊都キャンパスが福岡市中心部から離れているため患者に不便を強いることになる、などとして九大医学部同窓会や福岡県・市の医師会等が強く反対したためである。このことも、地域にとって大学がいかに重要であるかを示していると言えよう。

新キャンパスのキャッチフレーズは「開かれた大学」であるが、これは前史を含む九大史のなかで「地域」との繋がりが大学の存在する大きな理由の一つであり、今後もそうだということを表す言葉でもあろう。100年を超える九大史のなかで主要な部分を占める箱崎・六本松キャンパスの歴史を知ること、そしてその歴史と伝統を継承していくことが、新しい伊都キャンパスでの大学生活を豊かにすることに繋がるものと思う。

紙幅の関係で取り上げられなかった事例も多い。最後にその点もお断りして擱筆したい。

参考文献

[1] 九州大学創立五十周年記念会『九州大学五十年史』(全3巻),九州大学,(1967)
[2] 九州大学七十五年史編集委員会『九州大学七十五年史』(全4巻),九州大学,(1986～1992)
[3] 九州大学百年史編集委員会『九州大学百年史』(全12巻),九州大学,(2011～2017)
[4] 折田悦郎「九州帝国大学の創設」『MUSEUM KYUSHYU』55,博物館等建設推進会議,(1997)
[5] 折田悦郎「帝国大学の歴史的役割と九州帝国大学の創設」『大学とはなにか―九州大学に学ぶ人々へ―』,海鳥社,(2002)
[6] 折田悦郎「福岡における地域と大学の歴史―第33回大会シンポジウムのコメントに代えて―」『地方教育史研究』第34号,全国地方教育史学会,(2013)

*本稿は上記参考文献の拙論等をもとに、加筆・改稿したものである。

07 統合移転の決定から土地造成まで

坂井　猛

統合移転の経緯、抱えていた課題、移転キャンパスの概要、新キャンパス計画と移転スケジュール等について述べる。

統合移転の経緯―学長試案による移転決定

九州大学評議会が福岡市西区の元岡・桑原地区を第一候補地とする「新キャンパス移転構想（学長試案）」を承認したのは、1991（平成３）年10月であった。この「移転構想（学長試案）」は、1990（平成２）年６月に設置された新キャンパス構想委員会（委員長：徳本鎮教授、肩書きは当時以下同様）および同年12月に設置された新キャンパス策定専門委員会（委員長：國武豊喜教授）による新キャンパスの規模や場所に関する答申をうけたものだった。新キャンパス策定専門委員会では、宗像、粕屋、香椎（現アイランドシティ）など、複数の候補地について検討し元岡・桑原地区を選定した。構想（学長試案）には、現地再開発では不可能であり、現在の立地条件が狭隘・航空機騒音により不適切であること、当面六本松地区及び箱崎地区を対象地区とすること、元岡・桑原地区を第１候補地として検討すること、が書かれている。

高橋良平学長は、学長退任挨拶で以下のように述べている。「施設・設備の老朽化よりも更に根強い本学のキャンパス問題は、歴代学長の苦労してこられた懸案であったが、今回、全学各位の御理解をえてようやく“移転”への全学意思統一をはかることができ、21世紀の九州大学の構想の第一歩が踏み出されるようになった。（中略）九州のリード校、アジアの拠点大学としての九大の責任はきわめて重いものであり、21世紀の大学院大学として備えておかなければならぬあらゆるソフト・ハードをもつためには広い新しいキャンパスが必要なのである。そして、このキャンパスを手に入れるチャンスは今をおいてはないと確信している。」

九州大学箱崎地区は、福岡空港の滑走路の延長線上、約３kmの距離にあり、箱崎地区を初めて訪れる人は、轟音を立てて降りていく頭上のジェット機に驚きの声をあげた（図１）。1968（昭和43）年には、米軍の戦闘機が箱崎キャンパスに建設中の大型計算機センター（現在、情報基盤センター）に墜落して当時の学生運動に火をつけたことがあった。「移転問題」はそれ以来、歴代学長の懸案となった。移転問題の担当教員として若い頃からこの課題に取り組んだ高橋良平学長の最後のひと仕事によって、大きく舵が取られた。

移転前の九州大学キャンパスが抱えていた課題

1903（明治36）年に設置された福岡医科大学と新設された工科大学を有する総合大学として、1911（明治44）年に九州帝国大学が福岡市に設置された。これは、「帝国大学を福岡の地に」と、地元を挙げて誘致合戦を行い、熊本市、長崎市と争った末に実現したものであった。その後、研究・教育面での発展拡充に合わせて施設整備がなされてきたが、高度経済成長期以降の急激な発展拡充が続いたため、量的整備に重点を置かざるを得ず、このため、様々な課題を抱えていたことから、新キャンパスへの統合移転によって、これらの課題の早期解決を図るのが当初の主な目的であった。

（1）施設の老朽化／古い

建築後20年を経過して改築または大規模改修を必要

図1　箱崎地区上空を飛ぶ航空機

とする施設の割合が、箱崎地区、六本松地区で８割を超えていた。研究・教育面において高度化、多様化、複合化が顕著であり、国際的先端的な研究・教育拠点（センター・オブ・エクセレンス）に相応しい大学キャンパスを整備するため、現有施設の老朽化の解消や、設備の高性能化等への対応が急がれた。

（2）施設の狭隘化／狭い

建物必要面積に対する要整備面積（不足している面積および改築すべき面積）の比率は、箱崎地区、六本松地区が30～40％弱と、面積不足を余儀なくされている。また、敷地自体も発展拡充によって、緑地を含むオープンスペースの不足など、大学キャンパスとしてのバランスを欠いていた。特に、六本松地区は、旧制福岡高等学校（大正11年開学、第１回入学生200人）であった敷地を全学教育等に使用したが、学生１人当たりの敷地面積は、箱崎地区、病院地区と比較して極めて狭隘であった。

（3）航空機／騒音

箱崎地区は、福岡空港の延長進入区域にあたり、車輪をおろしたジェット機が上空を通り過ぎる。一日平均約350便の離着陸（４分に１便の割合）による航空機騒音は、研究・教育面に著しい支障をきたし、航空機騒音障害は、相当長期にわたり解決できないばかりでなく、航空機事故が再発する懸念も一掃できない。

（4）再開発の限界

箱崎地区で、教養部廃止にともなう全学教育を実施し、統合型キャンパスを実現するためには、高層化・集約化した施設を再開発整備しなければならなかった。しかし、箱崎地区では、航空機による騒音や航空法上の高さ制限もあり、高度な研究・教育を行うに相応しい大学キャンパスづくりは極めて困難であった。

移転対象地区

移転対象となる箱崎地区、六本松地区、原町（はるまち）地区の敷地面積は、それぞれ約46ha、９ha、24haであった。移転対象となる３地区内の各部局の定員の内訳は、学生が約12,400人、教職員が約3,200人の合計約15,600人であった。

（1）箱崎地区（福岡市東区、約46ha）

箱崎地区は、学生約8,200人、教職員約2,000人が在籍していた。研究院（人文科学、人間環境学、法学、経済学、理学、数理学、工学、システム情報科学、農学）、学府（人文科学、人間環境学、法学、法務学、経済学、理学、数理学、工学、システム情報科学、生物資源環境科学）、学部（文学、教育学、法学、経済学、理学、工学、農学）、中央図書館、情報基盤センター、事務局等からなる。

（2）六本松地区（福岡市中央区、約９ha）

六本松地区は、学生約5,000人、教職員約200人であり、研究院（比較社会文化、言語文化）、学府（比較社会文化）、学部（全学共通教育）、高等教育開発推進センター、図書館六本松分館、学生宿舎等が移転対象であった。

（3）原町地区（福岡県糟屋郡粕屋町、約24ha）

原町地区は、教職員約20人を有する農学部附属農場である。附属農場としては、その他の地区とあわせて、合計30.3haを移転対象としており、水田、畑地、果樹、桑園、環境保全の各圃場および温室・施設用地等からなる。

移転対象外の地区

移転対象となる地区のほかに、学生の通うキャンパスとして、以下のような地区がある。

（1）病院地区（福岡市東区）

研究院（医学、歯学、薬学）、学府（医学系、歯学、薬学）、学部（医学、歯学、薬学）、附属病院、生体防御医学研究所等からなる。

（2）筑紫地区（福岡県春日市）

総合理工学研究院、総合理工学学府、応用力学研究所、先導物質化学研究所、健康科学センター等からなる。

（3）大橋地区（福岡市南区）

芸術工学研究院、芸術工学府、芸術工学部からなる。

新キャンパスの施設規模

新キャンパス用地において新たな学術拠点を形成するにあたり、大学機能を担う主要な施設として、活動の中心となる各部局の研究・教育施設、各種研究センター、事務施設等がある。これに、健康・スポーツ科学実習施設、課外活動施設、福利厚生施設として飲食・物販のサービス施設や各種の運動場、競技場等が必要であった。当初の計画施設規模（建物の延床面積）として、人文社会学系（文系）施設約12万㎡、本部施設（全学教育施設、本部事務施設他）約10万㎡、理学系施設約６万㎡、工学系施設約16万㎡、農学系施設約５万㎡、運動施設や農場用施設約１万㎡の合計約50万㎡を計画の与条件として算出した。

移転スケジュール

移転の第Ⅰステージとして、2005（平成17）年及び2006（平成18）年には、工学系の学生・教職員約５千２百人が移転を完了している。

移転の第Ⅱステージとして、2009（平成21）年４月には、全学教育、比較社会文化学府・研究院及び言語文化研究院の学生・教職員、併せて約５千６百人が移転して、生活支援施設関係者等を含めて、約１万２千人が集う九州大学で最大のキャンパスとなっている。

移転の第Ⅲステージとして、2015（平成27）年10月には、理学系の移転が完了し、人文社会学系、農学系等が2018（平成30）年に順次移転を完了した。

伊都キャンパスの位置

伊都キャンパスは、東西約３km、南北約2.5km、272ヘクタールの広大な敷地である。博多湾の西、糸島半島のほぼ中央に位置しており、福岡の中心である天神から約15km、公共交通機関で約40分の距離にある。都市の近郊という利便性を保ちながら、玄界灘に望む豊かな自然が残された環境にある。また、ここは、古くから朝鮮半島などからの往来が盛んであったことを示す遺跡が数多く存在する地域でもある。

表1　伊都キャンパスへの移転年表

1991(平成3)年10月	福岡市西区元岡桑原地区への移転決定
1993(平成5)年11月	新キャンパスのエリア決定
1998(平成10)年5月	新キャンパスの土地造成基本計画決定
1998(平成10)年12月	福岡市土地開発公社による民有地先行取得完了
2000(平成12)年6月	造成工事(Ⅰ工区)着工
2001(平成13)年3月	新キャンパス・マスタープラン2001決定
3003(平成15)年1月	工学系研究教育棟Ⅱ・Ⅲ建築工事着工
2004(平成16)年4月	国立大学法人化
2005(平成17)年9月	JR九州「九大学研都市駅」開業
2005(平成17)年10月	工学系第1陣移転
2006(平成18)年10月	工学系第2陣移転
2009(平成21)年4月	六本松地区比較社会文化研究院、言語文化研究院、高等教育開発推進センター等がセンター・ゾーンに移転、全学教育開始
2009(平成21)年10月	数理学研究院移転・伊都図書館増築
2012(平成24)年7月	新キャンパスの土地購入完了
2014(平成26)年5月	Ⅳ工区農場造成工事着工
2014(平成26)年7月	中央図書館Ⅰ期着工
2015(平成27)年9月	総合研究棟(農学系)着工
2015(平成27)年10月	理学系移転
2015(平成27)年11月	総合研究棟(人文社会科学系)、中央図書館Ⅱ期着工
2018(平成30)年10月	人文社会科学系・中央図書館・農学系・移転

現地調査・基本構想・基本計画案

1993（平成５）年８月、國武豊喜室長ほか関係者約30人の３回に及ぶ現地踏査によって現地調査を開始した。未調査の古墳、土砂処分場跡、湧水源、貝塚、田畑などの状況を視察した。ここで得られた知見をもとに、学内の専門教員の協力を得て、ワーキンググループ長であった樗木武教授を中心に、土質、地盤、水位流量、植生等の調査計画を立案した。調査は必要に応じてコンサルタントに発注し、土質・地盤調査は地質学の島田允堯教授と資源工学の牛島恵輔教授、水位流量観測は水工土木の神野健二教授、植生調査は附属演習林の汰木達郎教授という具合に、学内教員で分担して調査が始まった。また、調査と同時に、新キャンパスの基本構想づくりに着手した。

1992（平成４）年度に発足した福岡市大学移転対策局の協力を得て、周辺地域のデータ作成や検討に必要な資料を集め、現地調査結果、必要規模、土地利用計画等とあわせて基本構想０次案をまとめ、1994（平成６）年３月の評議会に報告した。その後、この０次案をもとに、開発のための必要な調査を行いつつ、新キャンパス

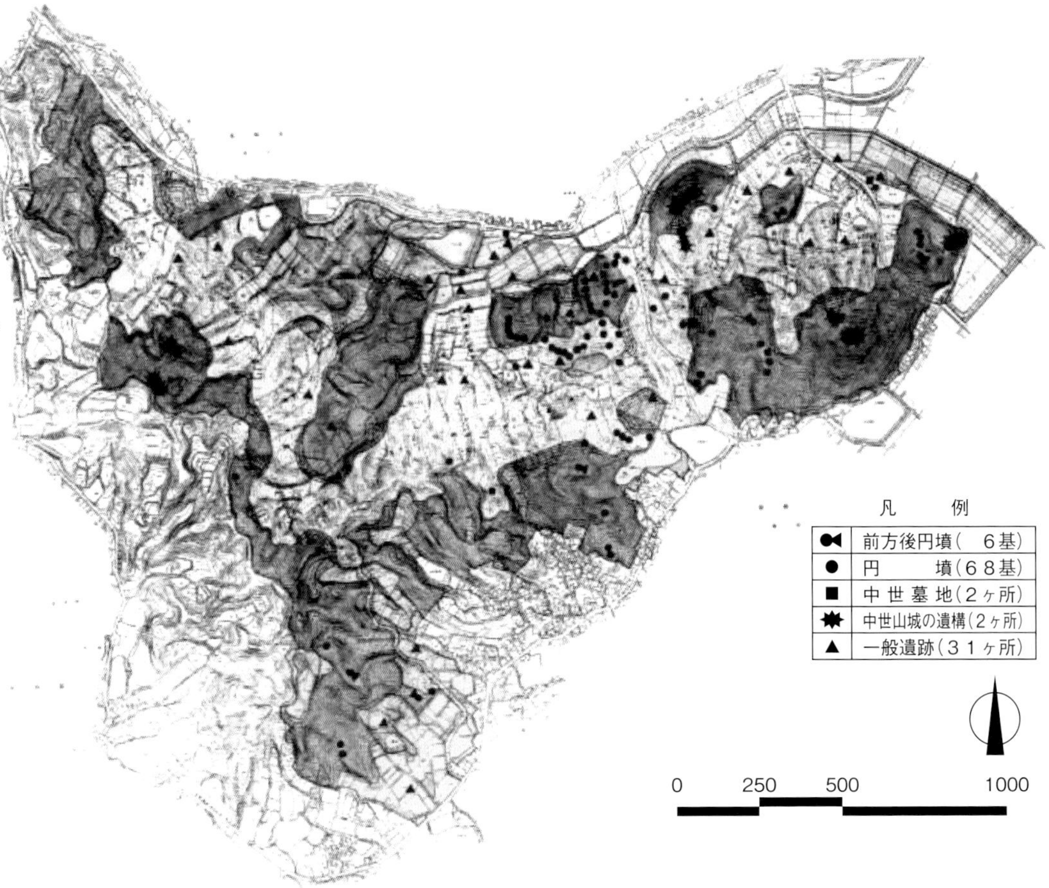

図2　新キャンパス造成基本計画（1998.5）

計画専門委員会を中心として詳細な検討を進め、1995（平成7）年1月に新キャンパス基本構想1次案を作成した。これらをふまえて、1995（平成7）年度に、大学改革が進む中で、新キャンパス計画専門委員会から建築学科に基本計画案の作成を依頼し、萩島哲教授（都市計画）を実務リーダーとして、新キャンパス計画推進室と施設部（渋谷政利部長）の協力のもとに、新キャンパス基本計画案の策定作業に着手した。元岡丘陵と南に広がる平野部との関係を受け、周辺の地形をもとにした都市軸を設定し、学部を1ユニットとしたリニアなシステムとして表現した案を中心に、いくつかの代替案を基本計画案として1996（平成8）年7月の将来計画小委員会に報告したのである。その後、調査中であった自然環境と歴史環境の調査から、2つの課題が明らかになってきた。

課題の1つめは、キャンパスの南東に位置する今津干潟に、クロツラヘラサギという世界的に貴重な渡り鳥が飛来することであった。これにより、予定していた学園通り線の架橋が西側上流へと変更され、これに伴って新キャンパスのアライバルポイントを東部から中央部へと変更する必要が生じた。

課題の2つめは、当初の予測を上回る数の埋蔵文化財が出てきたことである（図2）。それまでの記録では、埋蔵文化財は、用地南側の前方後円墳1基を含む14ヵ所であったが、調査によって、前方後円墳6基、円墳68基、製鉄遺構などの存在が新たに明らかにされた。

1996（平成8）年12月には、福岡市教育委員会から埋蔵文化財の調査結果が報告され、学内外の専門家間でその評価を巡る議論がさかんになった。古墳群は、正倉院に残る最大の戸籍を残した豪族かその関係者の墓ではないか、あるいは、大宰府政庁につながる役所跡があるのでは、などの様々な考えが考古学関係者から発信された。

強い九州大学をめざして

1995（平成7）年11月より、医学部長であった杉岡洋一教授が総長となり、九州大学の新しい体制がスタートした。杉岡教授が開発した特発性大腿骨頭壊死症の治療法である大腿骨頭回転骨切り術は、「スギオカ方式」として世界的に知られる。杉岡総長は、新しい個性を持ち、いかなる評価にも耐えられる「強い九州大学」を掲げ、統合移転前に魅力ある大学をつくるため、先駆的な改革を含む様々なプロジェクトに着手した。新キャンパス計画専門委員会委員長（新キャンパス計画推進室長兼務）は、総長特別補佐の稲津孝彦教授（理学）に、さらに、1996（平成８）年４月に、矢田俊文教授（経済学）に引き継がれた。矢田教授は、1997（平成９）年４月より副学長・総長特別補佐制度の導入によって大学改革及び新キャンパス担当副学長となり、学務担当の柴田洋三郎副学長とともに、九州大学における様々な大学改革の中心的役割を果たした。

慎重になされた造成計画策定

1997（平成９）年７月の将来計画小委員会において、懸案であった埋蔵文化財に関して「埋蔵文化財の取り扱い方針」を提案した。これは、九大の考古学教員を含む全国の著名な考古学者に対して杉岡総長、矢田副学長が自らヒアリングを行ったうえで、前方後円墳を５基、また半分以上の円墳を保存しつつ、キャンパスの一体性に配慮するという方針を打ち出したものであり、考古学関係者にも受け入れられ、学内委員会の了承を得た。これをうけて、基本計画案を修正するかたちで、1997（平成９）年11月にキャンパス造成計画（１次）を提案した。その後、新キャンパス計画に関して、全学的議論のなかで各部局からの意見の集約が図られるとともに、学内外の関連する分野の研究者や機関に対するヒアリングを実施した。その過程で、農業用水の確保難、地下水塩水化対策、自然環境への配慮、キャンパスのオープン性の確保、産業廃棄物の取り扱いなど、幾つかの重要な課題について、一層の検討の必要性が指摘された。これらの課題解決に向けて学内の専門教員や関係機関の協力を要請するとともに、新キャンパス建設事業のあり方に関する検討を行ったのである。この検討を受けて、竹下輝和教授（建築計画）を施設計画の実務リーダーとして、新キャンパス計画推進室（室長：矢田俊文副学長）と施設部（杉田建治部長）によって、さらなる修正（２次）を行った。学園通り線から直接キャンパスに入るエントランスを設け、湧水源のある沢地全体を残すなどの大幅な修正であった。これを、1998（平成10）年５月「造成基本計画案」として提出し、評議会でようやく了承されたのである。

造成基本設計における再検討

1999（平成11）年７月からは、新キャンパス造成基本設計プロジェクトチーム（責任者：矢田俊文副学長、副責任者：竹下輝和教授）を編成し、造成基本計画で策定した事項を、さらに優れたものとするための作業を行った。メンバーには、附属環境システム科学研究センター・江崎哲郎教授、神野健二教授、演習林・小川滋教授、薛孝夫助教授、人間環境学研究科・出口敦助教授、特殊廃液処理施設・池水喜義助教授、坂井猛助教授、施設部・長澤護企画課長、西尾眞太郎建築課長、田中廣幸専門員が入り、福岡市都市開発公社、住宅都市整備公団九州支社など、学外メンバーとの共同作業であった。植生、生態系、水資源、地域開発との整合を図るなど、多角的かつ詳細にわたる再検討により造成基本設計をまとめ、造成開始を前にして慎重の上に慎重を重ねた。

新キャンパスの造成着工

2000（平成12）年６月、九大からの委託を受けた福岡市土地開発公社（松下征雄理事長）によって、新キャンパスの造成工事が着工した。着工式の鍬入れには、杉岡洋一総長、山崎広太郎・福岡市長、春田整秀・前原市長、末崎亨・志摩町長、筒井秀来・二丈町長が並び、九州のマスコミ各社が着工式の模様を報じた。これまで詰めてきた埋蔵文化財や生態系保全など引き続き詳細にわたって検討する事項はあるものの、移転に向けての一歩を踏み出した印象を学内外に示した効果は大きかった。これにより、ようやく元岡で槌音が聞かれるようになり、新キャンパスへの移転事業は新しい局面を迎えたのである。

環境賞と見学者の増加

新キャンパス建設プロジェクトは、(1) 学内外の英知を結集して大規模事業における環境との共生を積極的に進めた点、(2) 大規模開発の範となる画期的な事業として注目に値するだけでなく、今後の土木事業の行うべき先進的な事例を示した点、が評価された。九州大学と福岡市土地開発公社が進めた本プロジェクトに対して、2002（平成14）年５月に土木学会より環境賞が贈られた。推薦者は、中村英夫・東京大学名誉教授（現・武蔵工業大学学長）であった。環境賞受賞以来、新キャンパスへの見学者が年々増えてきている。国内外の大学関係者だけでなく、総務大臣、文部科学大臣、科学技術政策担当大臣などの政府要人と関係者をはじめ、財界人、研究者、マスコミ関係者も多数、新キャンパスを見学している。大学も積極的に学内向け見学会や紹介キャンペーンを実施、ホームページを充実するなど、事業の周知に努めている。

教育と研究の分離と柔軟な連携

九州大学は、「国際的にも社会的にも開かれた研究大学の構築」を改革のコンセプトとして、全学大学院重点化を行い、学府・研究院制度を導入した。「学府・研究院制度」は、大学院の教育研究組織である「研究科」を、大学院の教育組織としての「学府」と、教員の所属する研究組織である「研究院」とに分離し、相互の柔軟な連携をはかるものである。

従来の大学院では、「研究科」という形で教育組織（大学院生）と研究組織（教員）が一体となっているが、新しい分野を編成する際は、教員組織の再編がセットであったため、教育組織の再編に引きずられて研究組織が解体され、研究機能に負の影響を与え、また、逆に研究組織の強い抵抗にあって教育組織の再編が断念されたことも少なくなかった。こうした教育組織と研究組織の再編における摩擦のない制度を、学校教育法の改正によって九州大学において初めて導入したのである。各研究組織の壁を越えた５つの学際独立研究院の他、研究院制度の成果として、システムＬＳＩ研究センター、ビジネス・スクール等を設立している。

参考文献

[1] 21世紀を活き続けるキャンパスの創造ー九州大学の大学改革と新キャンパス計画ー, 坂井猛, 季刊文教施設, (社)文教施設協会, 2001秋号, 1, 37-41, (2001).

[2] 新天地を目指す九州大学の移転, 坂井猛, 建築雑誌, 日本建築学会, 32 (2004).

[3] 九州大学新キャンパスへの移転計画 1.経緯/計画のフレームと基本構想, 坂井猛, 季刊文教施設, (社)文教施設協会, 2005春号, 5, 75-79, (2005).

[4] 九州大学新キャンパスへの移転計画 2.ワーキンググループ活動と未来型キャンパスづくり, 坂井猛, 季刊文教施設, (社)文教施設協会, 2005夏号, 5, 62-66, (2005).

[5] 九州大学伊都キャンパスの環境創造, 坂井猛, 人と国土21, (財)国土計画協会, 31, 42-45, (2005).

08 新キャンパス・マスタープラン2001と5つの地区基本設計

坂井　猛

キャンパス・マスタープランの概要とそれに沿ってつくられた
5つの地区基本設計に関する理解を深める。

マスタープラン2001の取り組み

1999（平成11）年12月、全体基本計画であるマスタープランの策定作業を開始した。マスタープランは、一般には、都市の将来に関する目標とそれを達成するために必要な基本的な政策を示した公的な文書のことである。研究教育施設の集合体として形成される大学キャンパスは、敷地面積が広大であることから、全体の将来目標像、ビジョンを示すキャンパス・マスタープランが必要である。キャンパス・マスタープランは、時代に対応する大学のビジョン、改革によって実現される大学像を具体的なキャンパス環境として整備する際の基本的なルールといえる。

マスタープランづくりに先だって、1999（平成11）年5月の新キャンパス計画専門委員会において、マスタープランを策定する建設コンサルタントを、国際的な公募型プロポーザルによって選定するという方針を打ち出した。選定委員会委員長に渡邊定夫氏（東京大学名誉教授・工学院大学教授）、副委員長に中村英夫氏（東京大学名誉教授・運輸政策研究所長）、委員に、佐々木葉二氏（ランドスケープ・アーキテクト）、白幡洋三郎氏（国際日本文化研究センター教授）、月尾嘉男氏（東京大学教授）、土田旭氏（都市計画家）、山本容子氏（版画家）、矢田俊文副学長、萩島哲教授（都市計画）、竹下輝和教授（建築計画）、和田満施設部長を擁する計11人の委員会であった。国内外26社の多彩な応募者のなかから書類審査を経て、(1) 黒川・エラビーベケット設計共同体、(2) 三菱地所・シーザーペリ・三島設計共同体、(3) 香山壽夫建築研究所・アプル総合計画事務所設計共同体、(4) グループ九州設計共同体、(5) 日建設計・HOK設計共同体の5者へのヒアリングを行い、三菱地所・シーザーペリ・三島設計共同体（MCM設計共同体）を選定したのである。選定されたグループは、(1) 業務実施方針及び業務遂行に対する信頼性、(2) 九州大学が示した「九州大学統合移転事業計画概要」について十分理解した提案の的確性、(3) 課題を具体化する技術的提案内容の実現性、の3点で高い評価を得たものであった。

選定作業と並行して、新キャンパス・マスタープラン策定プロジェクトチーム（チーム長：矢田俊文副学長、副チーム長：竹下輝和教授、メンバー：神野健二教授、吉村淳教授、渡辺俊行教授、江崎哲郎教授、出口敦助教授、坂口光一助教授、外井哲志助教授、薛孝夫助教授、

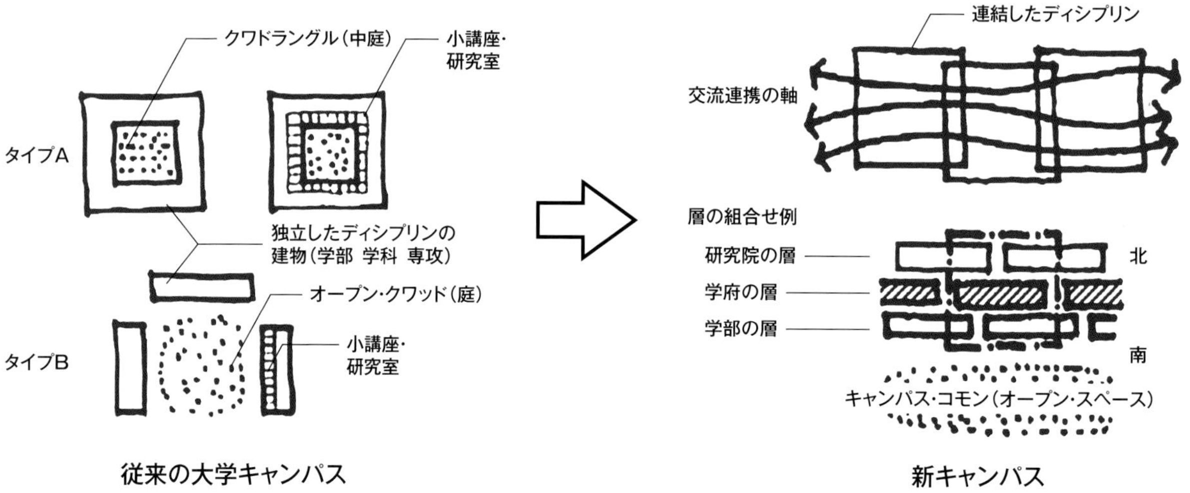

図1　キャンパスの空間構成の概念

池水喜義助教授、坂井猛助教授、事務局の４部長、企画調整官、施設部の３課長ほか、計21名）が発足し、そのコアチーム（チーム長：出口敦助教授、メンバー：外井哲志助教授、坂井猛助教授、施設部３課長、計６名）によって、ＭＣＭ設計共同体（久米大二郎チームリーダー）、新キャンパス計画推進室、施設部（和田満部長、山田泰二部長）と実質的な検討を行った。

選定作業と並行して、新キャンパス・マスタープラン策定プロジェクトチーム（チーム長：矢田俊文副学長）を立ち上げた。マスタープランの検討をはじめるにあたり、学内ではそれまで長年にわたって施設計画、環境、情報、福利厚生、地域連携等に関して、ワーキンググループによって検討されてきた事項を与条件として整理した。これを「新キャンパス・マスタープランの基本的考え方」として冊子にまとめ、1999（平成11）年11月に学内了承を得た。このなかには、移転シミュレーション検討プロジェクトチーム（チーム長：押川元重教授）による「ゾーニング」と「移転順序」（同年７月、学内了承）なども含まれる。この「基本的考え方」をもとに、マスタープランの策定作業に着手した。

「マスタープラン2001」の特徴

九州大学新キャンパスのマスタープランは、未来を見据えた人間性、文化性豊かな研究・教育環境を創造するための土地利用等の空間構成と交通等の骨格形成の方針を提示している。これは同時に、緑地等のオープンスペースと建築物によって将来形成されるべき空間の質を明確なものとするための方針を大学全体で共有する目標像でもある。新キャンパスでは、従来の学術分野の自律性を確保しつつ、それらを連結し、交流・連携と知的活動を支える動脈や骨格の軸をいくつも通し、全体が一つの生命体の如く、社会的要請や時代の変化に応じてしなやかに変化、増殖していける空間構成を指向している。これは、従来の大学キャンパスのイメージとやや異なり、学際分野を意識する時代に対応したキャンパスの形成を目指したものといえる。相互交流・連携や研究・教育活動の流動化に対応できる空間構成に加え、大学組織の成長に合わせて、東西方向に増殖・延伸していける大規模拡

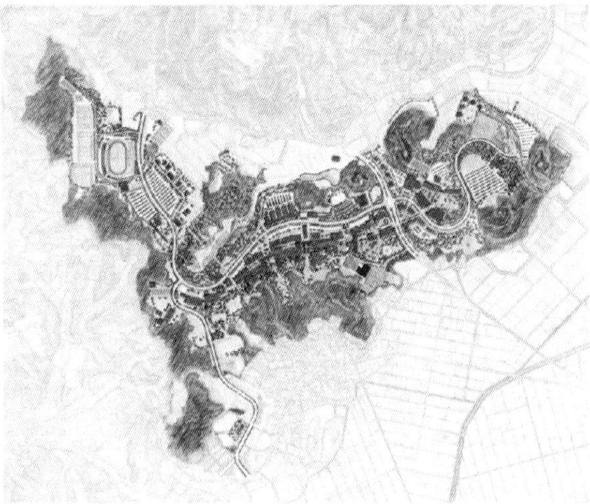

図2　新キャンパス・マスタープラン2001空間モデル

図3　キャンパス・モール　幹線道路

図4　キャンパス・コモン　グリーン・コリドー

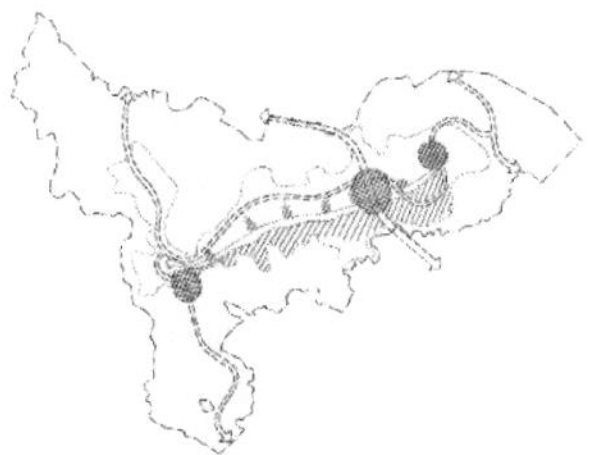

図5　象徴的空間

張用地を確保し、各ディシプリンのセクションを将来拡張したい場合には、民間資金等を導入し、用地を戦略的に活用しようというものである。

敷地の高低差を利用して、東西に単調な空間が長く連続することのないよう、地形上の特性を活かし、変化に富んだ環境を形成する。また、歩いて楽しいキャンパス環境の形成を目指し、歩行者の東西移動の主動線「キャンパス・モール」沿いには、研究成果の展示スペース、カフェ、プラザ等の人的交流や情報発信・収集の場を計画的に配置することで学問的対話を誘発し、知的欲求を喚起させ、研究・教育を活性化する環境づくりを目指す。新キャンパスは、都心から比較的距離があることから、学生や来学者を長時間滞在させる魅力づくりが不可欠となる。そのために民間施設の誘致等をおこなうまち「タウン・オン・キャンパス」の育成を掲げている。

今後、私立大学と同様に、キャンパス環境の管理・運営において「経営」の視点がより強く求められる。マスタープランでは、民間資金等の導入による将来的な施設の立地や資産としての土地の有効活用にも配慮している。その一方で、生物多様性を保全するゾーン等を設け、生態系にも配慮し、開発による影響の低減や環境保全のシステムづくりを図っていることも大きな特徴となっている。マスタープランは、九州大学が長年培ってきた学問の府としての伝統を継承するとともに、従来の大学キャンパスにはない新たな空間構成と管理・運営の導入によって「21世紀を活き続けるキャンパスの創造」を目指している。

九州大学において数々の大胆な大学改革を実施したこと、米国の設計事務所をいれた設計共同体を選出しマスタープラン策定に取り組んだこと等、日米パートナーシップ促進への画期的な貢献などが高く評価され、2001（平成13）年11月に杉岡洋一前総長に対して在福岡アメリカ領事館と福岡アメリカン・ビジネス・クラブより「マンスフィールド賞」が贈られた。

マスター・アーキテクト委員会

新キャンパス計画専門委員会とは別に、総長の諮問機関としてマスター・アーキテクト委員会（委員長：渡邊定夫・東京大学名誉教授、副委員長：有川節夫理事・副学長、中村英夫・武蔵工業大学学長、委員：柴田洋三郎理事・副学長、渡邊俊行教授、今西裕一郎教授、江頭和彦教授、落合太郎・九州産業大学教授、佐々木葉二・京

図6　マスタープランの検討作業

図7　新キャンパス・マスタープラン2001空間モデル

図8　新キャンパス・マスタープラン2001空間モデル

図9　空間モデル／南東より

図10　空間モデル／北西より

都造形芸術大学教授、出口敦教授、小島敏行施設部長、計11名）が設置された。渡邊定夫氏は、都市計画、都市デザイン界の第一人者であり、幕張新都心や長野オリンピック選手村等のマスター・アーキテクトを務めるとともに、東京大学本郷地区等のキャンパス整備の経験をふまえた「都市における大学立地整備計画に関する研究」で建築学会賞を受賞している。また、中村英夫氏は、土木学会会長、国土審議会基本政策部会部会長、道路関係四公団民営化推進委員会委員などを務めた土木工学、交通工学の第一人者である。マスター・アーキテクト委員会は、マスタープラン策定コンサルタント選定委員会メンバーをベースにしてできた委員会であり、マスタープランの精神が施設整備に反映されているかどうかをチェックし誘導する役割を持つ。具体的には、５つの地区基本設計、パブリックスペース・デザインマニュアルおよび各地区における施設デザイン等に関して、その方向や管理運営等に関する指導・助言を行った。

マスタープラン2001策定後の体制

2001（平成13）年 11月に退任した杉岡洋一総長のあとを受け、工学研究院長であり新キャンパス計画専門委員会副委員長兼ウエスト・ゾーンWG長でもあった梶山千里教授が総長となった。梶山教授は、高分子化学界を先導する科学者であり、後に福岡女子大学学長を務めている。新キャンパス計画担当副学長（新キャンパス計画推進室長兼務）は、柴田洋三郎教授へ、さらに2002（平成14）年４月からは、有川節夫教授へと引き継がれた。有川教授は、情報科学分野における発見科学創始者のひとりであり、機械学習等に関する先駆的業績だけでなく、図書館長としても全国にさきがけた九州大学附属図書館の改革を主導した実績をもつ。後に本学総長を務めた。

新しい体制では、これまでの大学改革の流れを更に進め、「実績に基づく新科学領域への展開」と「歴史的・地理的な必然が導くアジア指向」などの独自のアクションプランと新しいビジョンが打ち出された。新キャンパス建設に関しても、マスタープラン2001で描いたキャンパス像に向けて、一層の拍車がかけられることとなった。

新キャンパス実現における３つのコンセプト

マスタープラン2001をふまえ、国立大学法人としての九州大学新キャンパスを実現するにあたり、以下の３点を重要な柱とする整備を行ってきた。

①市民に開かれた都市型キャンパス：学生や教職員とともに、市民が日常生活を知的に満喫できる場を提供する。

②次世代技術の実証キャンパス：水素エネルギーや、次世代個人認証技術を応用したICカード等を利用する近未来の社会モデルを提供する。

③自然と歴史のオアシスキャンパス：緑地、水循環、景観、遺跡などの保全を重視し、自然環境と共生する。

マスタープランに基づく地区別基本設計

伊都キャンパスは、272haと広大であるため、地区別に計画を立てていく必要がある。「マスタープラン2001」にもとづき、施設が配置されるアカデミック・ゾーンを、東から人文社会学系、センター、理学系、工学系、農学系に五分割し、地区毎に施設、道路、駐車場、オープンスペース等の配置計画および各施設の概略設計等を行っている。

08 新キャンパス・マスタープラン2001と5つの地区基本設計

工学系地区基本設計

新キャンパスは計画面積が約50万m^2と大規模であることから、マスタープランに基づき、東西に長いキャンパスのアカデミック・ゾーンを５つの地区（東から、人文社会学系、センター、理学系、工学系、農学系）にゾーニングし、建物基本設計の前に地区（ブロック）単位の配置計画と施設の概略設計を行うことになった。手始めは、第Ｉステージで移転する工学系地区の基本設計である。新キャンパス計画専門委員会にウエスト・ゾーンＷＧ（ＷＧ長：2001（平成13）年11月まで梶山千里工学研究院長、11月より大城桂作工学研究院長）及びそのコアチーム（チーム長：坂井猛助教授、メンバー：工学研究院系各部門群、システム情報科学研究院の各委員と事務局施設部、新キャンパス計画推進室より構成）を設置し、マスタープランの建設コンサルタントであるＭＣＭ設計共同体（㈱三菱地所設計、シーザーペリ＆アソシエーツ・ジャパン、㈱三島設計事務所：久米大二郎、光井純、高原浩之、田中宣彰、秦大二郎、藤江和也、内田裕、大澤学思、鬼澤仁志、呉鴻逸 他）とともに、具体的な検討を始めた。

工学系地区基本設計の特徴

工学系地区基本設計を始めるにあたり、まず、マスタープランで求められている性能を満たし、いくつかの計画目標を空間として実現することが求められた。学府・研究院制度の理念を実現する空間構成、伝統を創り出す象徴的空間と柔軟に変化・増殖する空間の共存、糸島地域の環境との共生等が計画目標であった。これらは、いくつかの空間タイプを検討する基本設計の作業過程のなかで、形成要因として相互に関連しながら、度重なる議論を経て、１つの空間タイプに収斂していった。全国に先駆けて九州大学で実現した学府・研究院制度の理念を空間的に表現するにあたり、まず、断面構成において、低層部に「学部」の空間を配置し、中高層部に「学府・研究院（大学院）」の空間を配置した。これにより、学部学生の利用する講義スペース、情報学習室等のスペースがキャンパス・モール・レベルと一体的になり、講義と講義の間に大量移動する学部学生の動線を処理するとともに、キャンパス・モールの活気を演出できる。また、中高層部に学府・研究院を置くことにより、大学院の静粛な研究環境を確保している。次に、平面構成において、学府と研究院からなる大学院の空間を南北にグループ化している。北側には、学府の空間をラボゾーン及びセミオフィスゾーンとして配置し、施設の南側には、研究院の空間をオフィスゾーンとして配置する。さらに、その中間列には、吹き抜けを配置して採光、通風等に配慮し、良好な室内環境を確保している。北側は学府の大学院生室及び実験室等を主体とする変化する空間として位置づけられ、専門領域の壁を取り払いフレキシブルな利用が可能な空間が連続的に構成される。また、南側は研究院の教員室（個室）を主体とする不易の空間として位置づけられる。

工学系地区では、誰もが安心・安全で快適なキャンパス環境を享受するため、ユニバーサル・デザインに配慮し、キャンパス・モールを中心とした交流と賑わいの空間づくりを行う。開発による環境変化の広がりを抑え、省エネルギー建築、自然エネルギー・自然環境利用技術を用いたパッシブシステムにより、従来のキャンパスに比較して、30%のライフサイクルCO_2（LCCO2）及び空調負荷低減を目標としている。また、キャンパス周辺からの眺望に配慮し、施設群と空との境界線であるスカイラインを、周辺の山並みに調和させるとともに、施設利用者の眺望やキャンパス・モールからの景観に配慮した施設配置を行っている。

年月を経ても美しさを保ち、味わいを増す自然素材の利用を基本とし、ランドスケープとの調和を図り、経年的な変化の中で風格を生み出す空間の質を確保する。オープンスペースは、その場所に応じて移動、溜り、憩いなどさまざまな機能が求められるが、建築低層部の計画と整合を図り、それぞれの機能に応じて施設や樹木、ベンチなどによって固有な空間を構成する。交通面では、未来型交通のための用地を確保するとともに、駐車場、駐輪場の整備を行い、学内シャトルバス等で連絡する。さらに、オープンスペースや施設内の各所には、研究教育上価値の高い資料の展示やアートワーク設置のためのスペースや壁面、水面等を設ける。

工学系研究教育棟

工学系地区基本設計は、マスター・アーキテクト委員会（委員長：渡邊定夫・東京大学名誉教授）の審議を経て、2002（平成14）年６月に工学系地区基本設計をとりまとめ、新キャンパス計画専門委員会および将来計画委員会の了承を得て、1993（平成５）年の調査開始か

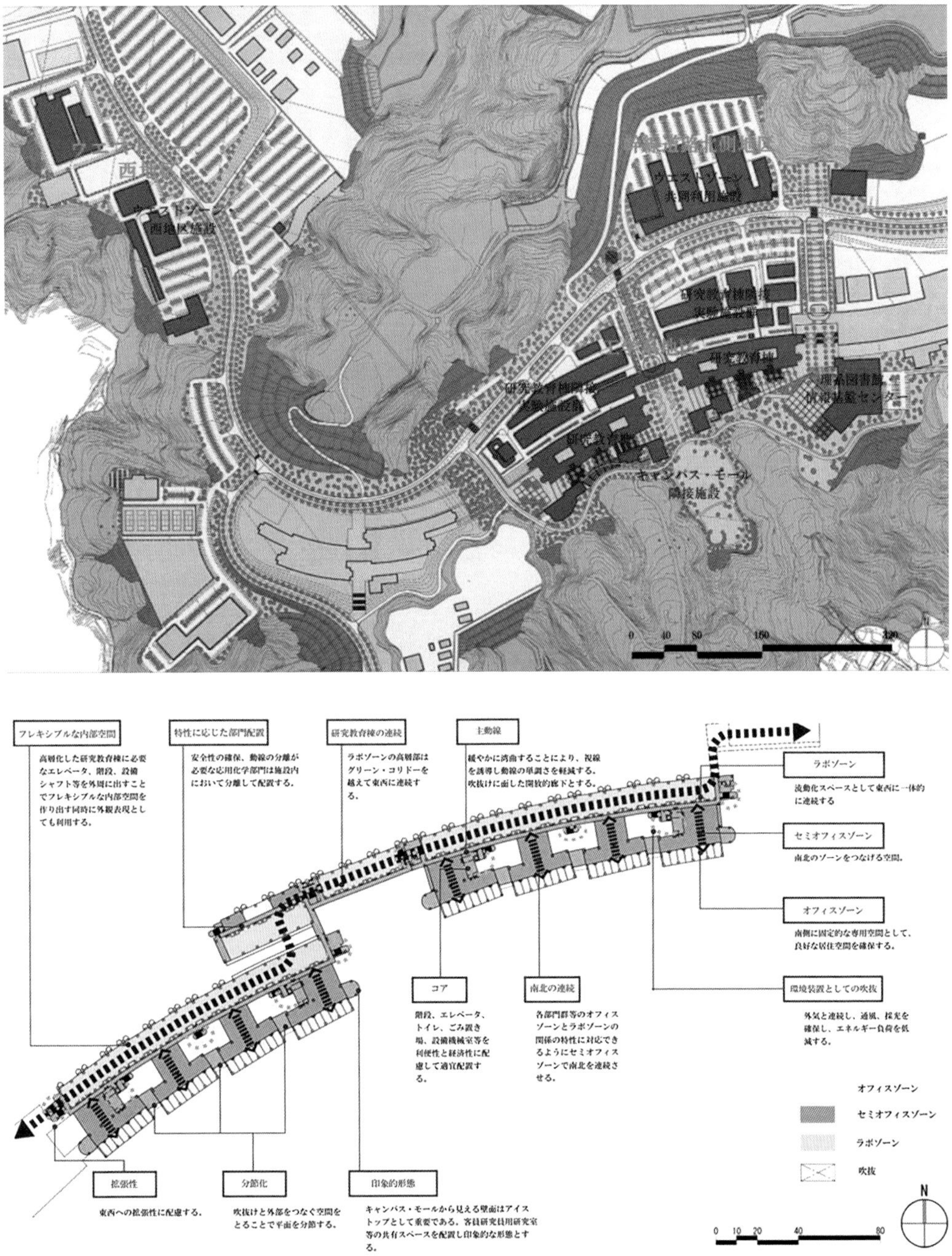

図11　工学系地区基本設計（2002.6）

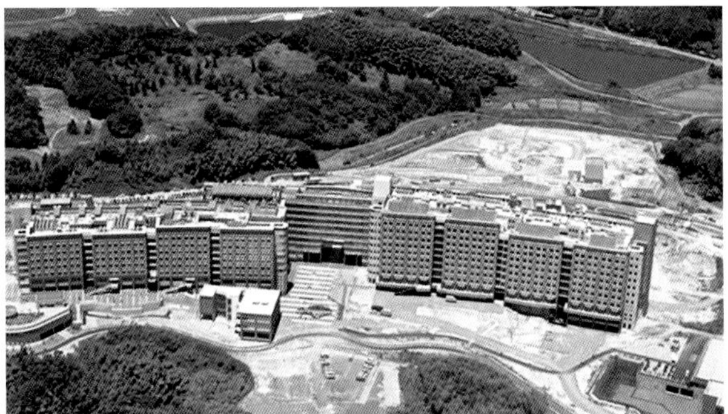

図12　工学系研究教育棟/ウエスト4号館、3号館、2号館

図13　工学系研究教育棟

ら10年目となる2003（平成15）年１月に、清水・奥村・松本ＪＶ（中村隆司所長）及び、戸田・熊谷・溝江ＪＶ（古賀孝三所長）により工学系研究教育棟が着工した。新キャンパスでの着工式には、梶山千里総長、麻生渡福岡県知事、山崎広太郎福岡市長をはじめ大勢の関係者が集まった。その後、箱崎でその祝賀会が挙行され、地元マスコミ各社がその模様を報じた。

2003（平成15）年９月には、三菱商事株式会社、九州電力㈱、㈱NTTファシリティーズ、西松建設㈱を構成員とするグループが、PFI方式により工学系研究教育棟の後半部分を受注し、2006（平成18）年度の工学系第２陣移転の受け皿である工学系研究教育棟ウエスト２号館を建設した。ウエスト２号館は、2006（平成18）年７月に完成し、同年度中に伊都キャンパスに工学系全体が揃い、学生と教職員が様々な活動を始めた。

センター地区基本設計

マスタープラン2001では、センター地区を、総合研究博物館、事務局庁舎、全学教育施設等が立地する大学の中心的エリアとして位置づけている。大学の顔となるメイン・エントランスとして、また、学生・教職員が集うキャンパスの重心として機能する重要な地区であり、周辺地域と連携した大学まち「タウン・オン・キャンパス」を形成するエリアとなる。ここを中心に「楽しみを感じながら学び住むことができる、広く社会に開かれたキャンパス」を実現することが期待されている。

2002年（平成14年）５月より１年をかけて、センター地区基本設計を検討した。検討にあたっては、まず、イースト・センターゾーンWG（竹下輝和WG長）およびタウン・オン・キャンパスWG（坂口光一WG長）の合同検討チーム（人文社会学系、理系、人間環境、言語文化、図書館、情報基盤センター、大学教育センター、センター群、病院地区、事務局の委員により構成、18名）、および同コアチーム（チーム長：坂井猛助教授、委員：全学教育、共同利用、福利厚生、新キャンパス計画推進室、事務局より構成、12名）において、関係者ヒアリングをもとに設計の与条件を整理した。

2002年（平成14年）８月には、プロポーザル方式によって黒川紀章・日本設計共同体（総括責任者：黒川紀章）を建設コンサルタントとして選出した。選定委員会委員長は渡邊定夫・東京大学名誉教授、副委員長は有川節夫副学長、委員は、柴田洋三郎教授、池田紘一教授、竹下輝和教授、落合太郎・九州産業大学教授、佐藤勝次施設部長、の７名である。

センター地区における空間構成上の課題として、(1) 学園通り線との交差、(2) タウン・オン・キャンパスの形成、(3) 20mの高低差のある地形、(4) 大学の顔づくり、(5) 学園通り線による分断、の５点が竹下輝和WG長より示され、敷地や設計条件に関する詳細な検討を本格的に開始した。設計共同体（黒川紀章、常岡稔、植木尚武、岡村和典、小林孝弘、笠継浩、森田健太郎 他）を作業の軸とし、学内コアチーム、施設部、新キャンパス計画推進室で行った検討から、新キャンパス・マスタープラン2001をまとめる時点で不明確であった様々な課題への対応を「施設整備に関する方針」としてまとめ、2002年（平成 14年）12月の新キャンパス計画専門委員会に報告し、了承を得て検討をさらに進めた。方針は、次の３点に集約される。

①イースト・ゾーン、ウエスト・ゾーンとの一体性に配慮するとともに、全学の講義室を一体的、効率的に運用するなど、アカデミック・ゾーンの一体性に配慮する。

②民間資金の導入をはかる総合研究博物館、産学連携機能、地域連携機能等を中心に、社会に開かれた九州大学の顔をつくる。

③学会研修機能、国際交流機能、居住宿泊機能等を活用し、地域と連携して国内外から集う拠点をつくる。

こうした方針をもとに、設計共同体で作業した複数の配置計画に関する検討を進め、マスター・アーキテクト委員会や学内委員会における多角的な検討を重ねた。センター地区基本設計では、各施設の機能が十分発揮できる配置を実現するとともに、ブリッジで結んだ全学教育施設の一体性を確保し、大学の顔の早期整備をはかり、東西に勾配のある地形に沿って、建築群のスカイラインを構成している。また、グリーン・コリドー、屋上緑化、雨水浸透等により、環境の変化を少なくし、無段差で水平移動できるユニバーサルレベルを設定するなど、誰もが利用しやすくするとともに、わかりやすいキャンパスを実現する。さらに、環境負荷の低減に努めるとともに、維持管理が容易な計画とし、環境共生の教材となることを目指している。

センター地区基本設計（案）は、マスター・アーキテクト委員会の審議を経て、2004（平成16）年６月の新キャンパス計画専門委員会および将来計画委員会に報告し了承を得た。センター地区の整備には、相当の期間を有す

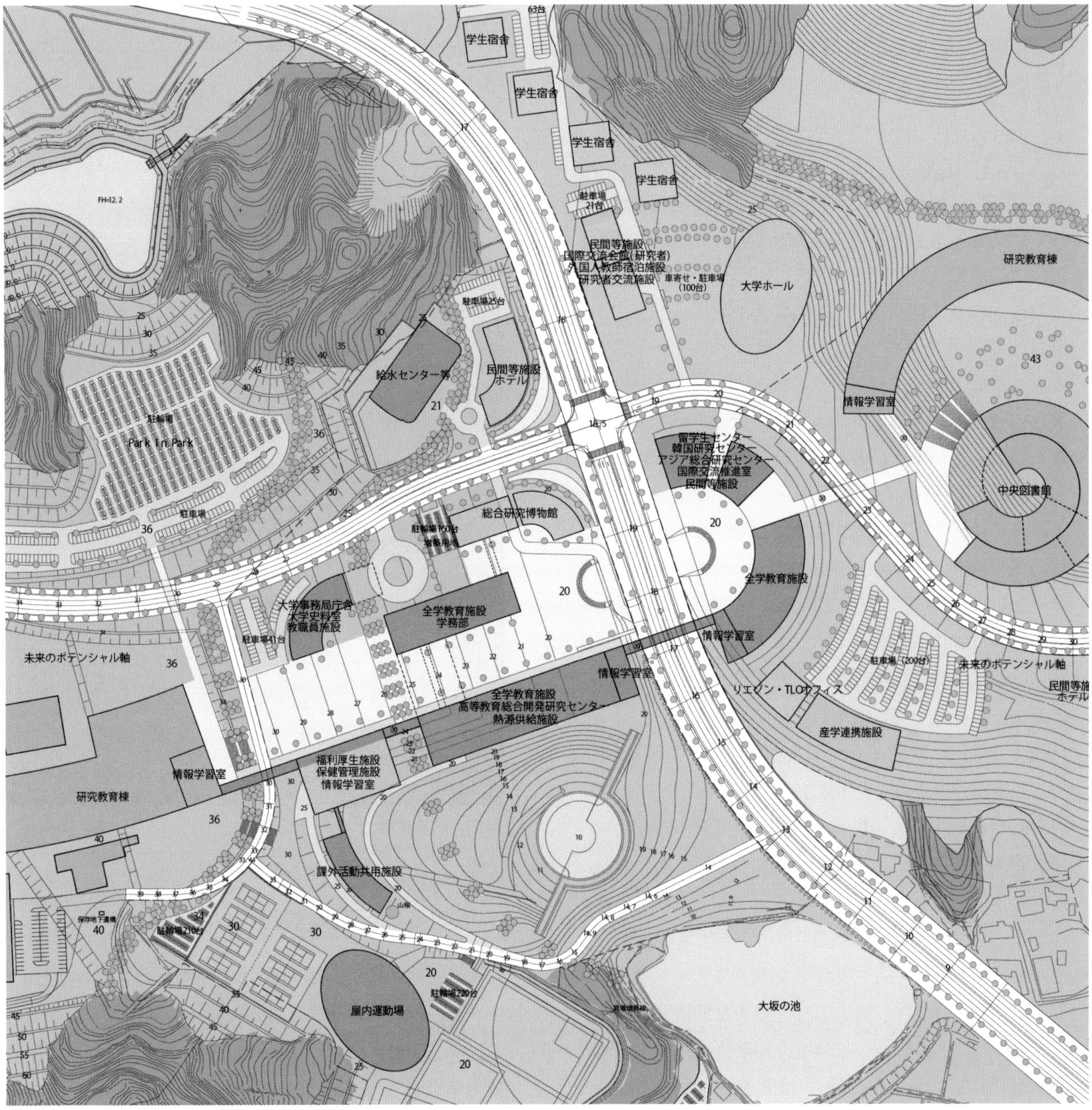

図14　センター地区基本設計総合計画図

図15　センター地区基本設計模型(2004.6)

図16　情報発信拠点「ビッグオレンジ」

るが、インフラの１つである給水センターがすでに完成し、共同溝を介して、上水と再生水の供給を開始している。

センター地区の建築

①情報発信拠点「ビッグオレンジ」：広く社会にむけて情報を発信するための拠点施設として、また、タウン・オン・キャンパス構想のさきがけとして、2005（平成17）年２月に開館した。伊都キャンパスが完成するまでの間、キャンパスの整備状況や九州大学学術研究都市構想、キャンパス周辺地域の資源をパネルや模型・映像を用いて来訪者の方々に紹介している。名称「ビッグオレンジ」は、伊都キャンパスが建設されている丘陵地が、かつてみかん園であったことに由来している。開館から2007（平成19）年１月の２年間で延べ2.8万人が来館した。ミーティング・レセプションルーム（60人収容）をもち、プラズマテレビやタッチパネル式３Ｄ情報案内端末、高画質コラボレーションシステムなどの施設設備等を有する。

②給水センター：伊都キャンパス全体に上水と実験用水及び生活排水を処理した再生水を配水する施設である。周辺地域の地下水への影響を考慮し、井戸水を使用せず、再生水処理システムを導入した。生活排水、食堂厨房排水、実験排水を再生処理し、実験用水、トイレ洗浄水として再利用している。

③学生宿舎/ドミトリー：伊都キャンパスのセンター・ゾーンとイースト・ゾーンに学生宿舎を配置する。ドミトリーⅠ（ワンルーム254室、10階建て、日本人学生・外国人留学生の混住型）はPFI方式によって建設した。学生マンション運営に豊富な実績をもつ事業者が入居者へのサポートを行っている。（株）やずやからの寄附を受けた「やずやフロアー」（８階）には留学生が入居している。その後、ドミトリーⅡ，ドミトリーⅢ、協奏館の合計1,246室が整備された。

④椎木講堂：三洋信販株式会社創業者の椎木正和氏（1928年−2016年）が本学の創立百周年を機に、寄贈された。設計は内藤廣建築設計事務所、施工は株式会社竹中工務店全体である。直径100mの円形プランに３千人収容のホールと管理棟を有する。2014（平成26）年より、この椎木講堂で入学式と学位記授与式を行えるようになったほか、各種学会や大規模イベント等の開催を可能にした。

図17　給水センター

図18　椎木講堂

理学系地区基本設計

理学系地区基本設計では、伊都キャンパス工学系地区、センター地区に続く第３番目に行った地区基本設計である。理学系地区の特性や、利用者から示された様々な要望をもとに、ウエスト・ゾーンＷＧ（2005年10月まで大城桂作ＷＧ長。2005年11月より荒殿誠ＷＧ長）およびコアチーム（チーム長：荒殿誠教授）、施設部、新キャンパス計画推進室、設計コンサルタントであるシーザーペリ＆アソシエーツ・ジャパン（代表：光井純）のスタッフが、精力的かつ慎重な検討を重ねた。さらに、マスター・アーキテクト委員会（委員長：渡邊定夫・東京大学名誉教授）によって、マスタープランとの整合やデザインの方向性等に関する審議を経て、2006年１月の新キャンパス計画専門委員会と将来計画委員会で了承された。

理学系地区は、ウエスト・ゾーンの工学系地区東側にあり、センター地区と隣接し、キャンパスの東西動線を結ぶ要に位置する。理学系の研究教育スタイルを反映した平面構成、キャンパス・モールの人の流れや立面構成と景観等、検討項目は多岐にわたった。これらの項目は、いくつかの空間タイプを検討する過程で一つの空間タイプに収斂していった。

理学系地区基本設計の概要

計画延床面積約5.7万㎡の計画にあたり、マスタープランにおける幹線道路やゾーニングに関する前提条件をふまえた検討を行った。理学系利用者のニーズは、施設部（小島敏行施設部長）によるアンケートおよびヒアリングによって集約された。

理学系のゾーニング

理学系地区周辺には、北側に幹線道路、南側に歩行者専用の「キャンパス・モール」、敷地の東西には、周辺の緑地を結ぶ「グリーン・コリドー」が整備される。マスタープランに従い、地区の中央に研究教育棟、北側に将来拡張用地、南側に講義棟を配置している。また、南西部には、既設の理系図書館があり、さらに南側に開放的な屋外空間「キャンパス・コモン」を配置している。

理学系研究教育棟の平面計画

キャンパス・モールに接する理学系研究教育棟の低層部には、学部学生が使用する講義室を中心に配置し、中高層部には、大学院（学府・研究院）が使用する諸室を配置している。中高層部の各階は、研究院および部門間の学際的交流・連携を促進するために、東西に長く連続する敷地特性を生かし、研究教育棟内を東西方向に連続させる。８ないし10の研究室を１ブロックとして、これを４つ並べることにより１フロアーを構成する。実験室が主体の「ラボゾーン」を研究教育棟の中央に配置し、諸機能相互のつながりに配慮して、南北面に教員研究室が主体の「オフィスゾーン」および大学院生のスペースが主体の「セミオフィスゾーン」を配置する。「セミオフィスゾーン」は、「オフィスゾーン」に準じた施設装備を行うが、実験室への代用も可能にしている。さらに、施設の弾力的・競争的利用を可能とする「全学共用スペース」を設け、総合大学の特性を活かし、専門性を重視した、学際的な研究教育活動を促進する。

理学系地区の立面構成とスカイライン

理学系研究教育棟の立面は、内部に配置される機能を表現することを基本としている。低層部は、キャンパス・モールとの一体性に配慮し、内部空間と外部空間の相互の賑わいを繋ぐとともに、周辺の自然環境に配慮し、ヒューマン・スケールで変化のある表情を生み出す。中層部では、表情豊かで、大学として威厳のある空間を演出する。高層部は、豊かな自然環境と調和するとともに、空を意識し、周辺からの見え方に配慮する。

壁面の分節により、東西方向が連続することによる圧迫感の低減や単調さを緩和している。窓、バルコニー等の開口部や庇などは、日照、風向等環境負荷に配慮するよう、その位置、大きさ、材質等を決定する。

スカイラインは、建物の高さや幅の組み合わせによって創出される。キャンパス周辺から施設群を見るとき、施設群と空との境界線であるスカイラインは、景観形成に重要な役割を果たす。特に、理学系地区においては、研究教育棟が新キャンパスを南から遠望する際の主要な景観要素となる。造成前の地形や尾根線を意識し、研究教育棟のスカイラインが周辺の山並みに調和するように配慮している。

図19　ウエスト・ゾーンのスカイライン検討

隣接地区との連続性

キャンパスの一体性を確保するため、隣接する地区との連続性に十分配慮した計画を立てている。センター地区と理学系地区は、９ｍの高低差があり、センター地区から理学系研究教育棟の東側に向かうキャンパス・モールの緩やかな階段と施設のエントランス、さらに西へと続くキャンパス・モールとのつながりに配慮する必要がある。動線がわかりやすく、しかも快適な移動を実現するため、実施に至るまでに更に詳細な検討が必要となる。

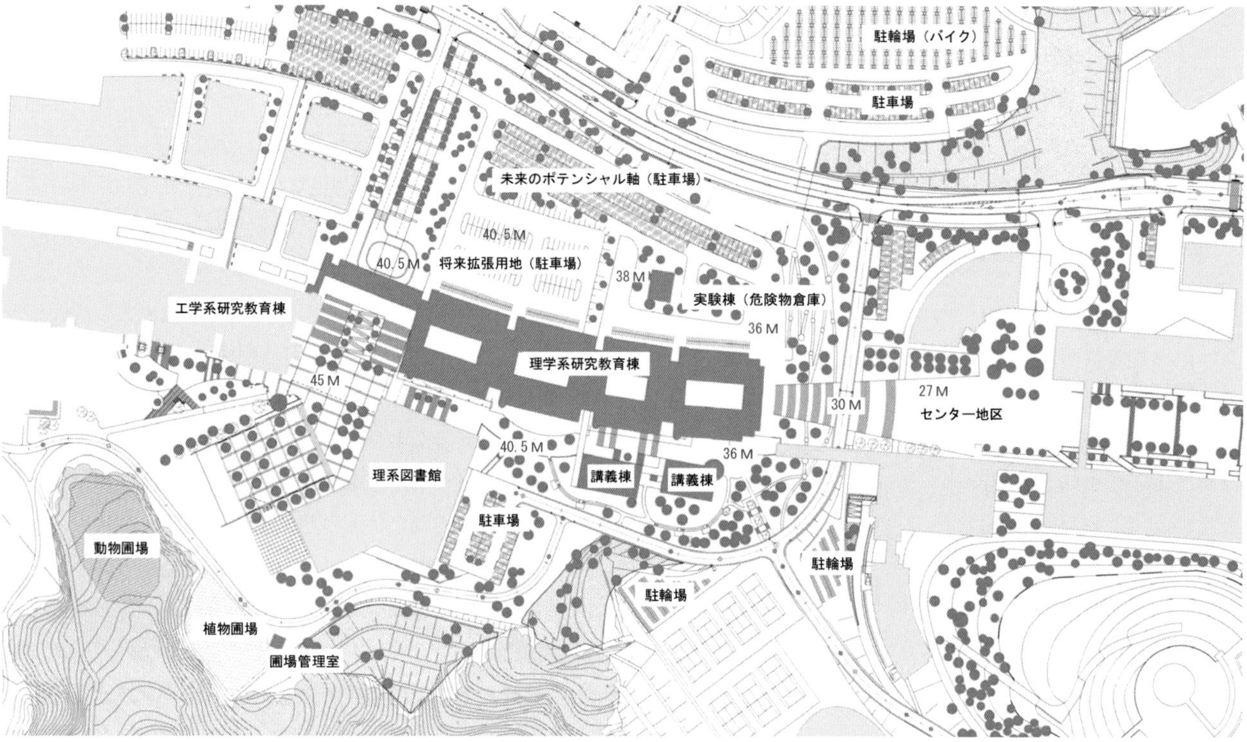

図20　理学系地区基本設計総合計画図

また、幹線道路からグリーン・コリドー沿いにアプローチ空間が形成される。工学系地区との間につくられるゲートの構成は、２つの地区の連続性を演出するうえでも重要な役割を果たすことになる。

理学系地区の環境共生

環境に対する負荷を可能な限り低減するためには、施設計画段階より検討を行う必要があり、その際には、建築物のライフサイクルを視野に入れることが欠かせない。外気と連続した空間の確保のために吹抜けを４ヵ所設け、良好な居住環境を実現する。吹抜けは、通風・採光を極力確保するための広さと形状を確保する。

理学系地区では、キャンパス空間の骨格の維持と施設機能の充足を前提とした環境との共生を目指し、建築計画、構造計画、環境計画、運用、施設の維持管理に関する総合的な検討をもとに、経済性、機能性、効率性等の指標により最適な施設づくりを目指している。

農学系地区基本設計

農学系地区は、ウエスト・ゾーンにおける大学の顔として位置づけられており、これまでの工学系、理学系施設との連続性はもちろん、敷地の南北に展開する農場、緑地を結ぶグリーン・コリドー、用地南側に展開するキャンパス・コモンとの調和が求められていた。農学系地区は、研究教育施設群の建つアカデミック・ゾーンのなかでも標高の高い場所に位置する。糸島半島の山並み、地形に沿うスカイラインを引き継ぐとともに、日射遮蔽と視線に配慮しつつ農学系らしいファサードをつくりだす。大学キャンパスの限られた資源を有効に利用するため、マスタープランの施設構成をさらにすすめ、施設をコンパクトに積み上げ、可能な限り将来拡張用地を確保して暫定駐車場とする。学生生活に活気と潤いが増すことを期待して、エントランスに展示機能を持つコミュニティ・コリドーを、低層部に情報学習室を、施設内各所にリフレッシュスペースを、キャンパス・コモンにレストランや店舗を設ける。

学府研究院の配置とわかりやすい動線

農学研究院では、施設内配置と研究教育上の連携に関する検討を慎重に行い、複数案の中から最も有効と考えられるゾーンと研究分野の適正な配置を目指した。まず、１・２階の低層部を学部の空間として、講義室や情報学習室等の学部生が使用する施設やレストランを設ける。

上層部を大学院の空間として、南側には主として研究院のオフィスゾーンを、中間部に大学院生やゼミ室等のセミオフィスゾーンを、北側に主として実験室の並ぶラボゾーンを配置する。

歩行者専用のキャンパス・モールからアプローチする農学系のアクセス・ルートを設け、学生用エントランスと来訪者用のエントランスを確保する。エントランスからは、エレベータや階段等の縦動線をわかりやすく適正に配置している。

地球環境への配慮

地球環境への配慮から、LCCO2削減、熱負荷低減に向けた検討を行っている。まず、冬期に卓越する北西風等に対する風況シミュレーションを行い、緩衝緑地を設ける。また、施設内では空調負荷を低減し快適な環境とするために気密サッシと高断熱素材を使用するとともに、流線型の施設形状を活かした自然通風と施設中央部の吹抜けを利用し効果的な換気を行う。また、中央部の吹き抜けは換気だけでなく、低層部における自然光利用にも有効である。

実現に向けて

農学系地区基本設計にあたっては、農学研究院（吉村淳研究院長）の研究者を主とする利用者各位から示された様々な与条件をもとに検討を重ねた。2008（平成21）年８月、新キャンパス計画専門委員会ウエスト・ゾーンWG（荒殿誠WG長）に設置されたコアチーム（吉田茂二郎チーム長）のもとで、施設部（加納博義部長、森山直治課長）、新キャンパス計画推進室、設計コンサルタントとして株式会社石本建築事務所（総括：能勢修治部長）が作業し、ウエスト・ゾーンWGとマスター・アーキテクト委員会（委員長：渡辺定夫東京大学名誉教授）、新キャンパス計画専門委員会における審議を経て、将来計画委員会（2010年６月８日）において了承された。

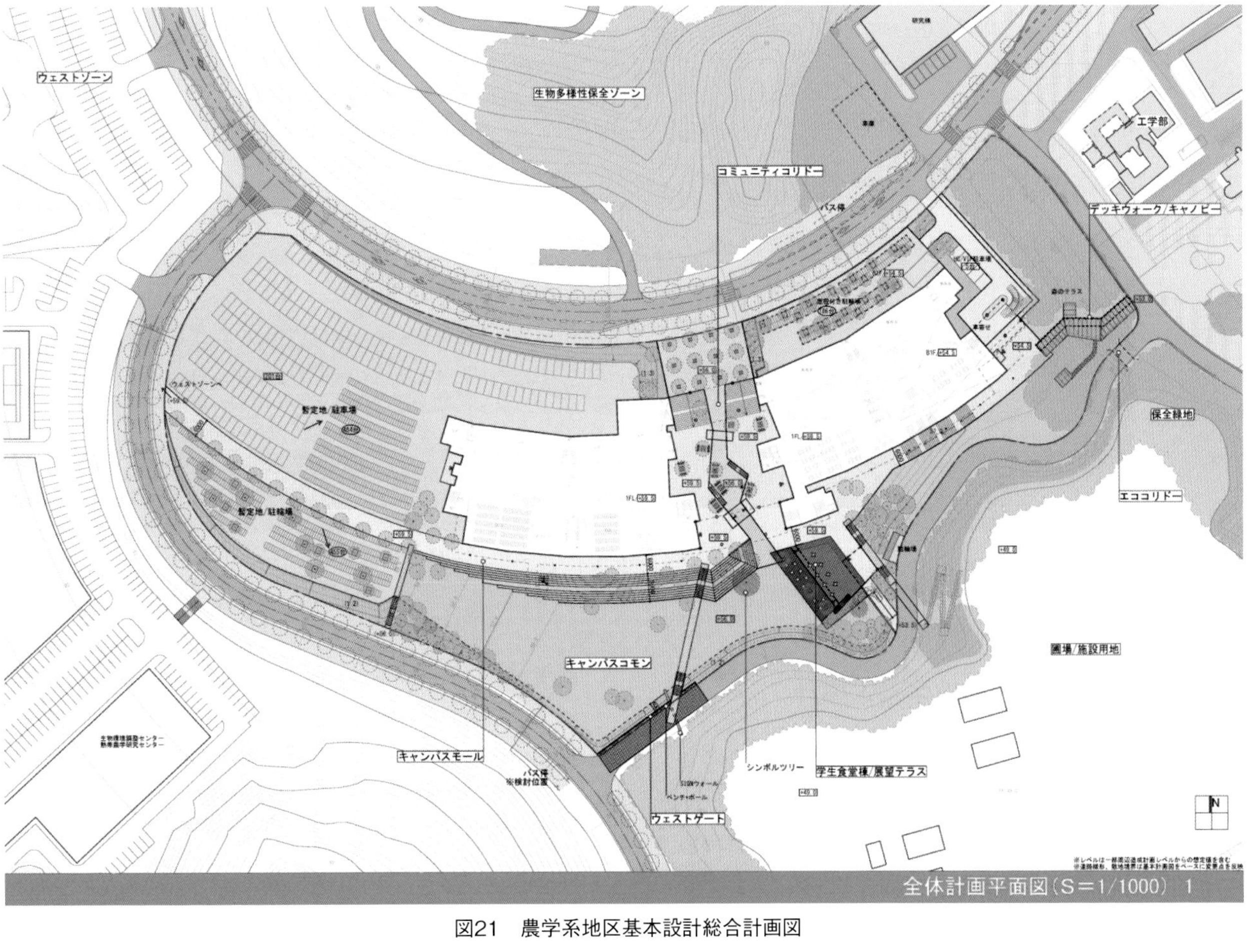

図21　農学系地区基本設計総合計画図

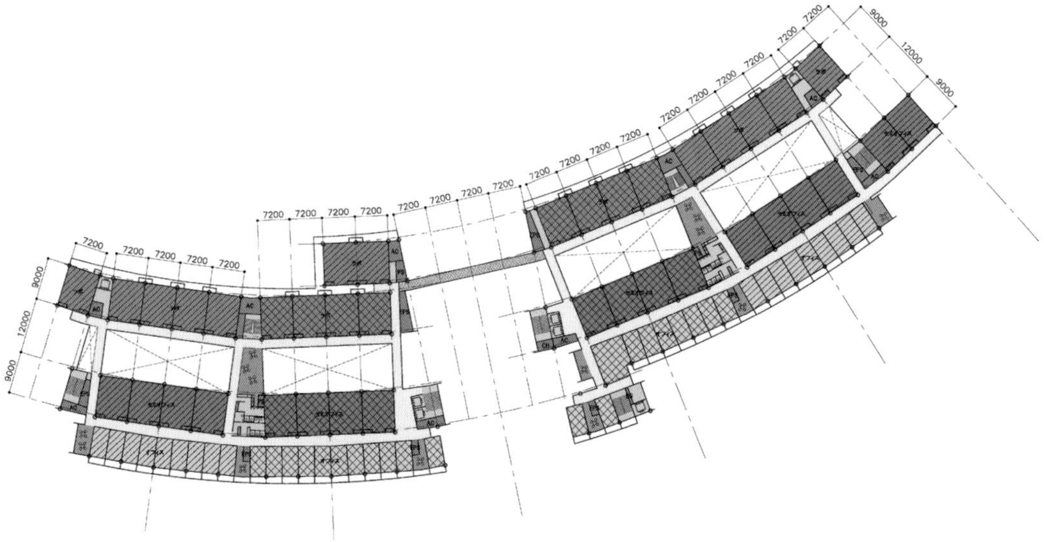

図22　農学系研究教育棟基準階平面図

図23　ウエスト5号館

人文社会学系の文系地区基本設計

文系地区基本設計は、用地の特性や、利用者から示された様々な要望等をもとに、イースト・センターゾーンWG（吾郷眞一WG長、2013年４月より野田進WG長）および文系地区基本設計検討コアチーム（チーム長：柴田篤教授）が、施設部（近藤昭夫部長、村久木志郎課長）、新キャンパス計画推進室、設計コンサルタントである株式会社石本設計事務所（総括：能勢修治部長）とともに検討を重ねた。新キャンパス・マスター・アーキテクト委員会（委員長：渡辺定夫・東京大学名誉教授）におけるマスタープランとの整合性やデザインの方向性等に関する審議を経て、2013（平成25）年９月の新キャンパス計画専門委員会および将来計画委員会で了承された。

環境形成

この地区は、人文科学研究院・人文科学府・文学部、比較社会文化研究院・比較社会文化学府、人間環境学研究院・人間環境学府・教育学部・工学部建築学科、法学研究院・法学府・法学部、経済学研究院・経済学府・経済学部、言語文化研究院、統合新領域学府の人文社会学系、および中央図書館からなり、歴史と伝統のある文化系諸分野のみならず、複数の文理融合型の部局を有するユニークな地区といえる。伊都キャンパスのイースト・ゾーンに位置し、キャンパス内外の豊かな自然環境と水崎城址等の歴史環境に恵まれており、隣接するゾーンの施設群や自然環境と調和しつつ、地域社会や世界に貢献するための多様な交流をつくりだすキャンパス環境の形成を目指す。

地区基本設計の概要

計画延床面積約8.2万㎡という大規模な施設群の配置にあたって、まず「新キャンパス・マスタープラン2001」における全体の骨格をふまえる必要がある。地区の南側に幹線道路、中央に歩行者専用の「キャンパス・モール」、さらには、南北の緑地を結ぶ「グリーン・コリドー」を整備し、地区の中央に教育研究棟、北側に将来拡張用地、南側に大講義棟、南西部には、中央図書館、さらに南側に開放的な屋外空間「キャンパス・コモン」を計画する。部局の要望等を整理検討し、「文系地区におけるキャンパス環境づくりの共通ビジョンと基本設計方針」を作成した。

全体計画

敷地は、南北を水崎城址の山、戸山、金屎古墳等の緑地に囲まれ、学園通り線から20m高い東西方向に開かれている。ウエスト・ゾーンからセンター・ゾーンを介してイースト・ゾーンに抜けるモールや幹線道路の空間軸を受ける象徴的空間を形成しつつ、隣接するセンター・ゾーンの椎木講堂、基幹教育院等と調和する空間構成が求められた。

全学の学生・教職員を対象とする中央図書館は、イー

表1　文系地区基本設計における環境づくりの共通ビジョンと基本設計方針（骨子）

I.	**歴史と伝統を継承し、新たな象徴性を備えるキャンパス環境** （1）九州大学の歴史や伝統の継承、（2）センター・オブ・エクセレンスに相応しい新たな象徴性を備えるキャンパスと施設、（3）建築デザインのスタンスと建築物への期待、（4）地域の歴史との融合
Ⅱ.	**文系地区各部局と図書館の多様な活動を重視したキャンパス環境** 2−1　施設配置 （1）敷地特性による生活環境に対する影響への配慮、（2）複数施設の配置関係に関する留意点、（3）施設の配置に関する留意点 2−2　施設計画ー棟構成及び機能配置 （1）文系地区の多様な部局の独自性と学際性の醸成に貢献する教育研究棟の構成、（2）教育研究活動の特性に基づく機能配置、（3）利用者属性や利用形態に基づく空間区分、（4）より高い教育研究活動のために求められる施設や機能 2−3　教育研究活動環境に求められる品質 （1）部局の独自性や学際性及び地区全体の統一性、（2）隣接する既存施設やキャンパス全体計画との整合、（3）建築物の性能や品質の確保、（4）インフラの品質・安全性の確保、（5）教育研究の多様な活動をささえる利便性や快適性の確保、（6）熱、音、光などの室内環境の品質への配慮、（7）多様な活動に対応するスペース等の計画
Ⅲ.	**地域社会、世界に貢献するために多様な交流を作り出すキャンパス環境** （1）学術研究都市の核となる地域や世界に開かれたキャンパス、（2）文系地区の特性に配慮したオープンスペース、（3）自然環境や歴史的特性を生かした交流や憩いのためのガーデン・キャンパス
Ⅳ.	**地球環境に優しく、持続可能な未来型のモデルとなるキャンパス環境** （1）地球環境と共生する未来型キャンパス、（2）敷地特性を生かした土地の有効活用、（3）教育研究活動の新たな変化に対応する柔軟性の確保、（4）先進技術の応用による地球環境に優しいキャンパスづくり
Ⅴ.	**安全・安心で快適なキャンパス環境** （1）ユーザーの健康に配慮したキャンパスデザイン、（2）快適な移動空間や憩いの空間による快適なキャンパス環境づくり、（3）防犯上の安全性、（4）緊急時の迅速な対応、（5）技術に基づく防災性と信頼性の高い災害時危機管理、（6）外部利用者や搬出入等サービス動線

08 新キャンパス・マスタープラン2001と5つの地区基本設計

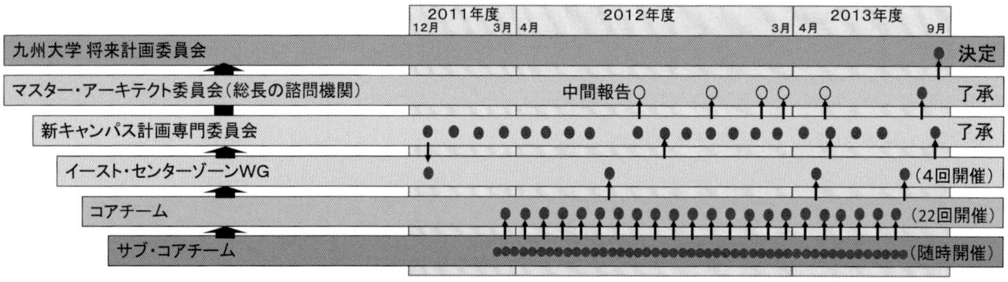

図24　文系地区基本設計の検討フロー

図25　イースト1･2号館＋中央図書館全景

スト・ゾーンの学生・教職員の利便性だけでなく、学内外の利用者に配慮し、センター地区に隣接して配置している。

①教育研究棟・講義棟・福利厚生施設等：教育研究棟は、各部局の独自性に配慮し、部局ごとのブロックを連結した構成とし、中央図書館との関係性及び部局間の関係性をもとに、五つの棟に南から順に、経済学、法学、比較社会文化・言語文化、新統合領域・人文科学、人間環境学を配置している。また、複数部局の共同利用に配慮し、講義室、生活支援施設、全学共用スペース、プレゼン・スペース、展示用のインナーモール等を教育研究棟の低層部の1、2階に、上階の各フロアにリフレッシュスペースを配置する。記録保存のうえ削平した石ケ原前方後円墳の位置に、360度の眺望がきく展望台、展示場を設け、地域の歴史にふれつつ、新たな魅力を生み出すキャンパスを目指す。

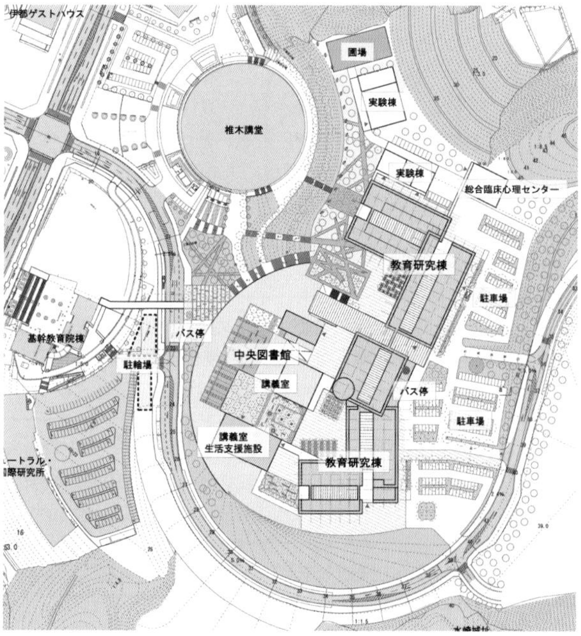

図26　文系地区基本設計総合計画図

②中央図書館：次の百年を担う図書館であること―アジアのトップブランドを目指して、主体的な学びを創出する図書館、教育活動に最大限活用される図書館、世界水準の学術研究をうみだす図書館、世界への扉となる図書館、大学の知を社会につなぐ図書館を基本コンセプトにしている。四層の吹き抜けをもつ中央図書館には、施設内を通るキャンパス・モールからのエントランスを設け、大屋根を設置する。中央図書館の屋上をキャンパス・コモンとし、大講義室、アクティブラーニング・スペース、レストラン、「ルーム」と呼ぶ屋外小空間と芝生バンクを設け、多様なアクティビティを可能にしている。

参考文献

[1] マスタープラン2001の特徴・マスタープラン2001の概要, 出口敦, 坂井猛, 九大広報, 17, 11-18, (2001).
[2] キャンパスへの移転計画 3.新キャンパス・マスタープラン2001と学術研究都市構想, 坂井猛, 季刊文教施設, (社)文教施設協会, 2005秋号, 5, 87-91, (2005).
[3] 伊都キャンパス計画の現在, 坂井猛, 松岡力, 九大広報特別号, 10-17, (2006).
[4] 21世紀都市の知的創発拠点形成と都市・地域の再生, 坂井猛, 都市計画, 日本都市計画学会, 56, 116, (2007).
[5] 学術研究都市ー九州大学新キャンパス計画, 坂井猛, ランドスケープ・デザイン, ㈱マルモ出版, 56, 24-27, (2007).
[6] 九州大学伊都キャンパスのパブリックスペース創造, 坂井猛, 有川節夫, CEL, 大坂ガスエネルギー・文化研究所, 84, 44, (2008).
[7] 都市と大学をつくる―九州大学伊都キャンパス―, 坂井猛, 日本不動産学会誌, 日本不動産学会, 83, 128-129, (2008).
[8] Urban Regeneration Technique of Local City―Town-Gown Partnerships for Sustainability―, Takeru SAKAI, Proceedings of Korea-Japan Local City Urban Regeneration Academic Seminar 2010, 3-12, (2010).
[9] 九州大学伊都キャンパス誕生と学生生活環境の整備, 坂井猛, 前田利家, 大学と学生, (独)日本学生支援機構, 平成18年 32, 20-27, (2006).
[10] 地域とともにつくる九州大学伊都キャンパスと学術研究都市, 有川節夫, 坂井猛他, 2006年度日本建築学会大会(関東)都市計画部門PD資料, 27-32, (2006).
[11] 工学系地区基本設計の概要, 坂井猛, 山本隆, 九大広報, 25, 13-15, (2002).
[12] センター地区基本設計の検討経緯と概要, 坂井猛, 山本隆, 九大広報, 30, 18-19, (2003).
[13] 新キャンパス・パブリックスペース・デザインマニュアル, 佐藤優, 坂井猛, 九大広報, 38, 12-15, (2005).
[14] 九州大学新キャンパスへの移転計画 4.工学系地区基本設計から「伊都キャンパス」誕生まで, 坂井猛, 季刊文教施設2006新春号, (社)文教施設協会, 6, 75-81, 2006年1月
[15] 理学系地区基本設計の特徴, 坂井猛, 松岡力, 九大広報, 30, 34-35, (2006).
[16] 九州大学新キャンパスへの移転計画 5.理学系地区基本設計, 坂井猛, 季刊文教施設, (社)文教施設協会, 2006春号, 6, 72-76, (2006).
[17] 農学系地区基本設計の概要, 吉田茂二郎, 坂井猛, 九大広報, 72, 16-18, (2010).
[18] 文系地区基本設計の特徴, 柴田篤, 坂井猛, 九大広報, 90, 17-18, (2013).

09 キャンパスづくりの推進体制

坂井　猛

伊都キャンパスを計画し建設するまでの推進体制を概観し、
多くの専門家が関わってきた枠組みを理解する。

国立大学法人九州大学

2004（平成16）年４月、全国の国立大学は国立大学法人となり、九州大学では、役員会、経営協議会、教育研究評議会が中心となって自主的、自律的な大学運営・経営を行うことになった。法人化に伴い、大学運営・経営に対して総長のリーダーシップの発揮と結果責任が強く求められるようになった。各担当理事の下に対応する事務組織が直結し、事務職員が担当役員の職務と責任を直接支える組織がつくられた。この組織化により、キャンパス、学術情報政策、財務・人件費計画、100周年事業、広報、産学官民連携、研究企画、国際交流・留学生、教育、総務に関して大学で協議、検討されている諸事項が直ちに総長に伝わり、大学運営・経営に総長のリーダーシップが発揮しやすくなっている。梶山総長はこの新しい体制について、「例えば、キャンパス問題では、責任担当役員を中心に、ほぼ全ての役員が参加し、協議・検討が行われ、大学運営・経営には、組織の縦割りと横割りを柔軟に組み合わせて取り組んだ。また、事務組織の改組・再編成や人事については、総長が委員長を務める執行部を中心に構成された事務体制委員会が責任を持って行います」と述べている。総長と理事によって構成される「役員会」の下に、大学の今後の総合計画の企画立案に関する基本的事項を所掌する「将来計画委員会」があり、この下に各種の専門委員会とともに「新キャンパス計画専門委員会」が位置づけられた。これまで、「教育」「研究」「社会貢献」「国際貢献」を活動の４本の柱とし、「新科学領域への展開」と「アジア指向」を将来に向けた基本的方向性として、様々な活動を活発に展開している。分野を越えて学ぶ21世紀プログラム、文理融合型の様々な研究プロジェクト、組織対応型産学連携の進捗、アジア学長会議の主催などは成果の一部であった。

キャンパス計画の推進体制

伊都キャンパスの検討は、1992年11月から2015年３月まで設置されていた新キャンパス計画専門委員会によって行われた。専門委員会は、各部局の専門委員及び調査計画関連の専門教員等によって構成され、審議内容は、(1) キャンパス用地の調査、利用計画、移転年次計画に関すること、(2) 部局、学内共同教育研究施設、体育施設、福利厚生施設、課外活動施設、管理施設等の施設計画等に関すること、(3) キャンパス周辺施設、交通体系等周辺環境の調査及び整備のあり方に関すること、であった。

専門委員会で検討された事項は、各部局の教授会に報告され、学内で出された意見は、ふたたび専門委員会に集約された。専門委員会で審議された重要な内容は将来計画委員会及び役員会に諮られる体制となっている。重要事項は役員会決定ののちに将来計画委員会に示され実行に移される。

新キャンパスに関する検討内容は、九州大学のホームページに掲載しており、意見箱を通じて一般学生や教職員からの質問や意見を受けた。

2015（平成27）年４月からは、キャンパス計画及び施設管理委員会（2004年４月設置）が、伊都キャンパスを含む全てのキャンパスを対象として、(1) キャンパスの全体構想に関すること、(2) キャンパスの整備，管理及び有効活用に関すること、(3) その他キャンパス計画及び施設管理に関すること、を所掌することとなった。

ワーキンググループ

キャンパス計画及び施設管理委員会は、ワーキンググループ（以下、WG）を設置して、必要な検討を行っている。演習林や生態学の専門教員による緑地管理計画WGでは、「種を消失させない」「森林面積を減らさない」という目標を掲げ、生物多様性保全事業を行ってきた。

考古学、建築意匠、大学史等の専門教員による文化財WGでは、古墳等の歴史環境に関する評価と保全等に関する提言、移転対象地区の建築、文化財、樹木のリストアップと評価等を行った。環境WGでは、環境監視にかかる各種調査、健全な水循環系構築のための雨水浸透施設等の提案と実施を行った。未来型キャンパスづくりWGでは、風力等の自然エネルギー活用や生物処理による水処理施設建設など、学内の研究シーズを新キャンパスに適用する様々な試みがなされた。法学と経済学の教員が中心になった地域連携WG、タウン・オン・キャンパスWGでは、地域との協働による大学まちの必要性を説き、経済界と自治体による学研都市推進協議会の設立、学研都市構想、推進機構組織のたちあげへと展開させた。

各ワーキンググループで検討された事項は、新キャンパス計画専門委員会等の審議を経て、マスタープラン、地区別基本設計、各施設設計のプロセスのなかで１つ１つ詰められ、実現に向けた努力がなされてきた。

新キャンパス計画推進室・キャンパス計画室

新キャンパス計画推進室（2015年４月よりキャンパス計画室）は、新キャンパス計画専門委員会の付託する技術的・専門的事項を処理するため、1993（平成５）年８月に設置された組織である。統合移転事業の進捗に伴って業務内容および対象を拡大し、2015（平成27）年４月からは、(1) キャンパス計画及び施設管理委員会の任務の支援、(2) その他新キャンパス計画の推進に関する業務を行っている。伊都キャンパスをはじめとする本学のキャンパスおよび周辺の環境に関する調査、企画立案および計画、調整、広報などについて、事務局及び関連する学内外の組織と連携し事業を推進している。2022（令和４）年の時点では、理事・副学長を室長とし、専任室員７名（教授２名，准教授１名，学術推進専門員２名，職員２名）、及び併任室員21名（理事１名，教員10名，施設系職員10名）の計28名によって構成されている。

新キャンパス計画推進室には、1994（平成６年）年より、福岡市から13人の係長が助手及び学術推進専門員として、また、国土交通省からは３人が助手として、さらに、2003（平成15）年４月から2007（平成19）年３月まで２人が助教授として出向し、事業推進の中核的役割を果たした。

新キャンパス計画推進室は、伊都キャンパスだけでなく、他キャンパスの計画等についても参画してきたことから、ミッションを再定義し、2016年４月より「キャンパス計画室」として活動することとなった。

事務局の推進体制

新キャンパス計画専門委員会に設置された新キャンパス計画推進室とは別に、統合移転に関する事務局の窓口として1993（平成５）年５月に設置された企画調査室は、2000（平成12）年４月より統合移転推進室となり、移転に関する対外的な窓口機能を強化するとともに、事務局各部課と協力して、学内委員会や文部科学省との調整を行った。

また、第１ステージにおいて移転する工学系の総合窓口として、2002（平成14）年５月に工学部等移転推進室（室長：経理課課長補佐による兼務）が設置された。工学系移転の準備段階から様々な調整を行うとともに、引っ越しに関する実質的なとりまとめを行った。その後も、各部局の移転に際しては、その都度、移転推進室が各部局に設置され移転業務を担当した。

さらに、施設部には伊都キャンパスの整備を主として担当する整備計画課が2001（平成13）年４月に設置され、移転が完了を迎える2018（平成30）年３月まで、伊都キャンパスの施設の利用者である各部局教職員、学生のニーズや意見の収集、スケジュールと予算の調整、工事工程の調整など様々な業務を行った。

財団法人九州大学学術研究都市推進機構設立

2004（平成16）年10月、九州大学学術研究都市推進協議会のもとに、財団法人九州大学学術研究都市推進機構（理事長：石川敬一㈱九電工会長、基本財産２億円）が設立された。九州大学の研究シーズと産業界との橋渡しを軸に、産学連携・研究機関の立地支援、企画広報等を実施するために常駐10人の組織で本格的に活動を開始した。学術研究都市構想の実現にむけた企業誘致やシンポジウム開催、広報活動などを精力的に行っている。

「伊都キャンパス」誕生記念イベント

新キャンパスの名称を2005（平成17）年２月５日から３月31日まで公募し、全国から473件の応募が寄せられた。新キャンパス名称審査会（委員長：有川節夫理事・副学長、委員：柴田洋三郎理事・副学長、早田憲治理事・事務局長、吾郷眞一・法学研究院教授、佐藤優・芸術工学研究院教授、大城桂作・工学研究院長、折田悦郎・大学文書館助教授、坂井猛助教授、坂田憲治・福岡市西区長、吉田須美生・福岡県企画振興部企画調整課参事、劉学・大学院人間環境学府修士課程１年生、大渡理恵・21世紀プログラム３年生、以上12名）において候補案を選定し、同年４月の役員会において「伊都キャンパス」（最優秀賞：坂田義臣氏、福岡市在住）に決定した。

審査会では、新キャンパスが九州大学の中心的な機能を果たす場になること、歴史を受け継ぎつつ次代を担う学術研究の拠点となること等を念頭に、地域性を考慮すること、分かりにくい表現は避けること等を基準とした選考が行われた。「伊都キャンパス」は、かつてこの辺りが伊都国とよばれ、大陸との交流が盛んであったこと、また、新キャンパスが国際交流の拠点としても期待されていることから、これを表現する最もふさわしい名称として選ばれたものである。このほかにも、ひらがな表記の「いとキャンパス」や、「糸島キャンパス」など、新キャンパス名称として魅力的な案が多数みられたが、応募件数も多く、一般に馴染みやすい「伊都キャンパス」が最優秀賞に選定された。

伊都キャンパスへの移転開始

1991（平成３）年の移転決定以来、学内外で検討を重ねてきた新キャンパス計画は、14年を経過した2005（平成17）年10月の第１期移転によって節目を迎えることとなった。この時期に照準を絞り、九州大学学術研究都市推進協議会（会長：鎌田迪貞）のメンバーである（社）九州山口経済連合会、福岡県、福岡市をはじめとする国県市町の関係機関、九州大学の関係者は緩やかな協力体制のもとで、さまざまな事業を実施してきた。

ＰＲデスクによる展開

伊都キャンパスの誕生を機に、「伊都キャンパス」と「学術研究都市」の地元各層への認知度を高める活動を行うため、福岡市天神の機構事務所にＰＲデスク（デスク：真隅潔事務局次長）を設置した。九州大学内の誕生記念プロジェクトチーム（リーダー：有川節夫理事・副学長）や各自治体等の広報活動と足並みをそろえ、㈱電通九州をコンサルタントとして準備を進めてきた。2005（平成17）年７月から2006（平成18）年１月までの７ヵ月間を誕生記念イヤーとし、様々なイベントを実施した。

ビア・フェスタ、九大・学研都市フェア、記念式典

2005（平成17）年８月、九州大学箱崎キャンパスで糸島の地ビールを飲みながら新しいキャンパスの誕生を祝う「九大ビア・フェスタ」を開催した。一連のイベントのキックオフをかねて、総長の挨拶から始まるセレモニーや糸島産のソーセージやサザエ等の販売を行い、箱崎キャンパスは、夜遅くまで約1,000人の参加者でにぎわった。ビア・フェスタを皮切りに、学研都市資料ライブラリーの構築、広報ツール（ホームページ、パンフレット、ビデオ、のぼり、記念切手、はっぴ、うちわ等）の制作、記念公開講座などが次々と考案され、実施に移された。９月に天神ソラリアプラザで開催した九大・学研都市フェアは、移転事業と学研都市、研究プロジェクト、糸島の観光案内等を模型やパネルで展示した（図１）。学生のオーケストラや落語研の寄席などもあり、多くの一般客が訪れた。10月１日は、伊都キャンパス誕生記

図1　九大・学研都市フェア（2005.9）

図2　伊都キャンパス誕生記念式典（2005.10）

念式典、ＪＲ九大学研都市駅完成披露式、理系図書館開館記念式典と３つの行事が開催された（図２）。地元財界、国の機関、自治体、地域住民など、各界から約500人がお祝いに駆けつけ、地元マスコミ各社でも大きく取り上げられた。さらに、11月には、地元で毎年行われている福岡市西ブロック自治協議会元岡商工連合会（宮崎征司会長、古川一喜事務局長）主催の花火大会を伊都キャンパス内で実施し、大勢の観客でにぎわった。

伊都キャンパス完成記念行事

伊都キャンパスへの移転は、人文社会学系と農学系の箱崎からの移転をもって2018年９月に完了した。九州大学は、2018年度を伊都キャンパス完成記念期間とし、国際学会、式典、講演会・シンポジウム等、学生行事、地域行事など、47件の伊都キャンパス完成記念関連行事を開催した。

2018年９月29日には、椎木講堂において九州大学伊都キャンパス完成記念式典を挙行し、国会議員、文部科学省等関係省庁、在外公館関係者、地方自治体の関係者、大学関係者、地元経済界、同窓生、キャンパス整備の関係者など、約1,000名が参列した。式典では、久保千春総長が、キャンパス移転への関係者の支援、協力に対する謝辞を述べ、伊都キャンパスを拠点とした新たな時代に向けての決意を込めた「伊都キャンパス宣言」を公表した。その後、新しくオープンしたイースト１号館において記念祝賀会を開催し、招待者による鏡開きが行われ、伊都キャンパスの完成を祝った。

保全緑地部門の創設

2021（令和３）年４月より、キャンパス計画室に保全緑地部門を創設し、教授（兼任）１、助教１のもとに、現場活動の経験豊富な技術職員２名を配置した。伊都キャンパスに広がる保全緑地100haにおいて、自然科学系の教育研究のための整備を行うとともに、散策や憩いの場となるよう安全管理を進めている。

九州大学伊都キャンパス完成記念式典(2018.9，九州大学広報室撮影)

伊都キャンパス宣言(抜粋)

1．世界をリードする人材と新しい科学を生み出すキャンパス
2．未来社会を切り拓く研究成果の実証実験の場としてのキャンパス
3．歴史や自然など豊かな環境と共生するキャンパス

九州大学は、学生や教職員が世界の人々と、学びあい、語り合い、競い合う、機能的で美しいキャンパスを得ました。今日新たに大学のイノベーションの扉を開き、未来に向けて躍進し続けることを誓います。

平成30年９月29日　九州大学総長　久保千春

参考文献

[1] 地域との連携による九州大学伊都キャンパス誕生記念イベント，坂井猛，2006年度日本建築学会大会(関東)都市計画部門研究協議会資料，81-82，(2006)
[2] キャンパスを科学する―教育科目の開講―，坂井猛，大学時報，(社)日本私立大学連盟，32-39，第56巻313号，2007年3月
[3] 産学官の連携を活性化する都市自治体への期待，坂井猛，市政，全国市長会，59，13-15，(2010)
[4] サステナブルシティー大学人との連携による産官学農のとりくみ，坂井猛，鶴崎直樹，Planners都市計画家，(NPO)日本都市計画家協会，66，21，(2010)．
[5] 1980年代以降の大学キャンパスの新設と撤退に対する自治体の姿勢と連携課題，斎尾直子，鈴木雅之，小松尚，坂井猛，太田真央，2015年度日本建築学会大会(関東)都市計画部門PD資料，21-24，(2015)．
[6] 糸島市と九州大学との戦略的な協働によるまちづくり，坂井猛，金昭淵，2015年度日本建築学会大会(関東)都市計画部門PD資料，29-30，(2015)．
[7] アーバンデザイン会議九大UDCQの取り組み，坂井猛，森茂，2015年度日本建築学会大会(関東)都市計画部門PD資料，31-32，(2015)．
[8] アーバンデザイン会議九大UDCQの取り組み，坂井猛，永野真，芸術工学会誌，70，35-36，(2016)．

ITO CAMPUS PRESENT

Ⅱ 伊都キャンパスのいま

10　伊都キャンパスの水循環

広城　吉成

伊都キャンパスにおける水循環と
地下水のコントロールについて理解を深める。

九州大学統合移転事業

九州大学統合移転事業とは、自然に近い丘陵地を切り開いて新しいキャンパスを建設する事業であった。移転完了後には２万人近い人々の生活が伊都キャンパスで営まれることになる。移転地の272haのうちおよそ170haが開発されることで、周辺の自然環境や水循環系は大きな影響を受ける。その影響について、その程度を予測・評価し、これを回避・緩和するための対策を講じることは、九州大学はもとより、移転地域周辺の将来にわたる持続的な発展を確保するうえで不可欠であった。

九州大学では2000（平成12）年に取りまとめた環境影響評価書において、開発による周辺地下水や水利用、洪水流出への影響等に関して評価し、とるべき対策についても大学が責任を持って取り組むことを表明している。図１は、こうした目的を持って策定された、九州大学新キャンパス統合移転事業環境影響評価書（平成12年２月、484頁）の表紙である。このうち水文・水利用に関する取り組みは、モニタリングと保全、さらにその策定に先立って実施したモデルによる予測・評価からなる。

水文・水利用調査

１）地下水位

図２に示す調査地点にて地下水位の自動計測を行い、地下水位の経年変化、月別変化をモニタリングしている。地下水位調査は観測井の設置時期にもよるが1996（平成８）年４月から調査を開始しており、現在まで継続している。一部の地下水位観測井において、造成工事による一時的な地下水位低下は見られたものの、現在まで特に異常は見られない。

２）濁り等の監視（濁度、pH）

地下水の濁度とpHの調査は、1997（平成９）年度からおよそ14か所の井戸について、年に４回の頻度で行われている。調査地点は紙面の都合上省略するが、図-2のWL8、WL9、WL10付近の民家の井戸で行われている。

３）塩水化の監視（電気伝導度）

移転用地は海岸まで２kmの距離にあることから、造成工事等により地下水位が低下した場合、地下水の塩水化が進行することが懸念される。ここで地下水の塩水化とは、地下水に下方から塩水が侵入する現象のことで、塩水化の進行とは淡水・塩水境界が地表に向かって上昇する現象のことである。現在は月に一度、13か所の観測井において（図３）、地表面から１m毎の電気伝導度を観測し、地下水の塩水化に対するモニタリングを行っている。なお、塩水化地下水観測井での電気伝導度の鉛直変化は、周辺の土地利用や農業用水の地下水くみ上げ量によって変化しているものの、その経時変化はほぼ例年同じ傾向を示している。

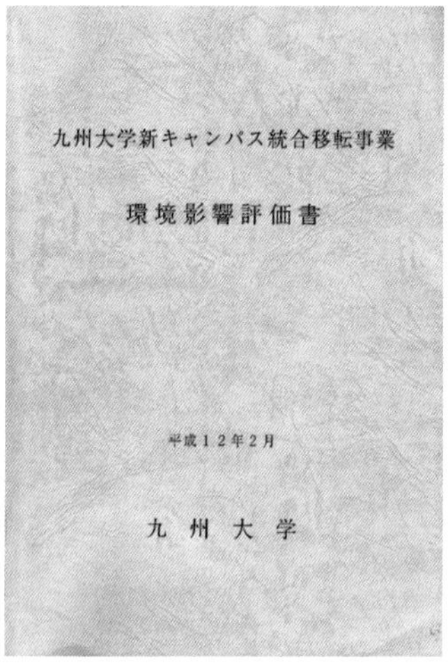

図1　九州大学新キャンパス統合移転事業環境影響評価書

４）湧水量

図３にはキャンパス内に唯一存在する水源、幸の神（さやのかみ）湧水地点を示している。この湧水は地元の貴重な農業用水源となっており、1996（平成８）年度から湧水量のモニタリングを行っている。図４は幸の神湧

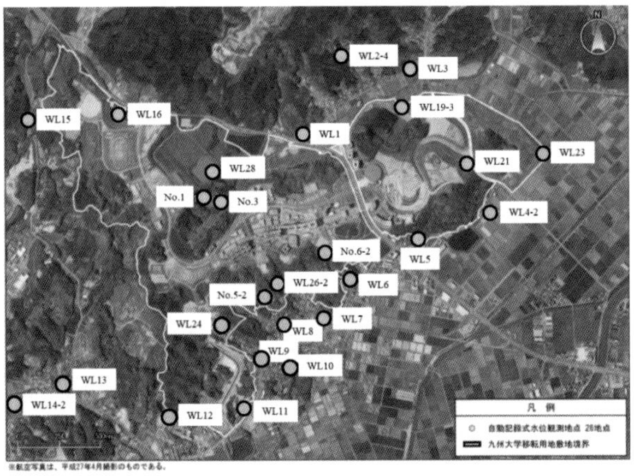

図2　地下水位調査地点

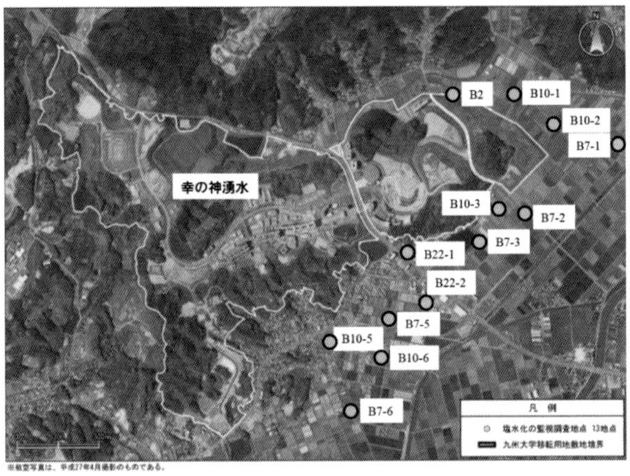

図3　地下水塩水化観測井および幸の神湧水

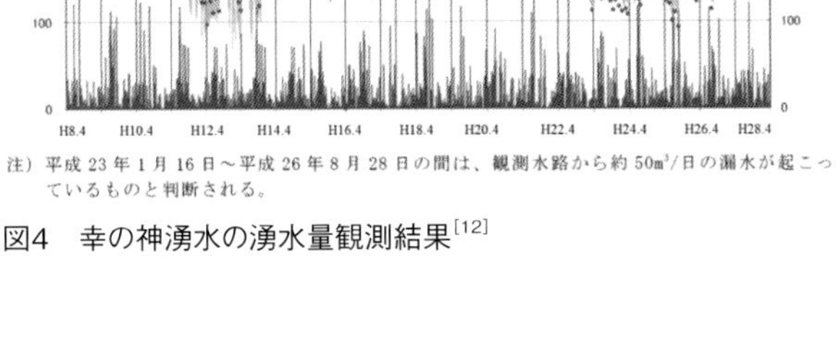

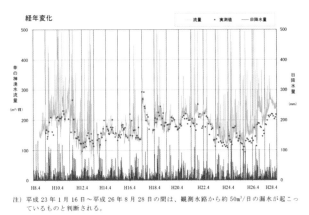

注）平成23年1月16日～平成26年8月28日の間は、観測水路から約50m³/日の漏水が起こっているものと判断される。

図4　幸の神湧水の湧水量観測結果[12]

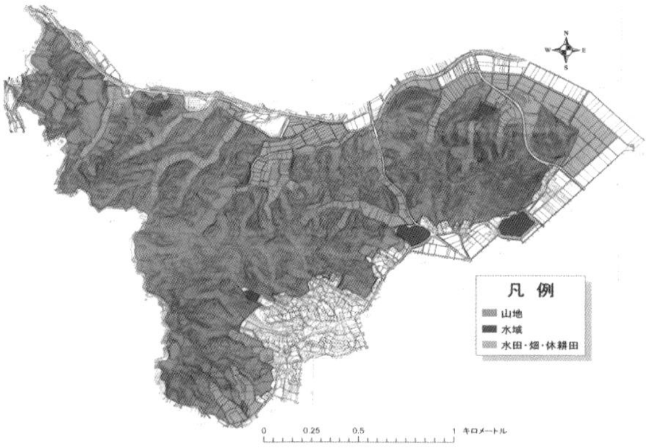

図5　造成工事前の土地利用状況

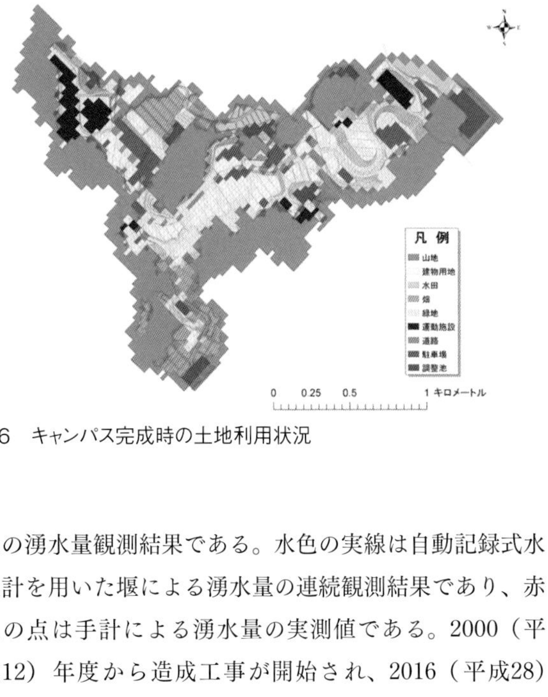

図6　キャンパス完成時の土地利用状況

水の湧水量観測結果である。水色の実線は自動記録式水位計を用いた堰による湧水量の連続観測結果であり、赤色の点は手計による湧水量の実測値である。2000（平成12）年度から造成工事が開始され、2016（平成28）年度末までの湧水量の変化について、湧水量の低下は見られていない。

地下水保全対策　地下水位、湧水量を低下させないための取り組み

地下水位を低下させない工夫、地下水の塩水化を引き起こさない工夫、そして幸の神湧水量を減らさない対策について述べる。

図5は造成工事前の伊都キャンパスの土地利用状況を示している。土地利用のほとんどが山地であったことが

わかる。次に図６には開発後の土地利用状況を示す。かつての山地の一部が建物や道路になり、降水の地中への浸透が妨げられるため、地下水となる涵養量の低下が懸念された。

そこで、伊都キャンパスでは地下水涵養量を開発前の状態に維持するためにどのような仕掛けをしているかを紹介する。

図７は開発前後の水収支の推定・予測値の比較である。降った雨水を地下に浸み込みやすくする対策がないと、地下水になる量が年間110mm減少することがわかる。一方、降った雨が地下浸透することなく地表を流れる表面流出が年間150mmとなり、それが下流に洪水を引き起こす可能性が増加する。そこで浸透ます、浸透トレンチ、雨水地下貯留浸透施設などを設置することにより、図７の右図のように、地下浸透量を従前の922mm/年程度にした。

図８、図９、図10（1)～(3）はそれぞれ浸透ます、浸透トレンチ、雨水地下貯留浸透施設の写真である。図10（1）および（2）は、プラスチック貯留材を地下に敷き詰めている作業状況写真であり、雨水を地下浸透させるために、ここでは地下空間として空隙率90%以上を確保している。現在、理系図書館の駐車場が図10（3）で、赤線の四角で囲った地下部分が図10（1）と（2）の上部にあたる。

図11は、浸透した雨水が幸の神湧水で湧出するまでの推定滞留時間および推定集水域を、地下水流動モデルと粒子追跡法で解析した結果を示している。幸の神湧水から現在流出している水は、およそ25年前までに降った雨水であった。また図12は、図11で特定された集水域をもとに、伊都キャンパスのどのエリアを雨水浸透域機能保全エリアとすればよいのかを示している。

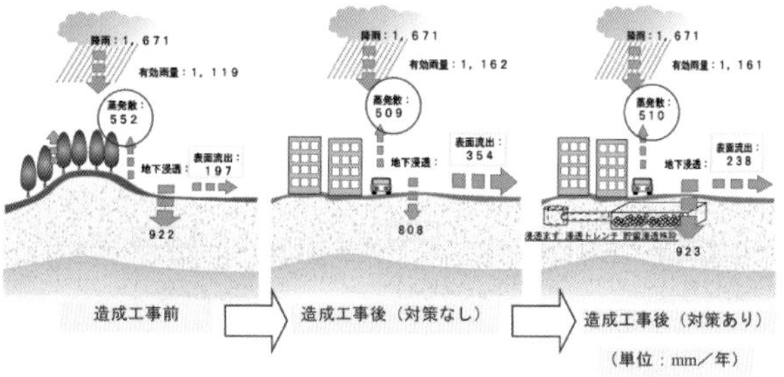

図7　開発前後の水収支の比較

図8　浸透ます

図9　浸透トレンチ

図10(1)　雨水地下貯留浸透施設組立作業1

総括

開発した土地において、極力、従来あった地下浸透量を確保すべく、効果的な場所に空隙貯留施設、雨水浸透ます、浸透トレンチなどを適宜かつ適切に配置し、雨水浸透能力を維持していくことが望まれる。これにより地下水位の低下や伊都キャンパス周辺の地下水の塩水化の進行を抑制することができる。

一方、幸の神湧水については、その枯渇を防ぐためには、概ね明らかになった集水域において雨水を地下浸透しやすくする工夫が必要である。

最後に、伊都キャンパス周辺の地下水、湧水は地元の

図10(2)　雨水地下貯留浸透施設組立作業2

図10(3)　雨水地下貯留浸透施設(完成)

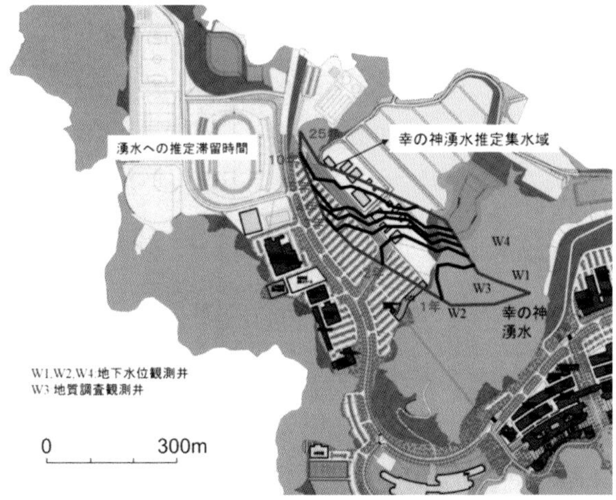

図11　幸の神湧水の推定滞留時間と推定集水域

図12　幸の神湧水の雨水浸透機能保全エリア

貴重な生活用水、農業用水として利用されている。そのため地元の人々が、九州大学が移転する前と同様に水利用ができるよう、今後とも継続して地下水位の変化、塩水化地下水観測井の電気伝導度の鉛直分布、幸の神湧水量変化をモニタリングする必要がある。

なお、図7、図11、図12の論拠については参考文献を参照されたい。

参考文献

[1] 広城吉成, 神野健二, 中野芳輔, 河村明, 森牧人, 古賀誠司, 新井田浩「九州大学新キャンパス統合移転事業における水循環系の保全と管理について」第6回水資源に関するシンポジウム論文集, 277-282,(2002年8月).

[2] 堤敦, 神野健二, 森牧人, 広城吉成「遮断降雨を考慮した雨水の地下水涵養モデル」水工学論文集第47, 277-282,(2003).

[3] 堤敦, 神野健二, 森牧人, 広城吉成「表流水ー地下水系水循環機構の解析ー九州大学新キャンパス建設地を対象としてー」土木学会論文集747, 29-40,(2003).

[4] 新井田浩, 神野健二, 広城吉成「地下水保全のための雨水貯留浸透施設の計画ー九州大学新キャンパス建設地を対象としてー」水循環貯留と浸透, 54(2004).

[5] 松本大毅, 広城吉成, 新井田浩, 神野健二, 岡村正紀, 仲島賢, 田籠久也, 右田義臣「ラドンと水質から推定される湧水周辺の水文・地球化学的特性について-福岡市西区幸の神湧水における事例-」水文・水資源学会誌, 176, 627-635, (2004).

[6] 南健太, 新井田浩, 神野健二, 堤敦, 広城吉成, 下大迫博志, 濱里学, 泉谷隆志「雨水貯留浸透施設の計画・評価手法ー九州大学新キャンパス建設地を対象としてー」水工学論文集49, 67-72,(2005).

[7] 松本大毅, 広城吉成, 堤敦, 神野健二, 新井田浩「ラドンおよびトリチウムによる地球化学的手法と地下水流動計算による湧水の滞留時間と集水域の推定」水工学論文集49, 127-132,(2005).

[8] 大橋伸行, 広城吉成, 新井田浩, 神野健二「沿岸低地部帯水層における淡水及び塩水境界の挙動解析」地下水学会誌47, 235-251,(2005).

[9] Y Hiroshiro, K Jinno, R Berndtsson "Hydrogeochemical properties of a salinity-affected coastal aquifer in western Japan" Hydrol. Process. 20, 1425-1435(2006).

[10] Y. Hiroshiro, K. Jinno, A. Tsutsumi, M. Matsumoto, R. Berndtsson "Estimation of residence time and catchment area for spring water using radioactive isotope and groundwater flow model" MEMOIRS OF THE FACULTY OF ENGINEERING KYUSHU UNIVERSITY, 67, 1-9(2007).

[11] 広城吉成, 松本大毅, 横田雅紀, 堤敦, 神野健二「結晶片岩-花崗閃緑岩地質境界における地下水・表流水の交流特性」水工学論文集, 54, 589-594(2010).

[12] 気象庁ホームページ　http://www.data.jma.go.jp/gmd/risk/obsdl/index.php

11 伊都キャンパスの環境アセスメント

宮沢 良行

広大なキャンパス用地の開発にあたって実施してきた
環境アセスメント（影響評価）とその監視調査に関する理解を深める。

移転がもたらす環境変化とその監視

九州大学は伊都へのキャンパス移転を進めるにあたり、長期にわたるキャンパスづくりを一貫して行うための指針を、2001（平成13）年に「九州大学新キャンパス・マスタープラン2001」として策定した。その中で、キャンパス移転がもたらす環境への負荷を軽減することが、移転の大きな目標の一つとして掲げられることになった。里山であった272haの地域を学術研究、教育そして学生の活動の場として整備するためには、山を削り、森を切り開き、建物を建て、交通設備を充実させる必要があった。こうした取り組みは、そこに生息してきた野生動物、希少種を含む在来の植物種を始め、様々な生物に強い影響を及ぼすことが懸念された。またこの地域の生態系が有している水源涵養機能も影響を受けると考えられ、地下水の水位低下や塩水化、湧水量の低下などの環境悪化も懸念された。

キャンパス移転に伴う生態系の破壊をいかに回避するか。大学移転について、国内では都心回帰が多く見られるが、成長著しい新興国では都市部から郊外や農村部への大規模施設の移転が進行中である。移転に伴う環境への負荷解消とは、今後も進行する各地のキャンパス移転の指針なりうる、価値のある取り組みである。

生物多様性や生態系がもつ公益的機能については、キャンパス移転をきっかけに、あるいは研究者による独自の活動として、1990年代半ばから様々な調査が実施されてきた（表1）。これまで希少種がいないと思われてきた伊都キャンパスの移転地域からは、陸上植物、野生動物、鳥類、昆虫類など様々な種が見つかり、その保全のための取り組みが実施されてきた（表2）。幸の神湧水の湧水量やキャンパス周辺の井戸の地下水位、塩水化の指標である電気伝導度についても定期的に観測が実施され、キャンパス移転の工事の進捗ごとにその環境への影響が監視されてきた。他の章で記載のない活動には、工事に伴う騒音・振動の監視、陸域動物（ほ乳類、鳥類、は虫類、両生類、昆虫類）の個体数や挙動、希少種の監視がある。水域の生物については近隣河川における魚類の監視や底生生物、付着藻類の挙動が観測されてきた。とりわけキャンパス移転の際に個体数の増減が報告され、また市民の関心も高いホタル類については重点的に監視が実施され、幼虫の生育環境の改善を目的に、河畔に繁茂する暖竹の伐採除去などの措置も執られてきた。水文・水利用についての取り組みと監視や陸域植物についての保全活動の活動については、本章の各稿を参照していただきたい。

表1 移転に際して実施された環境監視活動の一覧

環境要素	監視対象	監視の概要
騒音・振動		
水質	地表水(濁度など)	
	地下水質	濃度、pH、地下水有害化学物質
	地下水の塩水化	電気伝導度
陸生植物	植物の生育状況	希少種の個体数の観測
	航空写真の撮影	
陸域動物	ほ乳類	行動解析、個体数計測
	鳥類	種数および季節性の観測
	は虫類・両生類	個体数観測
	昆虫類	種数観測
水生生物	魚類	種数・個体数観測
	底生動物	種数観測・希少種の記録
	付着藻類	種数観測
	ホタル類	個体数観測

九州大学は毎年、「九州大学統合移転事業環境監視調査総合報告書」を出版し、学内外から閲覧できるようオンラインでも公開している。また学内外の委員からなる「新キャンパス環境監視委員会（令和２年度からはキャンパス環境監視専門部会）」を設けており、毎年の環境監視活動の成果を検証するとともに、必要な措置についての提言をすることで、監視・保全活動の改善に努めている。

環境監視・保護活動の成果

移転が完了して３年が経とうとする2021年現在、懸念された地下水位の低下や湧水地の流量低下、塩水化は観測されていない。地下水位については複数の井戸において時間にともなう上昇すら観測されている。

絶滅危惧種には、個体数を減らした種や、監視期間中に個体の確認がとれなくなった種もある。だがこの地域での個体数の少なかった希少種については、個体数を維持または増加させた種もある。

表2　監視対象の絶滅危惧･希少植物種

種名	指定状況	
	環境省レッドリスト	福岡県レッドデータ
マヤラン	絶滅危惧Ⅱ類	絶滅危惧ⅠA類
ムヨウラン	—	絶滅危惧ⅠA類
アキザキヤツシロラン	—	絶滅危惧ⅠB類
タシロラン	準絶滅危惧	絶滅危惧Ⅱ類
ミズオオバコ	絶滅危惧Ⅱ類	絶滅危惧ⅠB類
ミゾコウジュ	準絶滅危惧	準絶滅危惧
ナギラン	絶滅危惧Ⅱ類	絶滅危惧ⅠA類
カワヂシャ	準絶滅危惧	準絶滅危惧
ヒメコウガイゼキショウ	—	絶滅危惧Ⅱ類
コガマ	—	絶滅危惧Ⅱ類
(用地内希少種)		
オオバノイノモトソウ	—	—
リョウメンシダ	—	—
キヨスミヒメワラビ	—	—
ホソバイヌワラビ	—	—
センリョウ	—	—
イチヤクソウ	—	—
ハンゲショウ	—	—

日本各地で問題となっている放棄竹林の拡大は伊都キャンパスでも深刻な問題であったが、森林科学の研究者の調査評価の下、省コストかつ有効な駆除活動が採られ、その拡大は抑えられている。竹林が駆除された跡地では稚樹の成長が始まり、元々の森林に向けた遷移が始まっている。

移転に伴う環境監視・保護活動には、学術界も注目してきた。米国学術誌のScienceは本学の環境監視活動を誌面に取り上げ、生物保全が最優先される画期的な取り組みとして紹介している[1]。日本土木学会は2002（平成14）年、移転事業に対して環境賞を授与し、環境との共生を積極的に進めた本移転事業を大規模開発の範となる画期的かつ今後の土木事業の行うべき先進的な事例を示すものとして高く評価した。移転完了を翌年に控えた2017（平成29）年には、サステイナブルキャンパス推進協議会CAS-Net JAPANから奨励賞を受与され、持続可能なキャンパス運営が表彰された。

監視活動はまた、学術活動のシーズをも数多く有している。水の流れ（水文学）から希少動植物（生態学）にわたる幅広い環境指標を、長い活動については20年近くかけて監視して得られてきた記録からは、この地域の、そして日本の里山の典型的な姿を伺い知ることができるだろう。これまでの解析では、広大な伊都キャンパスを囲むように設置された井戸間で、その地下水位の変動に強い相関が観察されている。こうした知見は、地下水帯の挙動、そしてその広がりを明らかにすることで、今後も都市化が見込まれるこの地域での地下水涵養の対策立案に貢献するだろう。

移転完了後のキャンパスの環境監視

移転が完了した後、2019（令和元）年からは環境監視活動は活動を順次縮小させている。移転に先立つ2017（平成29）年には、造成に伴う騒音・振動の監視を終結させた。2019（令和元）年度をもって、これまでに大きな影響が検出されなかった陸域動物（鳥類、爬虫類、両生類、昆虫類）や水生生物（底生動物、付着藻類、ホタル類）の監視を終結させた。翌2020（令和２）年度にはキャンパス及び周辺地域での魚類の監視活動を、移転に伴う悪化の兆候が見られないことから、終結させた。

一方で水文・水利用（地下水位と湧水地の流量、地下水質と塩水化の進行）と陸生植物、陸生動物のうち哺乳類の監視については監視を継続している。水文・水利用の監視項目は近隣地域への悪影響を及ぼし得る社会的関心が高い現象であることから、また短期間では影響を検出しづらい微小な悪化を見逃すことがないよう、移転完了後も一定期間の監視が必要と考えられたからである。希少植物の生育監視や、高木移植された樹木個体など、陸域植物の監視もまた、キャンパス移転に伴う環境保全の象徴的な取り組みとして、継続されている。哺乳類の動態については、保全対象とされた種（アナグマ、タヌキ、キツネなど）については移転に伴う悪影響がないことが確認されたが、引き続き監視が続けられている。法面や緑地を荒らし、キャンパス利用者に危害を加えるイノシシの個体数増減の有用な情報源であることが、監視活動継続の主な理由である。いずれの取り組みについても、移転５年後にあたる2023（令和５）年度をめどに、大学による環境監視活動としては終結する予定である。今後は移転による影響評価ではなく、九州大学のキャンパス管理の一環として周辺環境への影響監視が実施されることになる。

これまでを振り返り、知見を未来に活かす

このように、多大な予算と人員、そして時間をかけたキャンパス移転は、当初危惧されたような環境への悪影響を及ぼすことはなかった。キャンパス移転のような大規模な開発は環境破壊をもたらす、という定説は、九州大学の知と労力で克服されたと言ってもよいだろう。こうした事実は、移転に際して立てられた環境への影響予測や、それに基づいた環境保護の取り組みが有効であったことを示唆している。

では今回採られた活動は、キャンパス周辺が都市化する中、そして温暖化など気候変動が進行する中でも有効なのだろうか？また成長著しい新興国など、今でもキャンパスの郊外への移転が進められる地域においても、各地の実状にあった変更を加えることで、環境保全に有効な活動となり得るのだろうか？

こうした問いに答えるには、個々の取り組みと環境指標との因果関係を明確にしなければならない。地下水位の維持の例を取っても、開発による降雨の地下水への流入の低下が、雨水浸透ますの設置や浸透性の高いアスファルトの敷設によって軽減また相殺された、という因果関係は、実は科学的には立証されていない。もしかすると、地下水位の維持・上昇は、かつて伊都キャンパスを覆っていた森林がなくなったことで、森林に消費されるはずだった降水が地下に流入したためであるのかもしれない。森林などの植生では、地表を覆う植物が蒸散（光合成の際に発生する、葉内から大気への水蒸気の漏出）で失った水を葉に補充することで、地中の水を吸い上げることが知られている。他にも、枝葉に付着した降雨の一部がそのまま大気へと蒸発する（遮断蒸発）ため、地表そして地下水に到達する水量は降雨量よりも小さくなる。蒸散と遮断蒸発という植生による水消費量は降水の４～６割にも達する[2]。年間降水量が1400～2200mm（気象庁、2011～2020、福岡県糸島市前原）のこの地域で、森林除去によりその４割の降水が消費されることなく地下に浸透したのであれば、開発された100haにおいては年間500～1300mm、すなわち１m^2の土地あたり毎年500～1300kgの水が地下水帯に供給されたことになる。もしも地下水位の維持の原因が森林除去およびその水消費の抑制であるならば、今回実施された水文・水利用管理の取り組みは、他の地域での大規模開発では地下水位や湧水量の維持に有効ではないかもしれない。

現在、20年にもわたる環境監視活動の成果は、こうした検証を含め、再解析などの学術的な取り組みに向けて整備されているとは言い難い状況にある。現状では、全データの内のある時期の平均値など、ごく表層の情報が年次報告書に紙媒体として記録されているのみである。監視活動で得られたデータの整理がされていなければ、活動の効果を解析できる専門家に依頼することすらできない。

伊都キャンパスへの移転に際して実施された環境保全活動は、環境に及ぼした影響やその仕組みの詳細が分からない限り、他の大学のキャンパス移転など、今後の大規模開発での効果が期待できるものではない。伊都キャンパスの移転に際して実施された環境監視・保全活動が、膨大な時間、予算、人員そして九州大学の知を結集・投入して実施された、この地点・この時点に限ってのみ有効な、壮大なケーススタディとならないよう、監視活動で得られた成果を再解析する必要がある。

大学が実施する移転に伴う環境監視活動が縮小・終結に向かう中、九州大学の教職員や学生による環境調査が徐々に増えてきている。理工系の学部・研究院の移転が進んだ2016年ごろからは、保全緑地を中心に、生物学の研究や野外実習が増えてきた。造成予定地から地下部ごと移植された根株移植地（14章参照）では、過密に生育した樹木がお互いを被陰しあうことで高木になりきれていないが、ここでは人の手を加えることで元あった森林に戻す取り組みが実施されている。里山の特徴を色濃く残すこれら移植地では、人々による頻繁な伐採に適応した、萌芽状の生育（伐採後、地下部に蓄えられた養分を使って多数の幹を伸ばす）をするカシ属が多く、萌芽同士が成長のための養分を奪い合う状態にある。萌芽

を間伐することで、残された幹の生育が改善し、移植地が高木からなる樹林地へと移行することが期待されるが、その過程には不明な点が多い。間伐により個々の幹には光が十分に当たり、また萌芽間で奪い合ってきた養分もふんだんに供給されることで生育が促進されるかもしれない。だが日差しが遮られた過密状態に適応して生育した樹木にとって、間伐によって急激に増えた日射量は光合成に使い切れず、それにより引き起こされる急激な水消費と樹体乾燥は害にすらなるかもしれない。疎になり日の差し込むようになった林内で、樹木は新しい環境に徐々に適応し、成長を早めると考えられるが、こうした適応にどれほどの時間を要するのか、樹種によってどれほどの違いがあるのか、実はほとんどわかっていない。手入れがされず、もともとあった森林の姿に戻り切れていない森林に手を加えることで、森林の生育、つまりCO_2吸収を促進する取り組みは、その排出抑制の必要が高まる現在、ますます重要となってくる。

移植地の管理以外にも様々な研究が実施され、成果が発表されている。伊都キャンパスに生きる植物種の開花の時期の多様性を調べた研究では、伊都キャンパスに生きる植物が訪花性昆虫による花粉散布と密接に関係していることを明らかにした[3]。樹種ごとに入れ替わり立ち代わり開花をすることで常に何かしらの花が咲き、春早くから夏までの長い期間、いつでも訪花性昆虫が花に立ち寄り花粉媒介をできる状態が維持されていることが明らかとなっている。他にも昆虫（膜翅目）の新種の発見や[4]、[5]、環境監視活動で調べられてきた淡水生藻類の希少種の研究も進められている。環境に関する研究を行う様々な研究者の活動により、この地域の今後の環境の推移が調べられ、公開されることが期待される。

参考文献

[1] H. Komatsu, E. Maita, K. Otsuki. “A model to estimate annual forest evapotranspiration in Japan from mean annual temperature”, J. Hydrol. 348, 330-340 (2008).
[2] D. Normile “Conservation takes a front seat as university builds new campus” Science 305, 329 (2004).
[3] A. Nagahama, Y. Yahara. “Quantitative comparison of flowering phenology traits among trees, perennial herbs, and annuals in a temperate plant community” Am. J. Bot. 106, 1545-1557 (2019).
[4] S.V. Riapotsyn “A new subgenus and two new species of Mymaridae (Hymenoptera, Chalcidoidea) from Kyushu, Japan” Bulletin of the Kyushu University Museum. 1348-3080 (2021).
[5] K. Goto, S. Yagi, J. Oku, S. Tomura, D. Yamaguchi, T. Hirowatari “Surveys on detritivorous moths using bait traps in Japan” J. Asia Pac. Biodivers. 14, 386-398 (2021).

12 伊都キャンパスの緑地管理

宮沢 良行

伊都キャンパスの緑地保全の方針、保全計画について概観し、
緑地管理について理解を深める。

緑地保全の方針の策定・実施までの歩み

他の章でも紹介されているように、伊都キャンパスへの移転に当り、研究・教育環境を創造するための土地利用や交通の骨格形成の方針である、九州大学新キャンパス・マスタープラン2001が策定された。マスタープランは７つの全体計画方針・戦略を掲げており、その１つに「糸島地域の悠久の歴史と自然との共生」を謳っている。この中で保全緑地は、アカデミックゾーンからなる都市域を取り囲み、生物多様性の保全と自然・生命との共生の場としての役割を果たす、主要なキャンパス要素として位置づけられている。他にも景観形成（15章）や、歴史環境との共生（04, 05章）においても重要な役割を果たすキャンパス要素であるが、こうした項目の詳細については関連する章を参照されたい。ここでは、大学の野外学習、福利厚生、研究・教育の場としての保全緑地およびその活用のために実施されてきた取り組みについて紹介する。

キャンパス移転にともなう緑地の保全は、教育・研究・社会貢献に活用する場としての整備、種の絶滅防止と動植物保全のための場としての利用、そしてここに元々あった生態系への再生、という三つの指針の下で実施された。具体的には、単に貴重な自然として、現状そのままの緑地を未来に残すだけではなく、大学やNPOが実施する活動の場として積極的に整備し、移転で存続が脅かされる種や緑地に元々生息していた種の保全のための維持管理を行う、と謳った。

緑地の保全・維持管理計画を立てる上で、まず緑地のゾーン化、実施体制、そして維持管理費の概算が行われた。広大な伊都キャンパスの緑地を区域（ゾーン）化して、区域ごとに維持管理の方針を立てた。また長期にわたるキャンパス移転事業期間を３期に区切り、各期の計画を立てた。

九州大学は移転に先立って事例調査を行い、また日本各地で実施されているボランティア・NPO活動の調査も行った上で、上述した方針を軸とした「新キャンパス保全緑地維持管理計画」を策定した（2005年３月）。そして第一次保全緑地管理計画2007～2011（平成19～23）年度を皮切りに、学内委員会である緑地管理計画ワーキンググループを核として、様々な保全・維持管理計画が始まった。

保全緑地の概要と区分け

単一キャンパスとしては日本最大の伊都キャンパス（272ha）、その37%（約100ha）を占める保全緑地は、管理方針の異なる６つのゾーンからなっている（図１）。生物多様性保全ゾーンは学園通り線の西側キャンパス（ウエストゾーン）中央北部にあり、谷部の池と周辺の草地、それを取り囲む常緑広葉樹林と針葉樹人工林からなる。九州大学による生物多様性保全活動の中核エリアであり、研究教育、そして社会貢献の場としての活用が期待された。谷部の池にはレッドデータブックに記載されているカスミサンショウウオなど両生類４種や爬虫類（ニホンイシガメ）が生育しており、池の周辺はこの地域での希少植物種の生育地となっている。またここではキャンパス移転に際して絶滅の危機に直面した植物種の移植（高木移植、根株移植、林床移植）が実施されている。

生物多様性研究ゾーンはウエストゾーン南部にあり、生物多様性や自然再生に関する野外研究で活用される場所と計画された。

史跡の森散策ゾーンは、基幹教育が行われるセンターゾーンから道路を挟んだ丘陵地にある。ここには古代の墳墓などの史跡が数多く存在し、歴史や文化を学ぶ場として整備が計画された（04, 05章）。

森林群落保全ゾーンはキャンパスの西部と東部に広がり、森林の保全・管理研究のための整備が計画された。

森林群落再生ゾーンは、移転時の林床・根株移植が実施されたゾーンであり（14章）、移植植物や森林再生についての研究の場として整備が計画された。

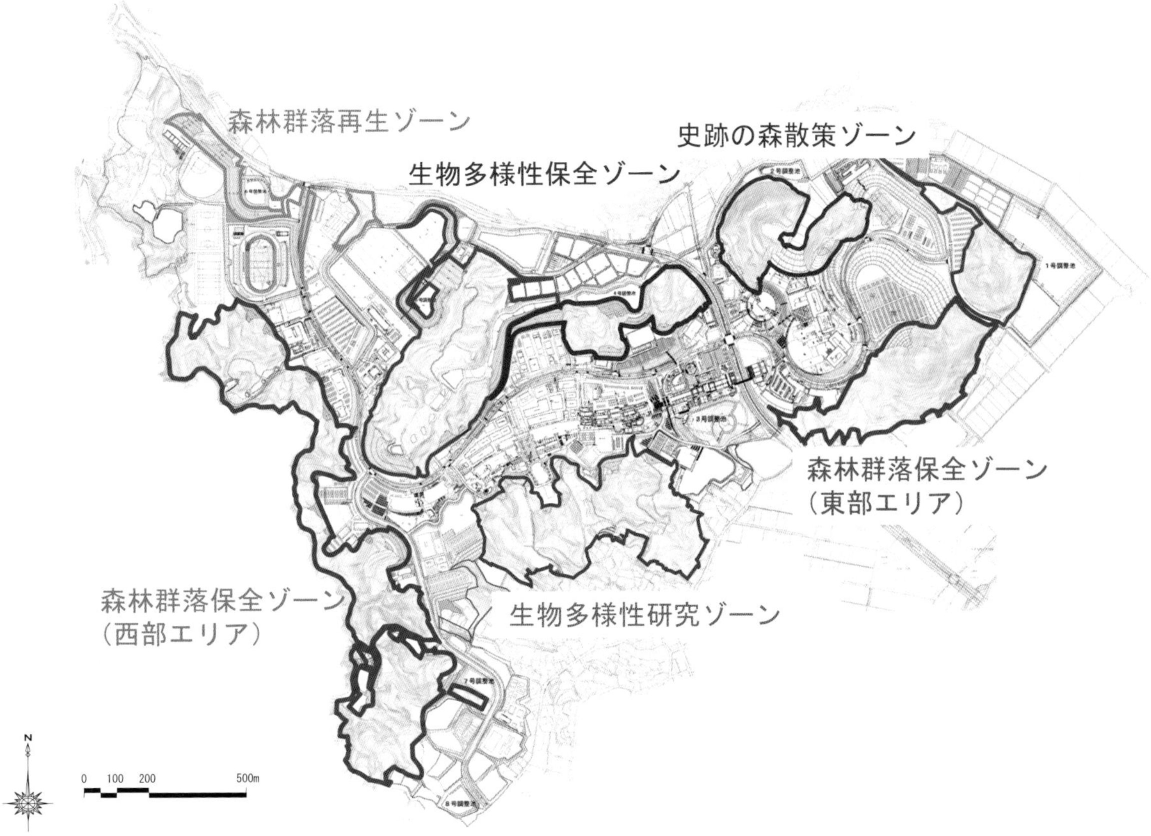

図1　伊都キャンパスとそれを構成する6つの緑地ゾーン

森林群落再生ゾーンを除き、いずれのゾーンでも当初から課題となったのは、拡大を続ける竹林の伐採であった。また民有地に面した地点では、森林が悪影響を及ぼすことがないよう、境界の管理もまた重要管理項目として挙げられていた。

その結果、当初から強調されてきた史跡や周辺の整備や生物多様性の保全よりも、移転前から既に荒廃の進んだ緑地の状態回復・再生が急務項目となった。活動計画は、こうした問題の深刻な生物多様性研究ゾーンや森林群落保全ゾーンに集中することになった。

まずはこれまでの計画と取り組みについて、完了したばかりの第三次計画まで通してみてみよう。

第一次保全緑地管理計画 2007（平成19）～2011（平成23）年度

当初から、緑地に広がる竹林の除去と拡大防止が主要な課題となっていた。第一次計画期の終了後に作成された管理作業記録では、竹林の伐採が実施項目の多くを占めており、竹への薬剤注入とその作業のための園路（歩道と車両通行用の管理道）の開設が続く。竹林の駆除では伐採後に桿を搬出する手法が採られてきたが、コストも労力もかさみ、継続が次第に困難となった。そこで薬剤注入により竹を枯殺し、枯死桿が自然に倒れるのを待つことにした。当初、放置された枯死桿による景観の悪化や、枯死桿に被陰された在来樹種の稚樹の生育悪化が懸念されたが、いずれの問題も短期間で終息することが報告されたこともあり、枯死桿は林内に放置されることになった。

イノシシ増大に伴い、法面の掘り返しに代表される被害や、アカデミックゾーンを利用する学生・教職員への危険性増大が深刻化したのもこの時期である。

第二次保全緑地管理計画 2012(平成23)~2016(平成28)年度

第二次計画期では、表1に挙げられた重点目標およびその実施地点が設けられた。またこれとは別に、緑地管理計画ワーキンググループ内で結成された「イノシシ対策検討コアチーム」により、イノシシの防除対策が開始された。計画期二年目の725mから始まったイノシシ柵の設置は、2015（平成27）年度の1090mを最長に、計画期内で総延長2737mに達した。

表1　第二次保全緑地維持管理計画の対象ゾーンおよび作業の詳細

ゾーン	管理と作業範囲面積
生物多様性研究ゾーン	竹林管理による樹林化の基盤づくり 5.28ha
森林群落保全ゾーン (イーストゾーン)	竹林管理による樹林化の基盤づくり 4.41ha
史跡の森散策ゾーン	キャンパスメインアプローチの竹林管理 2.70ha
森林群落保全ゾーン (ウエストゾーン)	風力発電施設周辺の樹林地再生 3.05ha
森林群落再生ゾーン	根株移植地でのクズ除去 1.00ha

竹林の薬剤注入の面積も、第一次計画期の13.2haを上回る22.43haになり、当初設定された他の作業計画も、計画期末にはほぼ完了した。

第三次保全緑地管理計画 2017(平成29)~2021(令和3)年度

第二次まで実施されてきた竹林管理と樹林地管理（植栽地の除草やツルの駆除）に加え、「作業道・境界巡視道の開設・維持管理」と「境界管理」が目的に加わった。教育研究や社会連携の推進も謳われたものの、具体的な計画はなく、目立った成果も上がっていない。イノシシ柵の設置は新設された学内の時限付き委員会（有害鳥獣対策プロジェクトチーム）が担当する予定であったが、引き続き緑地管理の活動として実施されることとなった。

様々な問題が山積する中、保全緑地の管理には現場作業の専門家が必要であるとの認識が学内で共有されたことから、2021（令和3）年度に専従組織（キャンパス計画室保全緑地部門）が新たに創設された。同部門には経験豊富な技術職員二名が配備され、現場作業や外部委託に加え、維持管理活動や保全緑地の位置図（境界、管理道、史跡などの資源の所在）を地理情報システム（GIS）上で統合的に管理できるよう基盤を整備している。また保全緑地に教育研究目的で立ち入る利用者の許可申請の窓口でもある。

保全緑地内および民地境界への園路の整備も進められた。学内委員会の文化財ワーキンググループとキャンパス計画室をはじめとする有志により、史跡（森林群落保全ゾーン内の水崎城）へと至る歩道に加え（2020年）、キャンパスに隣接する本岡地区集落へと続く管理道（2021年）が、散策用のネイチャートレイルとして開設・整備された。民地境界には幅の狭い歩道（巡視道）が開設はされたものの、夏には草が繁茂して歩行できなくなるなど、緊急時のアクセス路として利用する上では課題が残されている。

保全緑地内の園路の除草が管理項目として明記されたのもこの期間である。イノシシの目撃が相次ぎ、不審者が出没したことも受けて、立ち入る人々の安全の確保が喫緊の課題となり、除草が重要視されるようになった。ただし草が生い茂る保全緑地辺縁部は長く、それでいて現場作業を担当できる人員が少なく頻繁な除草は困難であることから、夏には視界が遮られるほどに草丈が伸びる地点が散見されている。

竹林駆除は引き続き実施され、キャンパス西部に残存した竹林の薬剤注入による枯殺が進んだ。だが短い期間に大面積で枯殺を進めたことで、キャンパス南西部には枯竹が林立する異様な風景が出現した。枯殺から五年が経とうとしているのに竹の倒伏が一向に進まない地点もあり、景観悪化が長期化の様相を呈している。枯竹は従来の方針通りとして、林内に放置されてきたが、その方針の妥当性の根拠となった枯竹の倒伏が順調に進んだ地点（第一および二次計画期に薬液注入）では、搬出活動があったことが確認されている。第三次計画期に対象となった10haを超す面積に林立する枯竹の搬出には、大きな費用が伴うこともあり、現時点では解決の道筋が示されていない。

表2　第三次計画期の実施項目

項目	実施内容
竹林管理	樹林化・残すべき竹林の保全 19.78ha
樹林地管理	移植地、風力発電施設周辺 6.79ha
作業道・境界巡視道の開設・維持管理	2,380km
境界管理	草刈り 6,050m
草地管理	古墳など文化財周辺 18.98ha
生物多様性保全管理	草地・樹林地管理など
教育研究・地域連携・社会貢献の場としての活用	利活用の促進
イノシシ柵の設置	

これまでの計画を振り返って

伊都キャンパスへの移転により九州大学が手にした100haもの保全緑地だが、九州大学は移転前、その保全や維持管理の手段も体制も、またその実態についての知見も持ち合わせていなかった。学内の生態系や考古学文化財の研究者が集まり各分野で集積された知恵を出し合うことで、保全緑地の現状を解明し、中長期的な視点に立った維持と管理の計画を立て、実行してきた。

これまでの歩みを振り返ると、それは荒廃した緑地の再生回復の取り組みであり、そこに境界地問題やイノシシ問題が浮上しては対処する、という構図が見られる。この話題について、知的好奇心もかき立てられなければ学術的でもなく、大学が実施すべき学術研究でも大学の講義で聴くべき内容でもない、と思った読者もおられるだろう。しかしこれは伊都キャンパス移転先に限ったローカルな問題ではなく、日本の中山間部や里山が直面する典型的な問題である。関連する諸現象の研究を専門とする学術界こそが、これまでに得られた知見を駆使して取り組まねばならない、喫緊の課題である。竹林の増加は日本各地で深刻な問題となっており、未だに有効な手が打たれていない。今回は多く触れなかったイノシシなど野生動物に関連する問題もまた、農林業や人々の安全を脅かす問題であるものの、やはり有効な対策は打たれていない。国内の竹林拡大や鳥獣害に取り組む学術機関や研究者は、確かに多いが、学術機関がその問題・被害の当事者となって取り組んだ例は他にない。

一部の取り組みで成果が挙がった一方で、大学のメインキャンパスが保有する緑地として期待される姿と現状とには、いまだに大きな乖離がみられる。キャンパスを利用する多くの人々にとって、日々生活する場から目に飛び込んでくる保全緑地は身近な存在とは言えず、草木が繁茂する近づき難い存在である。出入口も不明瞭で、園路の行き先に何があるかもわからない。駐車場からはみ出る雑草や上から覆いかぶさるように伸びる樹木は邪魔な存在でしかなく、緑地は憩いの場所どころか日常生活の景観を損ねる存在でしかない。林立する枯竹はこの地域の田園風景を大きく損ねており、それが緑地整備の産物であることには違和感を持たれるだろう。教育研究の場としての活用は謳われているものの、森林や草地、渓流を題材にする研究で必要とされる、生息する生物種やその生態、環境（気象、水文、土壌地質など）の知見の収集は進んでおらず、研究をしやすい緑地とは言い難い。第一次から第三次までの15年間とは、膨大な予算と長い年月をかけながらも、竹林駆除や樹林地回復、生態系保全という、特定分野の専門家の価値観に沿った整備が優先され、日々の立ち入りや憩い、研究活動の場としての整備が後回しにされた期間でもある。

保全緑地では2022（令和４）年度より第四次管理計画が始まる。この計画期間では、保全緑地はキャンパス利用者すべての共有財産である以上、野外活動に習熟しない人々であっても安全に立ち入り憩うことができるよう、環境を整備することが急務となっている。教育研究のための基礎情報も、従来のように学内研究者の自発的な研究活動に期待するばかりではなく、緑地管理の一環として支援をしてでも収集される必要がある。一向に解決や緩和の見通しが立たないイノシシによる法面損傷などの被害や民有地との境界管理、そして枯竹の撤去の解決も着実に進めないといけない。

伊都の保全緑地は、緑豊かな糸島地域にある九州大学で、キャンパス利用者が身近かつ安全に自然に触れ合える場へと発展する可能性をもつ。学外や国外に整備された野外研究拠点へのアクセスを持たない若い学生が教育を受け、研究のトレーニングを積み、次のステップにつながる成果を挙げるための素材・舞台にもなりうる。保全緑地を九州大学の負の資産ではなく、財産とするためにも、利用者を第一に考えた管理を計画し、実施することが必要とされている。

13 伊都キャンパスの農場と整備

望月　俊宏

キャンパス計画と建設における農学系と農場の計画等、
農学をベースにした様々な視点を学ぶ。

農学系移転の特徴

キャンパス移転において、農学系（農学研究院・生物資源環境科学府・農学部）が他の部局の移転と最も異なる点は、農学の教育・研究には圃場と圃場関連施設の整備が必須なことにある。水田、畑、果樹園、温室などは、農学系においては実験室そのものである。なお、昭和31年に定められた大学設置基準によって、医学部における附属病院の設置と同様に、農学分野を持つ農学部には附属農場の設置が義務付けられている。同様に、林学科、畜産学科および水産学科を持つ九大農学部には、演習林、牧場および演習船（水産実験所）設置の義務があり、実際に整備されている（福岡演習林、糟屋郡篠栗町；宮崎演習林、東臼杵郡椎葉町；北海道演習林、足寄郡足寄町；高原農業実験実習場、竹田市久住町；水産実験所、福津市津屋崎町）が、このうち、現時点で伊都キャンパスへの移転が計画されているのは附属農場分（糟屋郡粕屋町大字原町）のみである。ここでは、農学研究院の移転に特徴的な農場（農学研究院に整備される圃場と圃場関連施設を含む）の整備について、その概要を述べる。

移転の対象

附属農場の研究部は、作物部門、園芸部門（花卉・蔬菜研究室および果樹研究室）、畜産部門および動物生産部門の４部門から成り立っている。このうち動物生産部門は前述した高原農業実験実習場（竹田市久住町）に、果樹研究室は福岡演習林の一部を借用して整備され、その他は原町農場に整備されている。動物生産部門は移転対象外である。また、果樹研究室（果樹園）の面積は移転面積には含まれない（借地であるため、売却移転の対象外）ため、原町農場分に相当する面積の整備を計画している（図１）。

農学研究院としての伊都キャンパスへの移転対象面積303,813m^{2}の内訳は、箱崎キャンパス分55,576m^2、原町

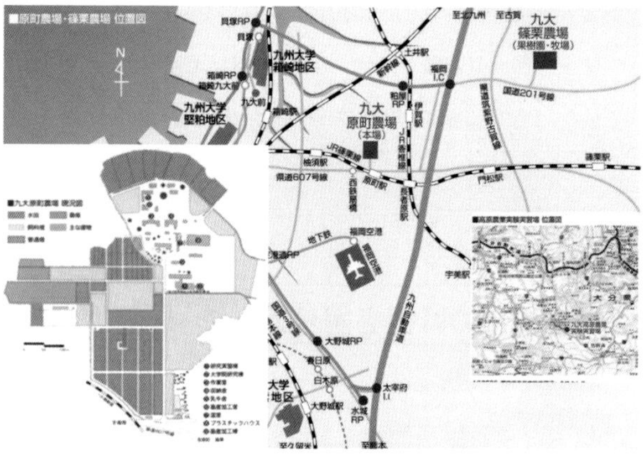

図1　附属農場の組織と配置

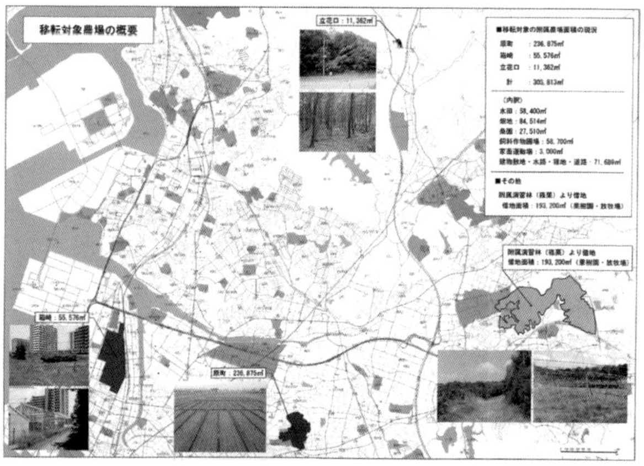

図2　移転対象農場の概要

農場分236,875m^2、立花口圃場分11,362m^{2}である（図２）。伊都キャンパスにおいてもこの面積が確保できるよう計画されてきたが、傾斜地の多い現地においては法面が存在するため、実際に使える面積が小さくなっているのが実情である。

農場の配置計画

農場は、伊都キャンパスを取り囲むように整備される（図３）。

農学研究院本館の南側（Ⅳ工区）直下の農場には、研

究院の各研究室が使用する畑圃場、温室、パイプハウス、管理棟および附属農場果樹園の一部などが整備される。その下のキャンパス南端には附属農場園芸部門（花卉・蔬菜研究室および果樹研究室）が配置され、果樹園、畑圃場、温室、管理棟などが整備される。

附属農場施設は、ウエスト５号館の北西、現アグリバイオ研究施設およびその近傍に整備される（Ⅲ工区）。ここには附属農場における教育と研究機能の主要部分が整備されるとともに、畜産部門の施設（牛舎、肉加工施設、機械格納庫等）と飼料畑圃場および作物部門の普通畑圃場と温室等が整備される。さらに、このⅢ工区の北東側に隣接するⅠ工区には、作物部門の水田圃場が位置し、関連施設群（機械格納庫、収納舎等）が整備される。

また、研究院の水田圃場と関連施設がキャンパス北東側（Ⅱ工区）の農場に、桑畑がⅣ工区とⅢ工区の南西部の農場に整備される。

農場整備における検討事項

前述したように、農場は農学研究院にとって実験室そのものであり、その重要性は医学部における病院に匹敵するものであるが、フィールドの整備は実験室の整備とは多くの点で異なるとともに、困難な点も持つ。図４には、伊都キャンパスでの農場整備に当たって、これまでに検討してきた主要な事項を記載した。

最大の懸案事項は農業用水の確保である。農業を営む上で、用水の量と質の確保は最重要課題であり、その重要性は農学研究においても同様に高い。本地域は河川水、地下水ともに潤沢な地域ではないことから、移転が決定された当初から、農場においてどのように用水を確保するかが、解決しなければならない最重要課題であった。解決策として、キャンパス造成の治水用に設置された調整池の利水が検討された。治水目的で必要とされる水量に、さらに圃場の利水容量を上乗せした許容水量をもつ調整池を整備することが提案され、Ⅱ工区水田圃場は１号調整池、Ⅰ工区水田圃場とⅢ工区畑圃場は５号調整池、Ⅳ工区畑圃場は７号調整池を利用することとした（図３、Ⅳ工区の果樹園については、一部地下水の利用も認められている）。移転完了後の農業用水の利用については、

図3　農場配置図

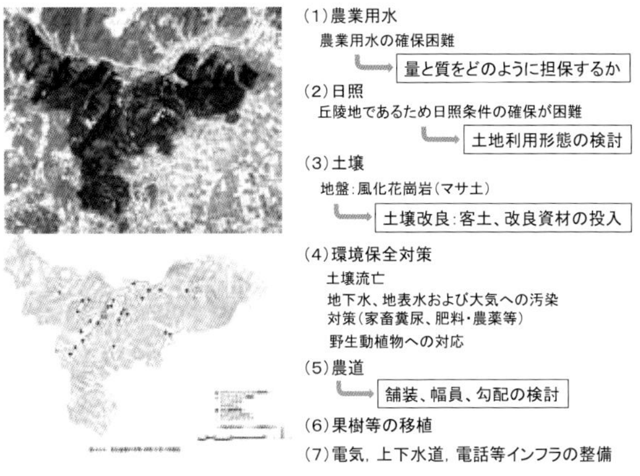
（1）農業用水
農業用水の確保困難
量と質をどのように担保するか
（2）日照
丘陵地であるため日照条件の確保が困難
土地利用形態の検討
（3）土壌
地盤：風化花崗岩（マサ土）
土壌改良：客土、改良資材の投入
（4）環境保全対策
土壌流亡
地下水、地表水および大気への汚染
対策（家畜糞尿、肥料・農薬等）
野生動植物への対応
（5）農道
舗装、幅員、勾配の検討
（6）果樹等の移植
（7）電気，上下水道，電話等インフラの整備

図4　農場整備に伴う検討事項

キャンパス敷地を水源とする河川や地下水の下流域の地元住民との関係が重要であり、大学と地元地域とが水資源を共有し共存できる関係の構築・維持が必須である。こうして利用される調整池の水質が維持されるよう、注意していく必要がある。

次に、農場整備において検討したのが、日照の問題である。植物工場等で人工光を使う場合を除けば、植物の生育は基本的に太陽光に依存する。丘陵地にある本キャンパスでは、圃場の位置と周辺環境によって日射量が大きく異なる。平坦部であっても南側や東側に丘陵地がある場合には、圃場を配置できないなどの制約は、農場の土地利用設計に少なからぬ影響を及ぼした。

農場整備にあたり、圃場の土壌整備もまた、大きな課題である。現地土壌は花崗岩母材のマサ土であり、土壌中の有機物量を調節することで、その物理性を改善する

必要があった。客土や改良資材の投入など様々な措置が必要とされる中で、畑圃場として使用するためには表面水の排水が必須である。施行当初は排水不十分な造成が見られたため、暗渠排水の施行を徹底することとなった。

水田圃場については、伊都キャンパス近傍の地域において水田の改廃事例があったため、この水田の表土を取り置き、造成水田の作土として利用することとした。土壌の化学分析等を行い、安全性について評価している。

大学キャンパスの移転という大事業に際し、環境保全対策は重要である。本事項については、全学的な取り組みについて別途記載されるものであるが、農場の移転に関しては、地下水、地表水への肥料・農薬汚染対策、農薬散布による大気への飛散対策などについて十分な検討が行われている。特に畜産部門では、牛は舎飼いとし、糞尿の自然環境への排出は行わないよう計画している。

野生動物への対応（イノシシ等による被害の回避と希少動物の保護）は全学的課題であるが、農場にとっては教育・研究材料の保持という視点から重要である。農場に整備される圃場は、すべてフェンスや防護網等によってイノシシから保護されるように設計されている。しかしながら、これについても、また他の小動物等に対する効果についても、実際に運用を開始した後、継続的に監視し続ける必要がある。法面を損傷させるイノシシについては、傾斜地保全の観点からも監視が重要である。

農場の付帯施設として、農道の整備や上下水道、電気等の整備が必要である。本キャンパスが丘陵地であることから、特に農道計画は重要である。直線的に結べば近い距離にある圃場や施設であっても、勾配が大きい通路での農耕機の移動は危険を伴うことになるため、迂回する道路を設計せざるを得ない場合が多くなった。

永年性作物（果樹や桑など）の場合、植栽してから定着し、実際に教育研究に利用できるようになるのに時間がかかることから、移転の数年前から準備する必要がある。また、新たに造成した畑に作付けするためには、土壌病原菌等の事前調査が必要である。桑畑の造成に数年の年月と労力が費やされているように、今後造成される果樹園の開園までにも同様の過程が必要となろう。さらに果樹園については、樹種によっては定着・利用までに長い年数が必要となることから、農場移転完了後も一定期間、現在の篠栗農場の一部を併用する必要があるかもしれない。

オンキャンパス農場構築の理念

現在、農学研究院では、多様な個別研究と並行して、新農学生命科学領域、環境科学領域、国際アグリフードシステム領域、食科学領域を研究戦略の４本柱として位置付けて重点的に取り組み、その成果を広く世界に発信している。また、食・環境・自然・社会に広く関心を持ち、優れた行動力とリーダーシップ、国際性、課題設定・解決力を備え、長期的・広角的視野を持つ人材の育成に努めている。さらには、地域社会、産業界、国際社会等との連携のもとに、農学の教育研究活動によって産み出される知的成果を広く社会に還元することにより、市民の食・健康・環境への関心の高まりに具体的に応えていくことを使命としている（図５）。

附属農場では、農学部学生に対する農場実習のみならず、全学の１、２年生、さらには一般市民や小中高教員、高校生など、多様な対象者に対して実習教育を実施し、農業・農学に関する知識の普及を行っている。また、フィールドサイエンスの実践と、研究に関連して開発した品種/技術の普及（BKシードレス、Qビーフ等）を通じて社会の発展に貢献すべく努めている（図５）。

さらに、附属農場の伊都キャンパスへの移転が完了した後には、我が国最大規模のオンキャンパス農場となるため、上記の使命に加えて、これを拠点として農業生物資源や農業生態系に関する教育研究を強力に推進することが可能となる。農学部を持つ全ての大学に農場が併設されているが、これだけの規模の農場がキャンパス内に整備されている例は北海道大学を除いてない。

オンキャンパス農場を最大限に活用するために、オンキャンパス共創ファームが構想されている（図６）。伊都キャンパスは、福岡市近郊の先進的農業地域に位置し，基幹教育、理系（理学，工学，農学）および人文社会科系（文学，教育学，法学，経済学）など、各種戦略的研究拠点を配している。ここに新設される日本有数のオンキャンパス附属農場は、分野を超えた連携を可能にし、これまでにない新しい農学・生命科学の研究を創出する場として、活用されると期待される。

このような日本の農学史上例のないオンキャンパス附属農場の新設のチャンスを逃すことなく、世界に先駆けた「農におけるエネルギーの自律化とICTの多面的機能化」と「作物個体の包括的・網羅的・定量的解析を行うフェノミクス研究」を推進するための設計科学の構築が急がれる。その柱は、農工融合によるエネルギーの自律

農学研究院（農学部、生物資源環境科学府）の使命

研究では、多様な個別研究と並行して、従来の部門・講座を越えた研究戦略4本柱（新農学生命科学領域、環境科学領域、国際アグリフードシステム領域、食科学領域）の研究を強力に推進する。

教育では、食・環境・自然・社会に広く関心を持ち、優れた行動力とリーダーシップ、国際性、課題設定・解決力を備え、長期的・広角的視野を持つ人材を育成する。

さらに、地域社会、産業界、国際社会等との連携のもとに、農学の教育研究活動によって産み出される知的成果を広く社会に還元するとともに、市民の食・健康・環境への関心の高まりに具体的に応えていく。

農学部附属農場の使命

農学部学生に対する農場実習の他、全学の1、2年生、他大学学生を対象とした実習教育、一般市民を対象とした公開講座、小中高教員を対象とした教員免許更新講習、高校生を対象としたグローバル・サイエンス・キャンパスなどの実施を通して、農業・農学に関する知識を広めるとともに、食糧問題や環境問題について考える機会を提供する。

フィールドサイエンスを実践し、成果を世界に発信するとともに、研究に関連して開発した品種/技術を通じて地域社会の発展に貢献する。

伊都キャンパスにおける農学部附属農場の使命

上記の使命に加えて、我が国最大規模のオンキャンパス農場として整備されるため、これを拠点として農業生物資源や農業生態系に関する教育研究を強力に推進する。また、学内における環境快適空間を提供する。

九州大学農学部・大学院生物資源環境科学研究科附属農場移転計画（案）
1999年作成

九州大学農学部・大学院生物資源環境科学研究科附属農場移転計画

第１章　附属農場の基本理念と移転計画
　１．基本的性格
　２．附属農場の教育と研究
　３．学内外に対する貢献
　４．新キャンパスでの施設・制御システムの構想
　５．重要付帯事項

第２章　附属農場の現状と移転への対応
　１．附属農場の現況
　２．附属農場設計の基本条件
　（１）農地面積
　（２）農業用水
　（３）日照
　（４）土壌
　（５）環境保全対策
　（６）農道
　（７）電気，上水道，電話
　（８）造成終了から移転までの整備と管理

第３章　圃場および関連施設の移転設計
　１．圃場の設計
　（１）水田圃場
　（２）畑地圃場
　（３）飼料作物栽培圃場
　（４）果樹圃場
　（５）桑園圃場
　（６）環境保全圃場
　（７）境界緑地
　２．関連施設の基本計画

第４章　附属農場移転地の緑地管理
　１．緑地管理の考え方
　２．農学部管理緑地
　（１）林木遺伝資源保存林
　３．全学管理緑地
　（１）自然植物園
　（２）森林群落動態観察林
　４．緑地管理計画

図5　伊都キャンパスにおける農学研究院・農学部附属農場の使命

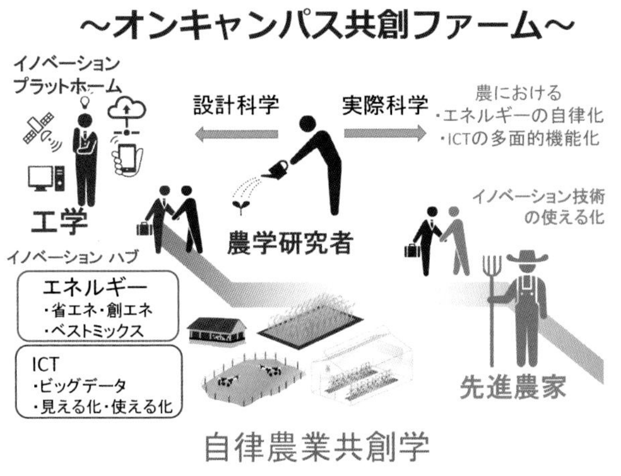

図6　伊都キャンパス附属農場：次世代に向けた取り組み

電池開発，バイオマス由来の水素エネルギーと気象エネルギーのハイブリッド利用）と、ICTの多面的機能化（環境計測・制御の自律化，農業ビッグデータの利活用等）であり、異分野や地域との連携を必要している（図６）。オンキャンパス農場となることで加速される学内他分野との連携、すでに農学部と糸島市の間で構築されている関係（糸島農業産学官連携推進協議会：アグリコラボ糸島）や地域企業との合流により、上に挙げた取り組みの実現と、地域社会への一層の貢献が期待できる。この試みは農業人口の減少、農村の過疎化、食糧生産の減少など、我が国の抱える根本的問題への解答を示す契機となる可能性があり、その成果を世界に向けて発信する価値は極めて高い。

終わりに

附属農場は、我が国において類例の少ないオンキャンパス農場として整備されることになる。キャンパス内に点在する農場の水田や畑、果樹や花卉・蔬菜などの園芸作物、乳牛や飼料畑は、生物多様性保全ゾーンや保全緑地と共に大学における潤いの場の一つともなるであろう。伊都キャンパスにおいては、省力・低投入による環境と調和した持続的農業生産システムによって運用されるモデル農場の構築を目指しており、オンキャンパス農場となることによって、農学部や全学との連携を強化し、九大の研究教育の発展に貢献する。地域社会に対しても、これら設備の利用や成果の公開などを通じて貢献していきたい。

本講義を受講された学生諸君には、今後の農場の有り様を見守っていただきたい（あるいは何か一緒に活動する機会があれば喜ばしい限りであるが）。

以上述べてきたように、これまでに農場移転のために多大な労力が費やされてきた。歴代総長を始め、農場移転の重要性を認識していただき、ご尽力下さった大学本部の方々、さらには、圃場整備や用水の確保、その他農場移転に関する事項について献身的な貢献をいただいた農学研究院の教職員の方々に心からお礼申し上げるとともに、農場開講まで、さらには開講後のご援助をお願いして本稿を締め括りたい。

14 伊都キャンパスの生物多様性の歩みを振り返る

宮沢 良行

九州大学伊都キャンパスへの移転で実施された
生物多様性の保全活動を振り返り、その理解を深める。

緑を減らさない造成計画

移転が完了した2018（平成30）年から先立つこと27年前、1991年（平成３年）に、九州大学の箱崎を中心としたキャンパスが福岡市の西の端の里山に移転することが決定した。筑前前原駅近くで育ち、後に移転事業で生物多様性保全を担うことになる、矢原徹一理学研究院教授によれば、少年時代の彼が見た移転予定地とは、水田に面し、竹林やドングリ林に覆われた起伏のある丘陵地の里山であった[1]。

移転が決定されたのは、リオデジャネイロで開催された地球サミットにおいて「生物多様性条約」と「気候変動枠組み条約」が締結された、その翌年にあたる。種の大量絶滅と地球温暖化への危機が世界中で高まる中で里山の造成を決めた九州大学は、そうした世界の流れに先んじた造成計画を立てる必要に迫られていた。移転が決まった当初の予定では、移転予定地の272haのうち141haを造成で切り開き、用地内のもっとも大きな谷部も、そこにあった緑地も埋め立てることになっていた。だが、この谷部14haを保全ゾーンとして残すという矢田俊人副学長（当時）の決定をきっかけとして、移転予定地の約100haは保全緑地として残されることとなり、移転後の植被率50%が目標とされた。造成地で発生した土に埋め立てられて出現した広大な法面も緑化の対象とし、さらにキャンパスのアカデミックゾーン内に緑化ゾーンを整備することで、ようやく植被率の目標は達成された（他、植被としては農場が約23haを占める）。

生物多様性の保全とその目標

これまで国内では造成によって、そこに生育する植物種がたびたび地域的な消失の危機にさらされてきた。絶滅危惧でない植物種の保全は必要ない、とも映る旧来型の造成、そしてそれを支える生物保全の考え方が強い時代が長く続いたこともあり、今では日本の数多くの野生植物がレッドデータブックに載ってしまっている[1]。

そんな時代に先駆けるべく、九州大学は移転を進めるにあたり、移転予定地内で種を滅ぼさない ‘No species loss’を生物保全の基本方針に据えた。円滑で迅速、経済的な造成が強く求められるキャンパス移転事業で思い浮かぶ生物多様性保全とは、必要最低限な種多様性の維持、すなわち生態系機能に影響しないギリギリの種数の保全だが、それとは対照的な方針を採ることにしたのである。多少の種の損失があっても、生態系機能が維持されるのであれば、九州大学は生物多様性保全に配慮した、と移転事業の面目も立つかもしれないが、当時の九州大学は、「必要最低限の種多様性」を安易に低く見積もること、そのことが造成後の生態系や人間社会に及ぼしうる問題への危うさを重視した。炭素吸収や水循環などのいくつかの生態系機能は、森林下層に生きる小さな草木種や、移転予定地周辺に生育する個体数の少ない希少種が失われたとしても、維持されるかもしれない。だがそのような造成で生まれた生態系は、失われる植物を住処として餌資源とする、多様な昆虫や鳥などの動物を養う場としての機能を持たず、失われた機能を取り戻すにも膨大な時間を要するだろう。移転予定地に生きている全ての種を残す、という方針は、移転がこの地域の環境に及ぼす影響を監視する委員会「九州大学移転事業環境監視委員会」でも採用されており、移転が完了した今日でも九州大学の様々な取り組みに強い影響力を持ち続けている。

この造成は、「復元三原則」[2]に挙げた、「風土性の原則」を適用した、先進的な生物保全の取り組みでもあった。移転前のこの土地には、さまざまな種が移入し、淘汰される中で進化してきた、固有の系統からなる生態系があった。造成に伴い、そこに生きる動植物をまったく異なる場所に移して絶滅を回避させたとしても、温度や養分、水などの環境も、また彼らを取り巻く生物も全く異なる回避地が、かつての生態系になることは決してないだろう。また、同じ種だからという理由で、違う地域に生息してきた系統の異なる個体を造成後に持ち込んでも、それは見かけだけの生態系回復に過ぎない。そのような生態系には伊都の生物が成し遂げてきた進化適応が引き継がれることはない。この地に生きる生物の系統を変えることなく復元することの大切さを訴えるこの原則に従い、これまで伊都がたどってきた歴史を記憶した生物を保全し、彼らが次世代を残せる環境を整えることを、移転における造成事業の目標とした。

森林の移植事業

大面積の環境を一変させせうる造成事業の保全活動において最も重要かつ難しい課題が、植物種の保全であった。多様な光・温度環境を作り出す住処として、また餌資源として、昆虫や鳥の多様性を支えている生育樹種を保全し、森林を早急に回復させることは、移転予定地の生態系保全の成否を左右する重要な事業だった。

今回のような大型造成事業では、生育する樹種を滅ぼさない、という目標の達成は容易ではなかった。移転予定地周辺に成木しかなく、しかも生育地が全て造成予定となっているような種を保全する場合、通常はその種子を採取して蒔き、稚樹の生育を待ってから移植する。だが、造成後の生態系を速やかに回復させなければならなかったこの移転事業には、そのような時間がなかった。そうなると、必要とあれば成木の巨体を掘り出して新たな地に移植するしかない。さらに、移植された巨大な樹木が生き延び、再び成長して繁殖を続けるには、樹木を支える巨大な土壌生態系もまた保全され、移植されなければならない。

そこで矢原教授らは「林床移植」の手法を開発し、菌類やバクテリアを含む分解系の生物、地中に眠る種子（埋土種子）、そして養分・水環境を決める土壌構造を壊すことなく移植することにした。特殊に開発された重機を用いて深さ30–50cmの表土を掬い取り、それを1.4m四方の木枠に詰め込んだブロック約3,700個を作り、次々と法面に貼り付けた。こうして覆われた法面にコンクリートを入れて強度を確保し、そこに道路を通して、移植地の法面がこの地にあった森林に戻れるようにした。移転予定地で数を減らしているブナ科植物については、大型重機を使った「高木移植」を実施した。木を根元の土壌ごと掘り上げて、移植先である果樹園跡地まで運んで植栽した。

図1　林床移植で使用された移植用ブロック

限られた資金で移植を進めるため、木の地上部を切り取った後の切り株を重機で掘り起こして移植する、より安価な「根株移植」も行った。造成で発生した広大な法面を移植された根株で樹林化することで、この地の動物の棲息環境がいち早く回復するように努めた。

移植からまもなく、春になると、移植で持ち込まれた高さ５mほどまでの樹木は芽吹き始め、成長を再開した。移植から21年を経て移転が完了した現在、移植地の法面には、樹木がまばらで開けたかつての面影はなく、若い木々が頭上を覆う森林が育っている。近年では次々に伸びた幹が密集するほどになったが、逆にその過密状況が個々の樹木の成長を鈍らせている。移植地が大きな森林へと成長できるよう、根元から複数の幹が林立する株立化した幹を適切に伐採して、個体の成長を促している[3]。

この付近では2009（平成21）年以降、環境監視活動の一環で野生動物の調査が行われているが、一帯の造成が本格化した2003–2004（平成15–16）年以降も、絶滅危惧種を含む数多くの野生動物の棲息が確認されている。

法面や造成地の植被では、緑化に協力した市民が活躍した。市民グループの福岡グリーンヘルパーの会が企画するイベント「ドングリ拾い」では、参加した地元や市内の小中学生が、造成で残った、あるいは高木移植された木々からドングリを集めて苗を育て、それをキャンパスに植え戻している。植えられたドングリから育った稚樹は、生物多様性保全ゾーンへと続く散策路に沿って見ることができる。

こうした画期的な生物多様性の保全活動は、造成やキャンパスの設計など移転の様々な取り組みの中でも、ひときわ注目を浴びた。学術誌のScienceは伊都キャンパス移転事業を「生物保全が他のどの取り組みよりも優先される」画期的な大規模造成、と紹介する記事を掲載した[4]。林床・高木移植が生態系保全に関わる学術界に及ぼした衝撃は大きく、そうした学会の一つの日本生態学会では、生態系保全と言えば九州大学の移転事業とそれを主導した矢原教授、と記事が掲載されてから17年も経つ今でも広く認識されている。

生物多様性保全の取り組みの効果を確認するには、造成や移転の前後で、用地内の種の分布を比較する必要がある。そこで移転に先立ち、矢原教授の主導により、植物分布調査の経験者が域内を歩き回って、種のリストを作成した。調査が長期にわたり、その中では調査に携わる人も入れ替わることが予想されたため、定量的で、なおかつ調査する人によって手法や結果に偏りが出ることがないような、標準的な分布調査法が計画された[1]。調査では、出現回数の高い種が950もの調査区（トランセクト、総計約1,300）で観察されたのに対して、約半分の種は五トランセクト以下でしか観察されなかった。こうした種は、その数少ない生育地が造成予定地に当たり、また造成にかかる作業活動で悪影響を受けたら、絶滅してしまう。伊都キャンパスへの移転事業とは、何の保全策も打たれなければ、この地の生物多様性に取り返しの付かない影響を及ぼす事業だったのである。

分布調査を進める中で、移転予定地には希少種は存在しないという、移転が決定された当初の予想に反して、絶滅危惧種であるナンゴクデンジソウが見つかった（環境省の植物レッドデータブックにおいてCR、絶滅危惧IA類に指定)。ドングリ林の下からは同じく絶滅危惧種であり、緑の葉を持たない腐生ラン、マヤランが見つかった。ナンゴクデンジソウの他、コガマやハッカなど、希少な植物が集中している休耕田の湿地は、丸ごと移植されることになった。生物多様性保全ゾーン内の池付近の地下に、水を通しにくい不透水層土壌が敷かれ、その上に湿地が移植された。その後この湿地では、土に埋もれていた種子から発芽した、絶滅危惧種である水草ミズオオバコやシャジクモが加わった。

いくつかの種については、移転が進む中、環境監視活動の一環で個体数調査が続けられた。造成工事前の段階で二個体しか見つかっていなかったマヤランのように、現在はかつての自生地で観察されていない種もある（他に絶滅危惧種のムヨウランやミズオオバコなど)。だがアキザキヤツシロランのように、獣害や竹林除去に伴う林床乾燥などにより何度も個体数を減らしながらも、保全策の効果もあって、今も生き続けている種もある。個体数も変動が激しいこうした種の生存には、息の長い監視や保全の取り組みが必要とされている。

図2　林床移植されたばかりの法面。当時はまだコンクリートの補強が地表に見え、植栽木もまばら。

図3　移転での生物多様性保全ゾーンの整備ではボランティアや学生が大いに活躍した。写真はボランティアによる、緑地に繁茂した竹の伐採と運び出し。

図4　保全緑地で観察された絶滅危惧種のマヤラン。残念ながら、かつての自生地でも、近年では生育が確認されていない。

池の移転

植物と同様に移動が難しい水域生態系の保全では、保全ゾーン内に多数の池を作り、そこに保全対象の動物を移した。この地域に生息する希少種、カスミサンショウウオについては、新たに作った四つの池に移し、そこに古井戸からくみ上げられた水を供給してきた。地元の造園業者や理学研究院学生の協力を受けて、休耕田にメダカやカメの成育する池を作り、採集した水草のマコモや昆虫も移した。

里山の自然を再生し、残す

伊都キャンパスの保全地域は森とため池、そしてキャンパスを水源とする水脈を擁しており、これに隣接する水田が加わると日本の典型的な里山の景観となる。人々の営みが創り出した里山には、その独特な食物連鎖と養分環境に適応した生物が定着し、進化した[1]。燃料を求めた人々が定期的に木を切る里山では、幹を切られても萌芽を伸ばして成長を続けられるドングリの木が森を優占し、森の近くには水田とため池が作られて稲作が営まれた。森からの枯れ木枯れ葉は川や池の養分となり、そこを採餌場として飛来する鳥が食べた魚は養分として陸域に運ばれる。人々が食する魚や堆肥として利用される水草もまた、陸域へ流れる養分の一部である。こうした人の営みや生物の喰う・喰われるのつながりの中で生まれた独特の養分循環の中で、カスミサンショウウオやイシガメなど、移転で保全された動物は生き延び、伊都キャンパスの生態系を形作ってきたのである。

燃料革命により燃料の調達先として切られることのなくなった森ではドングリの木の優位性は失われ、常緑広葉樹が覆い鬱閉するようになった。化学肥料が普及した今では枯れ葉やため池の水草は堆肥として利用されず、魚が取られることもなくなった池では、流れ込む養分が取り出されることなく溜まるようになった。里山の存続と回復の鍵は、かつて営まれていた人間活動を取り戻すことにある。

人の手が加えられることで、湿地は森林へと変わらずに湿地であり続け、そこに移植され保全された植物も樹木に駆逐されることなく、生き続けられる。森の木々が定期的に切られるからこそ、ドングリの林も森に主役として居続けられる。自然の手に任せた遷移の先にある天然林のような生態系だけでなく、人々が長い時間をかけて作り上げた里山もまた、保全されるべき生態系なのである。その里山の自然を守るには、人間が伝統的な文化を維持し、その取り組みの中で里山に関わり、適度なかく乱を与えることが必要である。

緑地と人間活動との関わりに取り組んできた矢原教授は、移転完了後の今も、里山を保全する活動を復活させるべく取り組んでいる。先に紹介した福岡グリーンヘルパーの会は、矢原教授が関わったグリーンヘルパー養成講座の卒業生によって構成され、キャンパス内の緑地が自生林に戻れるよう取り組んでいる。博多郵便局勤務の人々が中心となった元岡市民の会による生物調査では、サンショウウオの産卵数の観測やカメの調査が行われ、いくつかの取り組みは今に引き継がれている。福岡県レッドデータブックに掲載されるイシガメについては、50以上の個体が追跡されており、保全地を抜け出した後に長距離を移動して元の池に戻る個体の存在など、知られざる生態が明らかにされている。移転前から続けられてきた緑地での人間活動は、移転が完了して数多くの人々が伊都キャンパスで生活するようになる今後、さらに多様に広がり、それが今後の里山を形作ると期待される。

キャンパス緑地内に広がる典型的な里山の将来は、九州大学とその周辺社会の手に委ねられている。移転完了時のような明確なゴールもない、長く、たゆまぬ取り組みが必要とされる保全である。造成による大規模な生息地の喪失という、目に見えるわかりやすい危機はもはやない。だが、迫り来る危機からの生物多様性保全という熱気もない今、新たに九州大学に加わった若い世代には今後、当たり前となった緑地の保全への無関心が進むだろう。さらに、長期の移転事業の間、保全活動を担った学生は卒業し、残った人員には高齢化が進む。異動や退職で九州大学から去った教職員もいる。人の手が入らなければ、伊都キャンパスの里山の生き物も再び危機に晒される。移転後の九州大学には、移転時の熱気や、矢原教授をはじめとする、そこで活躍した人々に頼れない、息の長い生物多様性保全の取り組みが求められている。

参考文献

[1] 矢原 徹一. "全生態系保全戦略—九大移転予定地における生物多様性事業の挑戦" 第17回「大学と科学」公開シンポジウム講演収録集「生物多様性の世界 人と自然の共生というパラダイムを目指して」118. クバプロ, 東京 (2004).
[2] 矢原 徹一, 川窪 伸光. "保全と復元の生物学—野生生物を救う科学的思考" 文一総合出版 (2002).
[3] 九州大学. "九州大学統合移転事業環境監視調査平成28年度総合報告書" (2017).
[4] D. Normile. "Conservation takes a front seat as university builds new campus." Science 305, 329 (2004).

15 伊都キャンパスのパブリックスペースデザイン

鶴崎　直樹

外部空間、建物内のホール等のパブリックスペースを対象としたデザインの視点と取り組みに関する理解を深める。

はじめに

国内外に立地する大学キャンパスはそれぞれが豊かな個性や魅力を備えている。その中には、個々の大学が纏う創立の背景や歴史という非物的なファブリックに媒介されて感じる個性や魅力もあれば、象徴的な空間や建物、街路樹など物的な空間構成要素により印象づけられる個性や魅力もある。

図1　ペンシルバニア大学

図2　イェール大学

図3　シンガポール国立大学

図4　ローザンヌ工科大学

図5　九州大学伊都キャンパス

九州大学の新たな教育研究拠点である伊都キャンパスは、北部九州の福岡県にある糸島半島中央部に位置し、豊かな自然環境や貴重な歴史資源に囲まれるとともに、「いとしま」という社会的・歴史的な地域性を感じる場所にある。そのため伊都キャンパスの整備では、様々な分野の高度な知識や経験をもとに、これらとの共生を図るため環境に優しい土地造成、水資源や緑地の維持、歴史資源の活用、安全安心な交通環境などを重視した指針や計画が策定されてきた。それとともに、九州大学の歴史やアイデンティティの継承と次世代に向けた個性や魅力を備えるキャンパスづくりが行われてきた。ここでは、伊都キャンパス作りで実践されてきた空間デザインについて紹介する。

都市とキャンパスのアナロジーとデザイン手法

大学キャンパスは、教育研究をはじめクラブ活動、入学式、卒業式、学園祭など時節ごとのイベントや地域との交流など、多様な活動の拠点である。また、キャンパスの利用者を観察すると、学習、飲食、談話、休憩など様々な使い方がなされていることを確認することができる。こうした活動や行動とそのための必要な施設や空間は、都市空間における人々の日常的な行動や、そこで必要とされる機能と共通する点も多いことから“キャンパスは小さな都市である”とする専門家もいる。さらに、このような都市とキャンパスの類似性（アナロジー）のために、キャンパスの空間デザインにおいて都市計画や都市デザインの手法が用いられることも多く、反対にキャンパスの計画とデザインの手法は都市空間にも応用可能であるように、両者の計画とデザインの手法は親和性を有していると言える。伊都キャンパスの計画とデザインにおいても都市計画と都市デザインの手法が活用されている。

伊都キャンパスの空間デザイン

1）計画とデザインのプロセスにおけるフェーズ設定

伊都キャンパスはもともとみかん畑や雑木林で覆われた丘陵地であったが、この丘陵地の特性を活かしながら環境と共生し、審美的にも優れ機能的で安全安心なキャンパスをつくるため、いくつかのフェーズを経て空間デザインの計画がなされた。第1に伊都キャンパスの現地の特徴を把握するフェーズ、第2にキャンパスの骨格を決めるフェーズ、第3にキャンパスの空間の個性や質を決定するフェーズである。

第1フェーズでは踏査等の現地調査や地質、水質等の分析により計画条件が明らかにされた。続く第2フェーズでは土地の利用のしかた（土地利用計画）、道路のルート・規格の設定および駐車場の配置（交通計画）、建物の配置（施設配置計画）など、キャンパスの骨格となる要素の計画がなされた。そして第3フェーズでは、低層部のピロティや屋内の共用空間などの構成要素からなるキャンパスのパブリックスペース（PS）が対象とされ、PSの構成要素ごとに共通のルールや仕様が設定された。伊都キャンパスの空間デザインにおいては第2および第3フェーズの計画が重要な役割を果たした。

2）キャンパスの骨格を規定した第2フェーズ

2001年に策定した「九州大学新キャンパス・マスタープラン2001」は、伊都キャンパスの骨格を規定したものである。具体的な説明は他の節に譲るが、このマスタープランでは、以下が空間デザインの骨格として設定された。

［キャンパス・モール］ 学際的な研究・教育活動をつなぐ連続的な空間であり、それを促進する軸として機能する人間主体の快適で賑わいのある空間。

［未来のポテンシャル軸］ 今後の社会環境の変化に対応する空間であり、世界的水準の研究・教育がもつポテンシャルを維持・向上させ、その推進に向けて戦略的に活用する未来の施設用地。

［幹線道路］ 研究・教育活動を支援する動脈としての道路。道路境界より10m以上壁面を後退させ、沿道は原則緑地として整備。

［キャンパス・コモン］ アカデミック・ゾーン南側のキャンパス・モールと保全緑地との間に設ける、憩いと安らぎをもたらすオープンスペースであり、開放的な象徴的空間。

［グリーン・コリドー］ 東西に長い敷地を分節するとともに、周辺の保全緑地同士をつなぐことで緑や生態系のネットワークを形成するための連続する緑地帯。

［象徴的空間］ ゲート性を有する象徴的な空間（大学の顔）やキャンパス内の主要な交通結節点（アライバル・ポイント）。

3）キャンパスの質的側面を担う第3フェーズ

第2フェーズで規定された要素は、主としてキャンパスの骨格となる構造的な要素であった。一方でキャンパスの個性を印象付け、空間の質的側面に影響を与える要素には、ランドスケープ、植栽、サイン、アート、ファニチャー、光環境、色彩、素材・ディテールなどが挙げられる。第3フェーズでは、これらキャンパスの空間構成要素を対象とし、各要素に関する計画とデザインの考え方や方針、規格等のデザインマニュアルを策定し、その後のキャンパスづくりに活用した。次章では、このデザインマニュアルについて詳述する。

パブリックスペース・デザインマニュアル

1）パブリックスペースデザインの役割と位置づけ

統合移転事業の着手決定後、新キャンパス・マスタープラン2001、土地造成基本計画、環境保全計画、学術研究都市構想等の計画が策定された。伊都キャンパスは、国際的・先端的な研究活動、優れた人材を育成するための教育活動、地域に開き、連携する交流活動などが実施される場である。それは、コミュニティの多様な活動を誘発させ、優しく柔軟に受容できる空間でなければならない。キャンパス整備では、空間の質的側面を担うパブリックスペースの計画とデザインを重要な計画要素として位置付け、整備が進められている（図6）。

キャンパスの整備は長期間にわたり、また、様々な情勢の変化が予想される。そのため、整備に携わる関係者間で目指すべき将来像や整備の考え方が共有されている

15 伊都キャンパスのパブリックスペースデザイン

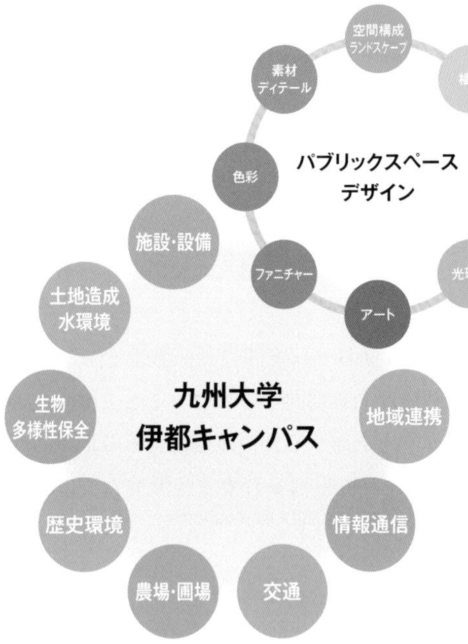

図6　複数分野の総合計画としてのキャンパスデザイン

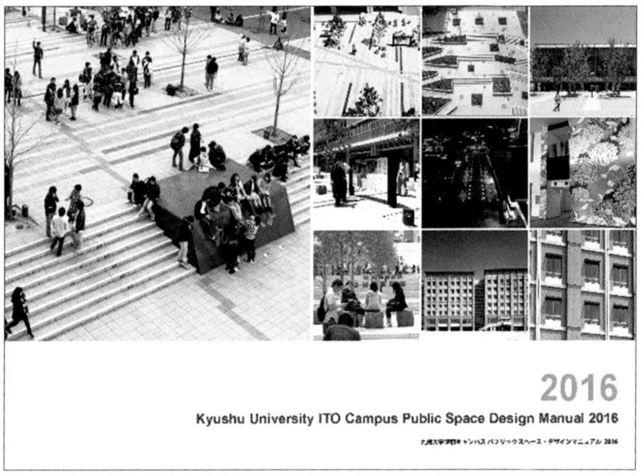

図7　パブリックスペース・デザインマニュアル2016

ことが重要である。九州大学は、前述した「新キャンパス・マスタープラン2001」（MP2001）を策定し、キャンパス空間の骨格づくりの考え方について学内での共有を図った。また、ランドスケープ、植栽、アート、サイン、色、素材、ディテールなど空間の質的側面の計画とデザインの考え方について「パブリックスペース・デザインアニュアル2004」（PSDM2004）およびその改定版である「パブリックスペース・デザインマニュアル2016」（PSDM2016）を策定して、以下３項目の指針を提示し、キャンパスの計画と整備に活用してきた（図７）。

２）PSDMの対象空間とPSの構成要素

PSDM2016では、伊都キャンパス全体における建物の外部空間やアカデミック・ゾーン内の「キャンパス・モール」、「キャンパス・コモン」、「グリーン・コリドー」、幹線道路や農場ゾーン、運動施設ゾーン、保全緑地などのオープンスペース、建物内部における共用空間、建物低層部におけるピロティ部分等の半屋外空間をその対象としている。また、パブリックスペースの質的側面を構成する要素として以下を取り扱っている（図２）。

［ランドスケープ］ キャンパス内外の空間を構成する要素の集合により形成され、相互の関係が重要である。

［植栽］ キャンパスに潤いや豊かさ、そして季節感を与える重要な要素である。

［サイン］ 誘導、案内、警報等の機能に加え、そのデザインがキャンパス空間を印象付ける。また、統一的デザインによりキャンパス空間の一体性に寄与する。

［光環境（照明）］ 安全性とともに夜間のキャンパスの空間を特徴付ける要素であり、機能性やデザイン性が重要である。

［アート］ 空間に潤いや緊張感を与えるとともに、非日常的空間を創出し、人々に刺激を与える。

［ファニチャー］ キャンパスにおける様々な活動を誘発し、ささえる装置として位置づけられる。

［色彩］ 統一感や心地よさを与えるとともに、地域環境との融合や大学の歴史的空間の継承等にも役立つ。

［素材とディテール］ 空間や建物に歴史性、地域性、先進性、親近感を与えることができる。

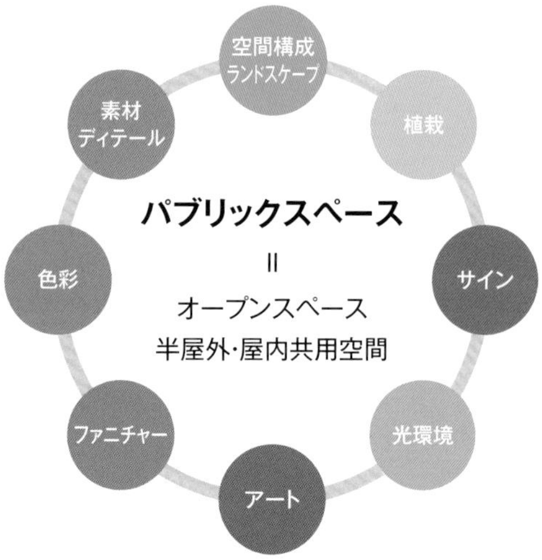

図8　パブリックスペースを構成する要素

3）パブリックスペースデザインコンセプト

九州大学のアカデミックプランやマスタープラン等に基づきPSDM2016では、ユニバーサルデザイン、ヒューマンスケール、アクティビティデザイン、伊都の風土や環境特性、持続可能性の５つを重要な視点として掲げ、空間やその構成要素に関するキャンパス整備の指針を提示している。

4）パブリックスペース構成要素のデザイン

［空間構成とランドスケープ］

主として施設が立地するアカデミック・ゾーンを対象とし、位置や特性に応じて都市的デザイン、自然的デザインなど、志向するランドスケープデザインに基づきパブリックスペースの空間区分をおこなっている。また、建物内部のパブリックスペースについても、整備事例とともに、空間整備の留意点等について解説している。

［植栽］

植栽する空間の特性を考慮するとともに、ランドスケープデザインの方針に基づいて、樹種や配置等に関する考え方を示している。そこでは、植栽後の維持管理に配慮して、樹種選定や、投入する費用や労力など管理のレベルを提示している。さらに、段差や法面の処理の考え方、景観を考慮した配植上の留意点、旧キャンパスからの移植樹木の取扱い等についてこれまでの取組みにより解説している。

［サイン］

誘導、案内、交通、警報など各種サインの役割や配置の考え方を示すとともに、キャンパスマップ上に配置位置を示している。また、将来にわたるサインデザインの統一性を確保するため、各種サインの形状、寸法、素材、色彩について図面およびイメージCGを用いて解説している。さらに、情報更新の際の留意点、推奨フォント、サイズ等を提示している。

［光環境］

視認性、防犯性に加え、夜間の景観を考慮し、利用者やアクティビティに応じた光環境のゾーニングを提示している。また、各空間の特性に応じた照明器具を選定し、配置の考え方とともにマップを用いて配置箇所を提示している。さらに、照明デザインが将来にわたって統一されるよう、各種照明器具の形状、寸法、素材、色彩について図面およびイメージCGを用いて解説・記録している。

［アート］

アートワークを類別し、それらの特性や役割とともに設置個所選定の留意点や設置の際のデザインの考え方を提示している。また、将来的なアート環境の創出に向け、事例とともにアイディアを提示している。さらに、展示、設置するアート作品の品質を確保するための選定組織の設置及び選定プロセスについて解説している。

［ファニチャー］

キャンパスに必要なアイテムを機能別に整理したうえで、対象空間ごとに空間利用者やアクティビティを想定し、アイテムの配置、デザインの考え方等を提示している。また、これまでの整備の過程で見出された課題や知見について、写真を用い解説している。

［色彩］

地域の景観とともに、想定される主たる利用者やアクティビティによる空間特性に配慮した色彩に関するガイドラインを提示している。具体的には、活動的な空間や歴史を感じる空間など指向するパブリックスペースデザインのための色相、明度、彩度等の選定の考え方や基準を解説している。

［素材とディテール］

東西方向に延伸するアカデミック・ゾーンには、低年次学生が活動する空間、地域環境と空間的に連担する空間、専門教育や研究活動が展開される空間など、アクティビティや利用者の異なる空間が複数ある。そのため、それら空間の特性を指向した空間のデザインや雰囲気の創出に寄与する素材選定の考え方や参考となるディテールについて解説している。

パブリックスペースデザイン検討の流れ

パブリックスペースは、計画や基本設計、実施設計、施工等複数のフェーズを経て実現されるものである（図9）。質の高い豊かなパブリックスペースの実現のためには、各フェーズにおいて、PSDMで規定された各構成要素に関する基本的な考え方を充分に理解したうえで、それらの効果的な適用を図る必要がある。また、デザインの妥当性については、各フェーズの適切な時期に「キャンパス整備WG」および「キャンパス計画及び施設管理委員会」に諮ることで、総合的な観点より判断している。さらに、パブリックスペースにおいて大きな割合を占める壁面や舗装材の色彩や素材等については、PSDMとの整合性を評価し、デザインを決定することとしている

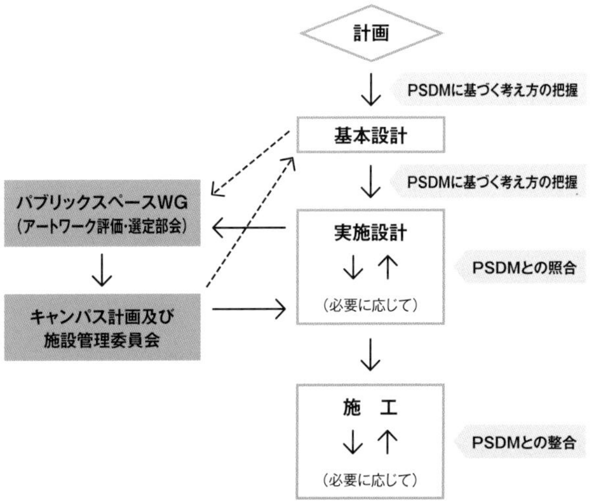

図9　パブリックスペースデザインの検討のプロセス
（パブリックスペースWGはキャンパス整備WGに改称）

（図９）。必要に応じて実施設計段階での模型・ＣＧの作成、施工段階におけるモックアップの作成・現地確認等のきめ細やかで精度の高い検討を行なう。

図10　各種計画とPSDMにより実現した伊都キャンパスのパブリックスペース

持続可能なキャンパスづくりの新たな視点と対象

将来にわたり持続的にキャンパスを整備・維持するためには、大学やキャンパスを取り巻く状況の変化に柔軟に対応し発展させることが重要である。九州大学では、これまでに紹介したパブリックスペースの空間構成要素に加え、新たな視点として、女性や障がいのある利用者への対応についても重視し、デザインの対象として位置づけ取り組んでいる。また、キャンパスにおけるパブリックスペースの更新や維持・保全について多くの取組みをおこなっている。

1）ユニバーサルデザイン

伊都キャンパスでは、ユニバーサルデザインの観点より積極的な取組みを進めている。施設等ハード整備については、「福岡市福祉のまちづくり条例」の整備基準を満たしながら、必要に応じて主体的かつ独自に水準設定し整備を行っている。また、起伏の多いキャンパスにユニバーサルレベルを設定し、東西約1.5kmにわたり利用者の負担の少ない快適な動線を整備している。さらに、ソフト面では、関連する部署が連携し、様々な取組みをおこなっている（図11）

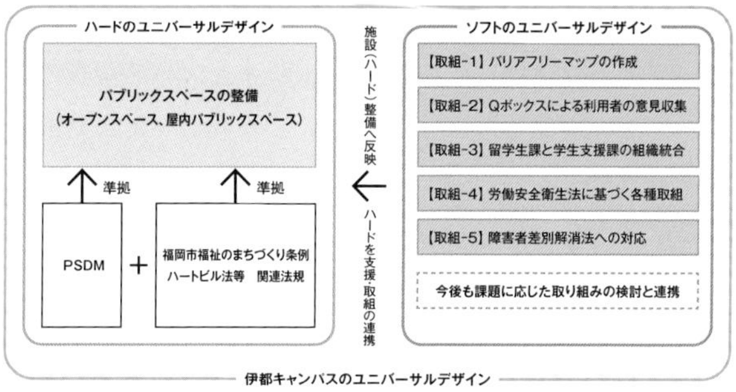

図11　伊都キャンパスのユニバーサルデザイン

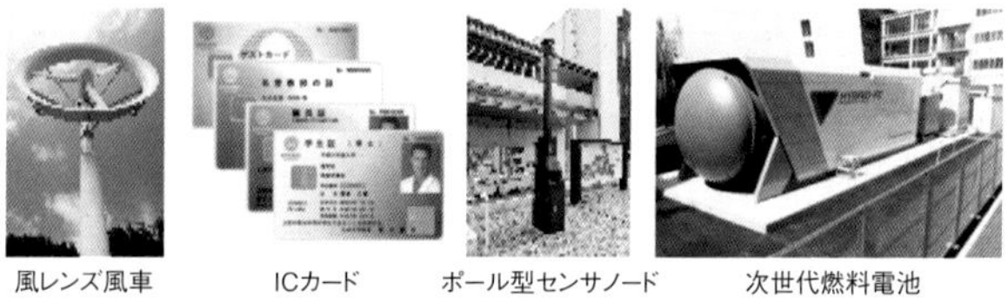

図12　実証実験空間としてのパブリックスペース

2）実証実験空間としてのキャンパスの活用

九州大学では伊都キャンパスを次世代技術の実証の場として位置づけ、風レンズ風車、次世代燃料電池、ICカード、将来社会のモデル創出研究のためにパブリックスペースを有効に活用している（図12）。

3）デジタルサイネージ等の整備

近年、サインの領域ではリアルタイムでインタラクティブな情報発信を可能とするデジタルサイネージの普及が目覚ましい。伊都キャンパスでも、一部デジタルサイネージによる案内サインの配置や、携帯端末による学内情報や講義情報の提供をおこなっている。

今後は、屋外サインのデジタルサイネージ化や非常時の情報をリアルタイムに発信できる設備、利用者の要求に応じて情報入手を可能にする設備などの整備が考えられる。

4）パブリックスペースの更新および維持管理

伊都キャンパスの整備着手より13年が経過し、初期に整備された施設やパブリックスペースの中には、早くも更新時期を迎えているものも発生している。パブリックスペースを構成する各要素について、コスト、省エネ性能、維持管理の点で優れた新しい技術や素材などが開発されているものもあり、施設や設備の更新の際には、それらをより適切に採用することとしている。さらに、建物や施設については、施設改善プロジェクトの他、中長期保全計画などの策定により、年次計画に基づいて維持管理や更新を進めることとしているが、パブリックスペースについても同様に中長期的な視点に基づく維持管理や更新が行われる。

おわりに

伊都キャンパスの計画とデザインの過程では複数分野の多くの教職員と学外専門家が協働しマスタープラン等の計画書やPSDMが策定された。そしてこれら計画資料をもとに創出されたキャンパスは一定レベルの空間の品質を獲得した。その根底には学生や教職員、その他の利用者にとって快適で使いやすいキャンパスをつくることが利用者の愛着や誇りをもたらすという信念があった。今後も、いつもそこに利用者がいることを忘れずに取組み続けることが重要である。

参考文献

［1］九州大学新キャンパス・マスタープラン2001、(2001).
［2］九州大学伊都キャンパスパブリックスペースデザインマニュアル2004, (2004).
［3］九州大学伊都キャンパスパブリックスペースデザインマニュアル2016, (2016).

16　伊都キャンパスにおける施設マネジメント

小谷　善行

伊都キャンパスで取り組んでいる
施設のクオリティー、スペース、コストのマネジメントについて理解を深める。

施設マネジメント

大学のキャンパスで実施される施設マネジメントは、施設における適正な整備水準や管理水準を定める「クオリティーマネジメント」、現有資産である施設を有効活用する「スペースマネジメント」、そして経費の縮減・抑制と平準化を図る「コストマネジメント」からなる。

関連して、伊都キャンパスでは、建物維持管理（修繕、点検、運転監視）の一元化や、防犯システムの構築など学生・教職員のセキュリティの充実を図っている。消費エネルギーと光熱水費の現状分析については後述する。

図1　エネルギーセンター監視室

図2　セキュリティーポール

図3　電気錠

クオリティーマネジメント

施設は人材、資金、情報と同様に経営資源の一つである。施設の質の向上は、教育研究環境の確保に繋がり、本大学が目指す高水準の教育研究拠点づくりへの貢献が期待される取り組みである。

施設の質を高く、かつ効率的に保つ上で、クオリティーマネジメントを大学のトップマネジメントとして位置づけることが重要になる。整備水準を確保し、また個々の部局による事業の重複などを避けるためには、経営者層のリーダーシップに基づく全学的な体制による整備が有効である。こうした体制を整えることで、「計画（Plan）・実行（Do）・チェック（Check）・改善（Act）」（ＰＤＣＡ）サイクルを確立して、検証や評価を適切に行い、取組を迅速かつ継続的に改善していくことが可能となる。本学は、事務局や各部局の長や教職員からなる「キャンパス計画及び施設管理委員会」にこうした機能を与え、大学本部による施設運営の一元管理を行っている。

防犯・セキュリティ

クオリティーマネジメントの要素である防犯・セキュリティ対策は、広大な伊都キャンパスにおいて特に重要である。伊都キャンパスは敷地面積272ha、建築の計画延床面積52万㎡は高層棟（11階）を含む232棟からなり、教職員学生約15,800人（令和２年５月時点）の総合大学を支えている。そこでの安全で快適なキャンパスライフを確保するため、各処に人員を配し、機材を設置している。また、エネルギーセンターに運転監視員を24時間常駐させ（図１）、機器トラブル対応、日常・定期点検、防災監視業務を行い、夜間における防災監視については構内警備員と共同で行っている。

さらに、防犯・事故防止を目的に、構内にセキュリティーポール45台を配置しており（図２）、非常時にはその監視カメラを守衛所（２か所）、警備員室及びエネルギーセンターと接続することで、常時監視を行っている。

入退室管理には建物の入口の電気錠（図３）を用いている。保有者のセキュリティレベルが登録された学内共通ICカード（PID）を利用して人々の出入りを管理することで不審者侵入に対応し、建物内部を安全な状態に保っている。また、構内には緊急放送設備を設けており、大規模災害・停電・火災時には避難誘導に利用することができる。

スペースマネジメント

既存施設のうち、教育研究スペースについては、整備時の予算が学部によって同じでなかったこともあり、整備率（計画した面積のうち整備済みの面積の比率）、そして、使用面積に学部間で差が生じている。運営費交付金等が減少し、運営費の効率化が求められる中でありながら、複雑化・多様化する教育研究システムに柔軟に対応するため、「施設は大学全体の共有財産」であることを基本方針に、戦略的スペースマネジメントを導入した。

具体的には、学部ごとに、教員・学生人数に学内標準面積を乗じた配分面積を定め、現行の使用面積の内、これを超過する面積を「全学管理」「総長裁量」スペースとして一元管理している（図４）。このマネジメントは新たな組織の設置や制度の見直し、プロジェクト等に柔軟に対応し、スペースの有効活用に資するものである。

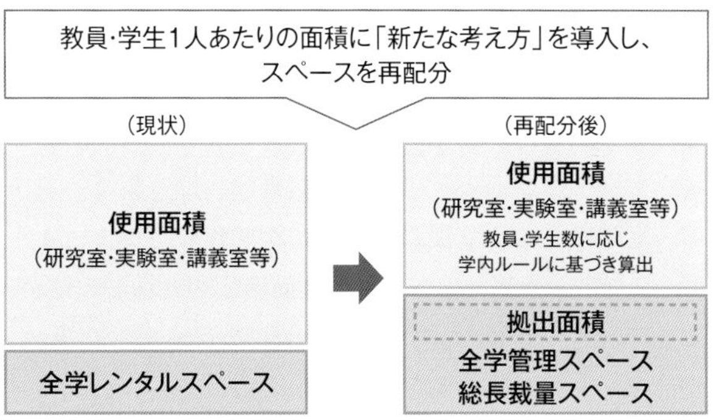

図4　新たなスペースの創出イメージ

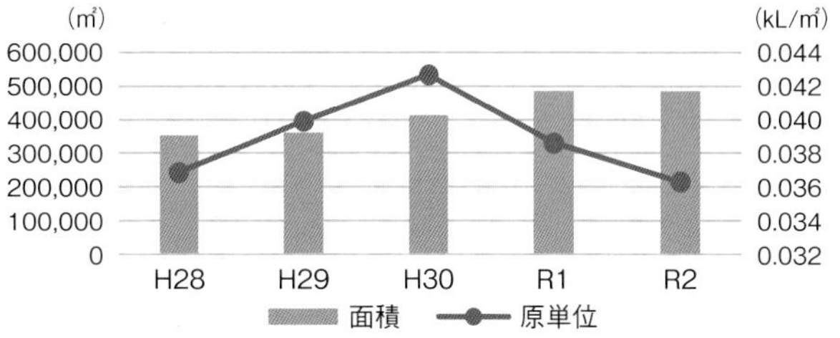

図5　伊都キャンパスエネルギー消費原単位推移

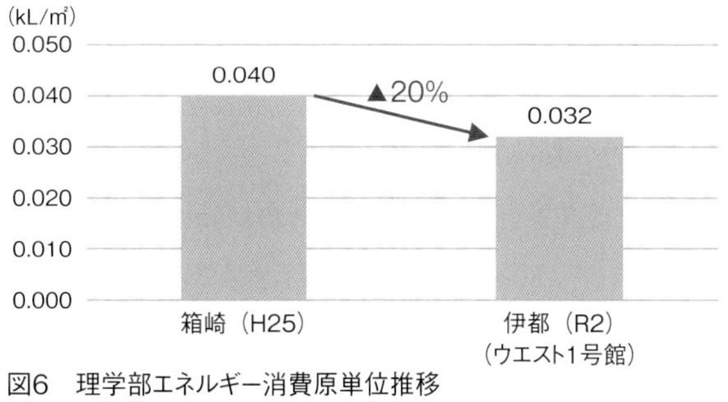

図6　理学部エネルギー消費原単位推移

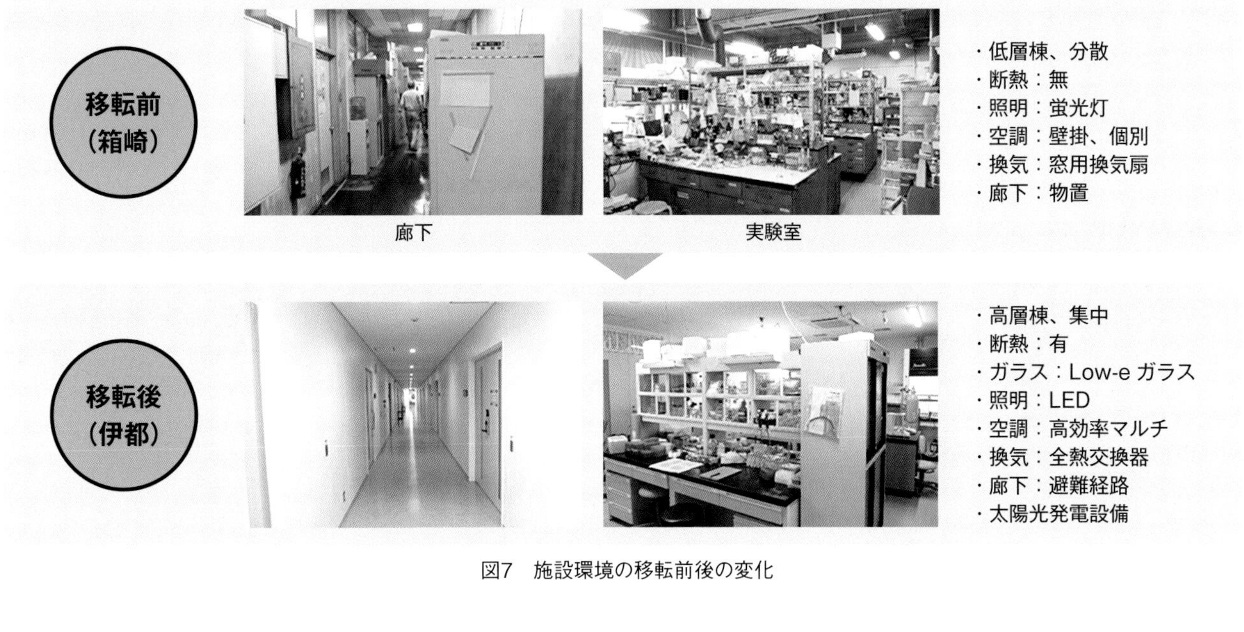

図7　施設環境の移転前後の変化

コストマネジメント

省エネ法に基づき、本学はエネルギー消費原単位（電気・ガス等のエネルギー使用量/稼働面積）の対前年度比▲１％を目標に省エネルギー活動に取組んでいる。学部など部局の長を省エネ推進責任者に任命し、半期ごとにキャンパス計画及び施設管理委員会において目標設定および考察を行うことで、各部局が責任を持って省エネルギー活動をするよう促している。2020年の時点で、４年前と比較し、伊都キャンパスの床面積は39％増加したが、エネルギー原単位は２％の削減になった（図５）。これは、箱崎からの伊都移転に際して、トップランナー制度[1]に準拠して建物・設備仕様を高効率機器にしたことにより、エネルギー使用量が抑制されたためである。ウエスト１号館を検証した結果では、エネルギー原単位は移転前の箱崎地区理学部棟に比べ20％の削減となった（図６）。

維持管理業務においても、キャンパス単位で複数年の包括契約を実施することで、予算縮減を行っている。

エネルギーと光熱水費

研究教育や事務活動で利用される建物の延床面積は、伊都キャンパスは2020（令和２）年度末時点で約49.0万㎡となり、九州大学全体の48％を占めている（図８）。これは次に大きい馬出キャンパスの稼働面積の約1.5倍（＋16.1万㎡）である（図８）。ところが光熱水費を見ると、馬出（病院）キャンパスでは15.7億円で、伊都キャンパス9.6億円の約1.6倍となっている（図９）。馬出キャンパスが伊都キャンパスより建物面積が少ないにも関わらず、光熱水費が多いのには、病院ゆえの特殊事情がある。病院は24時間稼働しており、OP室などのクリーンルーム面積が広く、空調動力も大きい。滅菌、シャワー室に蒸気、給湯の熱エネルギー供給も必要である。また、教職員学生以外にも、患者や関連業者等の利用人数が多いことも理由として考えられる。

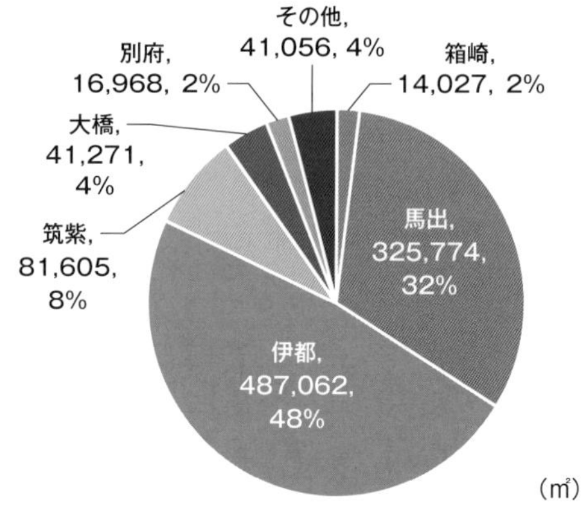

図8　2020（令和2）年度キャンパス別稼働面積

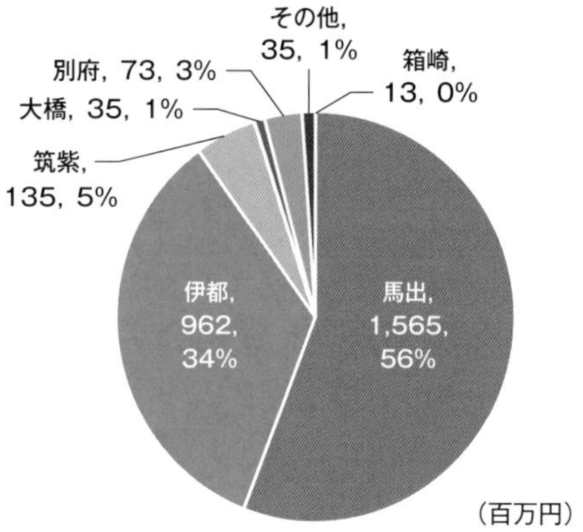

図9　2020（令和2）年度キャンパス別光熱水費

大学全体の総エネルギー量推移（原油換算）は、延床面積が10年前に比べ７％増加しているにも関わらず、約９％減少している（図10）。これは建物改修・新築にあわせて空調機や照明器具など高効率器具を設置した成果と言える。

一方で、省エネ法では毎年、エネルギー原単位の前年

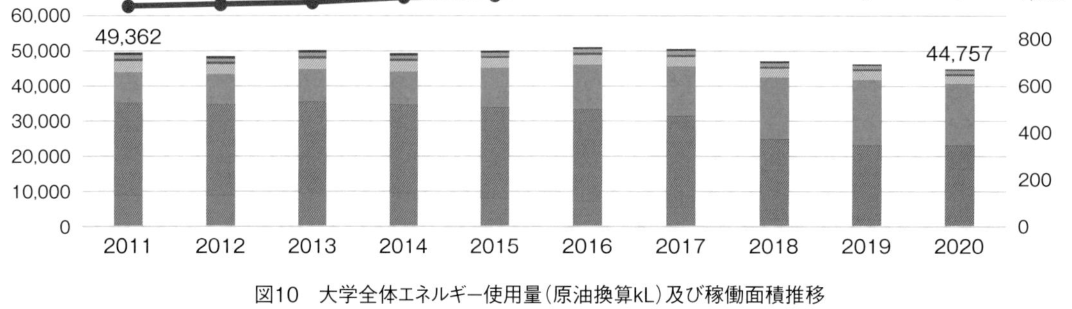

図10　大学全体エネルギー使用量（原油換算kL）及び稼働面積推移

度比１％削減の努力目標が課せられている。本学では、2005（平成17）年に移転し16年が経過した工学部において、当時の高効率器具を設置して省エネに精力的に取り組んできたが、こうした過去の取り組みは上記の毎年の削減には寄与しないため、現在は「無駄なエネルギーを省く」省エネルギー活動も実施している。2020年10月、政府は2050年までに温室効果ガスの排出を全体としてゼロにする、カーボンニュートラルを目指すと宣言した。伊都をはじめとする各キャンパスにおいても「キャンパスのゼロカーボン化」を目指した更なる取組みが求められ、構成員一人一人の意識改革が重要となる。

馬出と伊都の光熱水費から見るエネルギー分析

光熱水費構成は、馬出キャンパスでは電気52％とガス20％と両者を合わせて72％になる一方、伊都キャンパスでは電気が全体の83％、ガスが10％（合わせて93％）を占める（図11, 12）。馬出キャンパスのガスエネルギー利用率が高いのは、ガスを燃料としたコージェネ発電機を稼働することで、昼間の電力をピークカットして電力料金の削減を行うとともに、非常時の病院機能継続（ＢＣＰ）に備えているためである。さらに、Ａ重油またはガス燃料どちらでも利用可能なボイラー設備を有する馬出キャンパスが、現在はCO_2排出量の少ないガスを燃料としているためでもある。また、一般の事務所では、上水と下水で同等の料金が必要であるのに、馬出キャンパスの下水料金が上水に比べて高いのは、井戸水を飲料水で利用するため、その処理のための下水料金が必要となるためである。

馬出と伊都キャンパスの夏季１日の最大電力推移には、明確な差が見られる（図13）。伊都地区では昼間電力が多く、一日の最大と最少電力の差が4,200kWと大きい。なお、０時以降の電力使用は24時間稼働しているフリーザーやスパコン等の機器による。

一方で馬出キャンパスでは、一日の最大と最少電力の差は2,400kWと小さく負荷率が平準化しており、理想に近い電力推移が見られる。これは、昼間にコージェネ発電機をガス燃料で発電し、さらに夜間電力により冷凍機で蓄熱槽に製氷し、その氷を昼間に冷水として空調熱源に利用することで達成されている。

[1] トップランナー制度, 資源エネルギー庁（2015）.

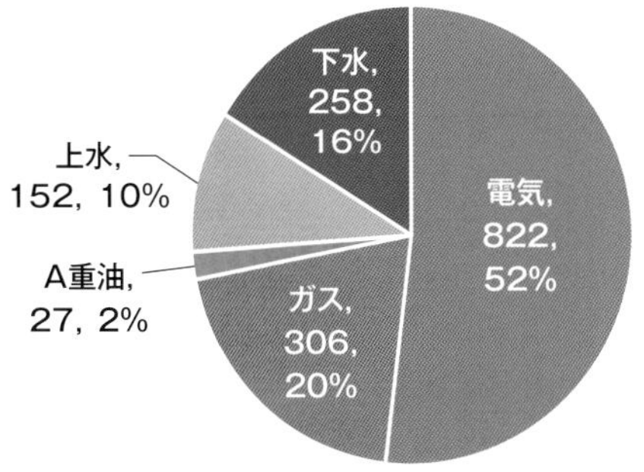

図11　2020（令和2）年度馬出キャンパス光熱水費

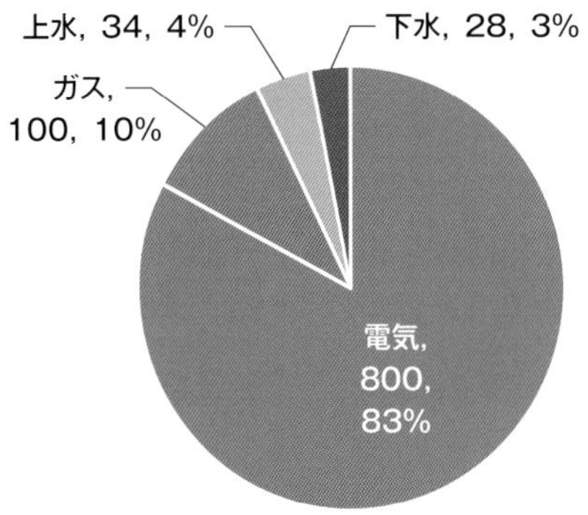

図12　2020（令和2）年度伊都キャンパス光熱水費

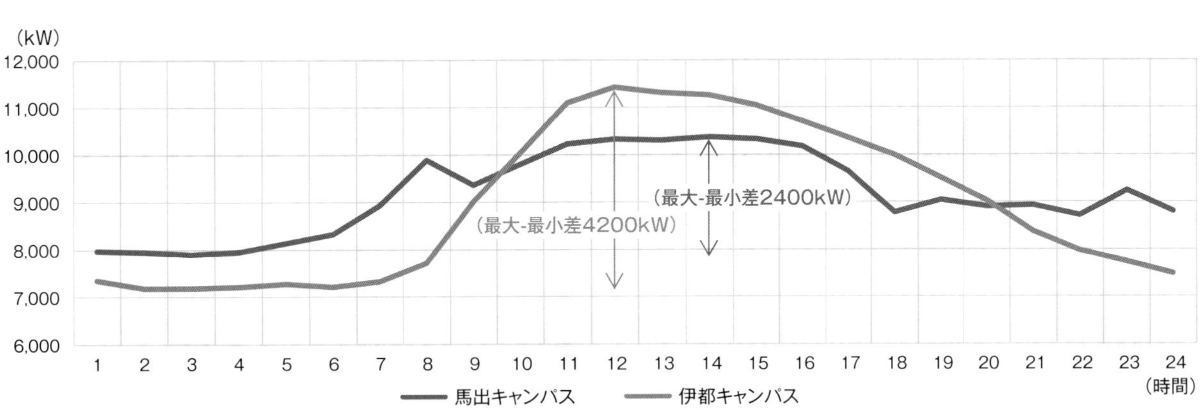

図13　2020（令和2）年度馬出・伊都キャンパスの夏季電力推移

17 伊都キャンパスの交通計画

津留 真哉・山王 孝尚・綿島 理晃

約18,700人の学生・教職員が活動する
伊都キャンパスの交通計画と取り組みについて理解を深める。

交通計画の必要性

九州大学統合移転事業は、福岡市西区元岡・桑原地区と糸島市にまたがる広大な土地に、約18,700人の学生・教職員が活動する“ひとつの街”をつくるプロジェクトである。

統合移転が決定した当時、新キャンパス予定地周辺は、全て市街化調整区域（優良な農地や自然環境の保全などを図るため、市街化を抑制する地域）であり、新キャンパスの整備や周辺のまちづくりの計画とともに、学生・教職員の通学・通勤など、新たに発生する交通需要に対応する道路基盤や公共交通機関の整備が大きな課題であった。また、広大で高低差のあるキャンパスを快適に移動できる交通環境の整備も課題となった。

交通計画の推進

新キャンパスの整備にあたっては、土地利用等の空間構成と交通等の骨格形成の方針を提示するマスタープランとして、2001年に「九州大学新キャンパス・マスタープラン2001」を策定し、下記の５つの交通計画の方針を示した。

（1）歩行者中心のキャンパス形成
（2）公共交通の重視
（3）機能的で環境に配慮した道路システム
（4）各種交通動線の確保と相互連絡
（5）段階的整備への対応

これらの方針に基づき、本学の教職員で構成する「交通計画ワーキンググループ（WG）」において、具体的な交通計画を検討するとともに、地元自治体や交通事業者等と連携して、伊都キャンパスの交通環境の向上に取り組んでいる。

歩行者交通計画

伊都キャンパスでは、歩行者中心のキャンパス形成に向けて、歩車分離を徹底している。歩行者の主動線となる東西延長約２kmのキャンパス・モール（図１）を、バイクや自転車も排除された、歩行者専用の空間として整備した。また、地形上避けられない高低差は、エスカレータやエレベータ等の昇降装置等を設置することにより、バリアフリー化を図っている。

図1　キャンパス・モール

パーソナル交通計画（自家用車、バイク、自転車等）

伊都キャンパスと九大学研都市駅や国道202号、西九州自動車道などを結ぶ主要なアクセス道路として、都市計画道路「学園通り線（がくえんどお）」（全長4,860m）が計画されるなど（図２）、伊都キャンパスの整備と周辺のまちづくりに合わせて道路基盤の整備が進められている。

キャンパス内においては、主要なゲートとして、中央

図2　都市計画道路 学園通り線

東口（学園通り線の東側）、中央西口（学園通り線の西側）の２箇所、および北口（県道桜井太郎丸線）、東口（市道桑原3515号）、南口（主要地方道福岡志摩線）の計５箇所が計画され、移転事業の進捗に合わせて順次整備を進めてきた。

自動車の主動線となる幹線道路（図３）は、学園通り線の東西を結ぶ東西幹線、およびウエスト・ゾーン西部の北口と南口をつなぐ南北幹線により構成され、施設配置に合わせて支線道路が計画された。

駐車場は、学生・教職員の通学・通勤向けと来訪者向けの需要をもとに計画され、大型駐車場が、ウエスト・ゾーンでは北西部に、イースト・ゾーンでは東部に整備され、またセンター・ゾーンには立体駐車場が整備された（図４）。その他、小規模駐車場を幹線道路に沿って分散配置している。

また、駐輪場については、バイク専用と自転車専用、および両者の共用の３タイプを設け、大規模な駐輪場はメイン・ゲート周辺に、小規模な駐輪場は施設近傍の適切な位置に配置するとともに、キャンパスの景観を損なうこ

図3　幹線道路（東西幹線）

図4　立体駐車場（センター・ゾーン）

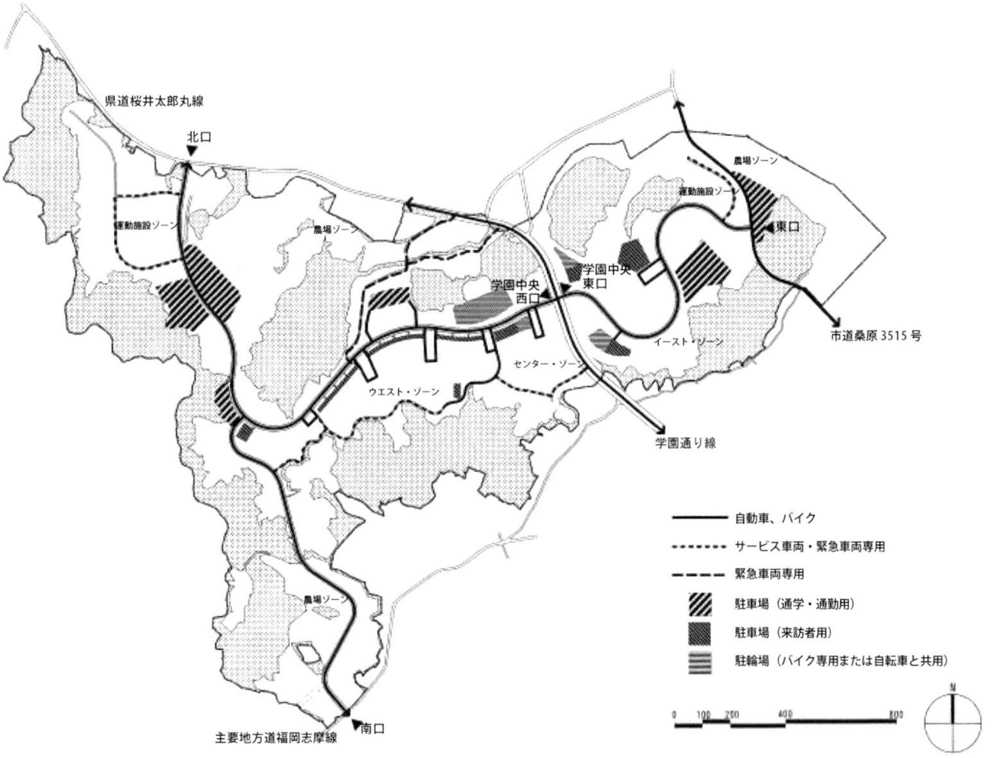

図5　主要な自動車交通動線（九州大学新キャンパス・マスタープラン2001）

とがないよう、配置やデザインにも配慮している（図５）。

公共交通計画

伊都キャンパスの整備と周辺のまちづくりに合わせて、地元自治体や民間交通事業者等と連携して、公共交通の充実に向けた取組みを進めている。

2005（平成17）年９月に、ＪＲ筑肥線の新駅「九大学研都市駅」が開業し、伊都キャンパスへは、九大学研都市駅から昭和バス、福岡市都心部から西鉄バスが乗り入れを開始した（図６）。また、2008（平成20）年４月に糸島市コミュニティバスが、糸島市内から伊都キャンパスへ乗り入れを開始した（図７）。

九大学研都市駅と伊都キャンパスを結ぶ昭和バスは、移転事業の進捗に伴うキャンパス人口の増加に合わせて、運行本数を、40往復/日（2006年度）から、215往復/日（2019年度）に、乗車人数は約500人/日（2006年度）から約8,000人/日（2019年度）に増やしている。一方、福岡市都心部と伊都キャンパスを結ぶ西鉄バスの乗車人数については、2009（平成21）年度の六本松キャンパスからの移転時と2018年度の統合移転完了時に増加したが、キャンパス周辺への居住の進展に伴い、全体的には減少傾向が続いている。

2020年度以降、新型コロナウイルス感染症の影響により乗車人数が大幅に減少する中、路線の維持確保に取り組んでいる。

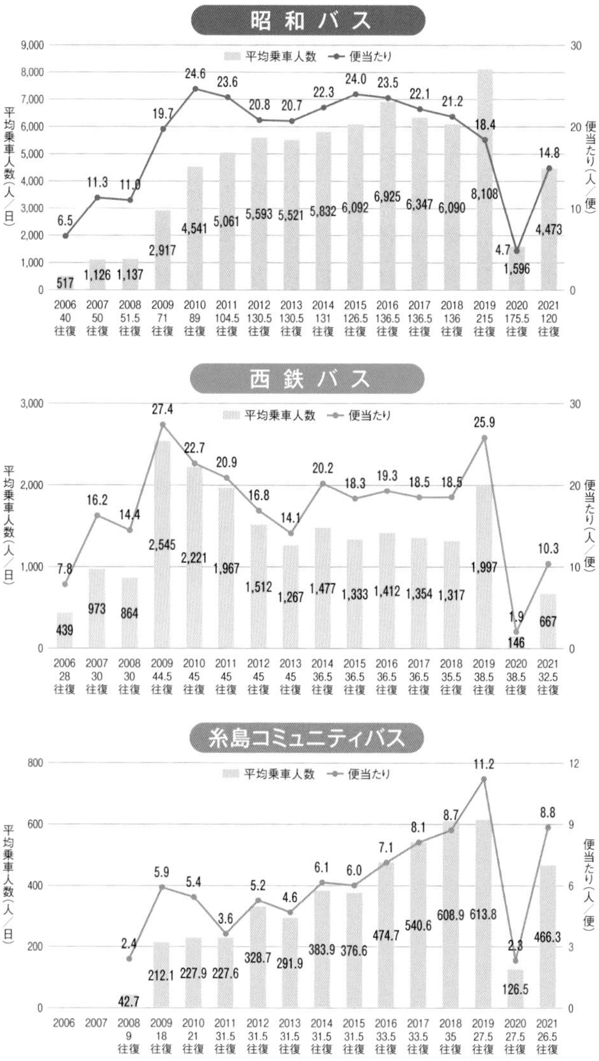

図6　バス乗車人員の推移（各年4月）

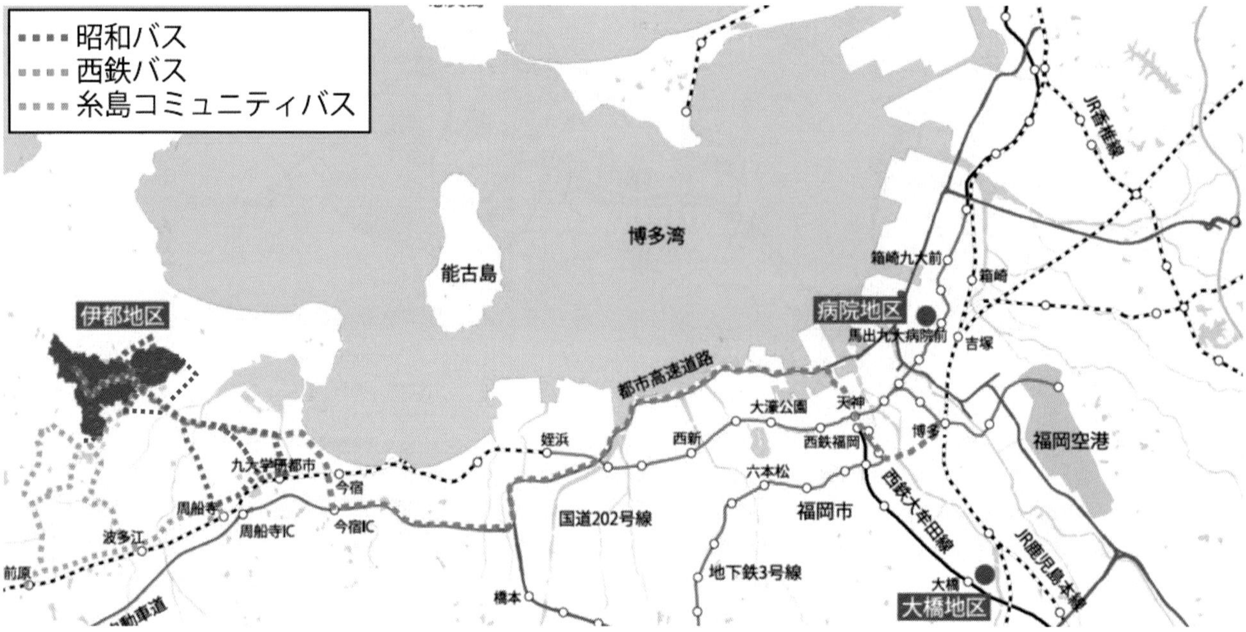

図7　バス路線図

また、伊都キャンパス内においては、広大な敷地を効率的に移動できるように、2009（平成21）年度より学内バスを運行しており、無償で利用することができる。2019（平成31）年度には、運行の効率化と利便性の向上を図るため、従来の定時定路線型の循環バスに代わって、AIオンデマンド交通「aimo」の導入を開始した。

これからの交通計画

伊都キャンパスでは、これまで様々な交通施策を行ってきたものの、移転事業の進捗に伴い、キャンパス人口が増加し、朝の通勤・通学時間帯の渋滞（図８）や、雨天時のバスの混雑（図９）など、様々な交通課題が発生している。

これらの交通課題に対応するため、2016（平成24）年３月に、短期、中期、長期の総合的な交通計画として、「伊都地区総合交通計画」を策定し、交通課題の解決に向けた施策について、移転完了までの短期（2016～2018年）、移転完了後10年間の中期（2019～2029年）、中期以降の長期（2030年～）に分けて、取り組むべき内容を整理した。

公共交通については、短期ではバスの増便等による利便性の向上、中期では連節バスの導入、長期では鉄軌道を含む未来型交通の導入等に向けて取り組むこととした。

また、新技術の活用を積極的に進めることとしており、ひとつの街のような環境を有する伊都キャンパスを活用し、スマートモビリティの実証実験を行っている（図10）。この実証実験を通して、「安心」と「便利」を実現するためのサービスの開発と社会実装に取り組んでいる。

今後も、公共交通を主軸とし、多様な交通手段が連携した持続可能な交通ネットワークづくりに向けて、地元自治体や民間交通事業者等と連携した取組みにより、伊都キャンパスの交通環境がさらに向上することが期待される（図11）。

図8　渋滞の様子（中央西ゲート～学園通り線）

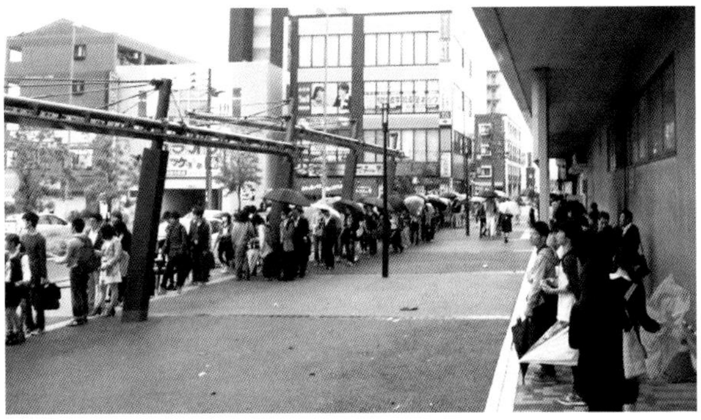

図9　バス待ち行列（九大学研都市駅）

図10　スマートモビリティの実証実験

施策分野	短期（2016~2018）	中期（2019~2029）	長期（2030~）
歩行者	・キャンパスモールの形成 ・循環バスの利便性向上 ・徒歩圏のまちづくり	・ユニバーサルデザインによるバリアフリー化 ・徒歩圏のまちづくり	・徒歩圏のまちづくり
公共交通	・バス利便性向上（定時制の確保、増便、イーストゾーンへのルート・駅前広場の有効活用の検討等）	・バス利便性向上（連節バスの導入等）	・未来型交通（軌道系等を含む）
自転車	・違法駐輪対策 ・交通マナー改善（講習会等実施） ・南北東ゲートの活用 ・既存駐輪場有効活用	・他交通（歩行者等）との分離（動線の見直し）	・他交通（歩行者等）との分離（動線の見直し）
バイク	・入構制度見直し検討（許可基準） ・違法駐輪対策 ・交通マナー改善（講習会等実施） ・南北東ゲートの活用 ・既存駐輪場有効活用	・他交通（自動車等）との分離（動線の見直し）	・他交通（自動車等）との分離（動線の見直し）
自動車	・渋滞、違法駐車対策 ・南北東ゲートの活用 ・既存駐車場及び未利用地の有効活用 ・循環バスの利便性向上 ・入構制度の見直し検討（許可基準、入構課金）	・キャンパスコモン南立体駐車場第Ⅱ期整備 ・新技術の活用	・新技術の活用
交通基盤	・学園通線（福岡市） ・渇元浜線（福岡市） ・中央ルート（糸島市） ・準幹線道路（九州大学）	・新駅開業（糸島市） ・準幹線道路（九州大学）	・西九州自動車道へのアクセス強化
マネジメント	・モビリティ・マネジメントの推進 ・BCP交通版の検討	・モビリティ・マネジメントの推進 ・BCP交通版の検討	・モビリティ・マネジメントの推進 ・BCP交通版の検討

図11　各時期における交通の施策展開

＼コラム／

02

色覚の多様性に配慮したキャンパス案内図

ひとの眼に入った光は角膜と水晶体を通り抜け網膜に到達する。網膜には、長波長の光に感度を持ち赤を強く感じるL錐体、中波長の光に感度を持ち緑を強く感じるM錐体、および、短波長の光に感度を持ち青を強く感じるS錐体の３種類の錐体があり、これらの錐体細胞の応答量の組み合わせによってひとは色を感知している。ひとの色覚特性の大半は３色覚と呼ばれ、赤、緑、青を感知する３種類の錐体が全て機能する場合の色覚特性である。しかし３種類の錐体のうち１つが欠損している場合、欠けている錐体が感知する色を識別することができない。このような色覚特性は２色覚と呼ばれ、３色覚と比べて識別できる色の範囲が少ない（写真１）。３色覚以外の色覚特性の発現頻度は日本においては男性が５％、女性が0.2％程度であるといわれている。ひとの色覚特性は多様であり、色覚特性によっては見分けられない色の組合せがある。不特定多数のユーザーが利用する対象においては、色覚の多様性に配慮した配色が求められる。

２色覚が見分けやすい配色を実践する際は、２色覚の見えを再現するシミュレーターがこれまで活用されてきた。しかし、これらのシミュレーターはあくまで３色覚を基点にしたものであった。３色覚の配色を基に２色覚の見えを確認し、２色覚が見分けにくい色の修正を繰り返すトライアンドエラー方式の確実性に欠けた配色手法であり、十分なカラーユニバーサルデザインを実現できていなかった。この課題の解決策として、２色覚を基点にした配色の考え方が提唱されている。これは、２色覚が識別できる色のみで配色し、その後、各色を３色覚が識別できる色に置き換えることで、２色覚が確実に見分けられる配色とする考え方である。この考え方を実現するツールが、九州大学芸術工学研究院の須長研究室で開発された。膨大な３色覚の識別色の中にある２色覚の混同色をとりまとめ、２色覚の識別色ごとに集約した色見本セットである（写真２）。

伊都キャンパスでは、視覚表示物のカラーユニバーサルデザインが進められている。そのひとつが、キャンパス案内図である（写真３）。この案内図の配色には新開発の色見本セットが用いられ、２色覚を基点にしたカラーユニバーサルデザインが実践された。完成したキャンパス案内図は２色覚が見分けやすい配色を実現しており、２色覚の当事者からは情報が分かりやすいという声が寄せられている。２色覚を基点にしたデザインを実践したこのキャンパス案内図は、マイノリティを基点にしたインクルーシブなデザインが実現可能であることを示している。

（羽野 暁）

写真1　2色覚の見えのシミュレーション例（著者作成）
（左が3色覚の見え、右がadobe社 illustratorを用いた2色覚P型の見えのシミュレーション結果である。青系、黄系は見分けやすいが、赤系、緑系は見分けにくいことが分かる。）

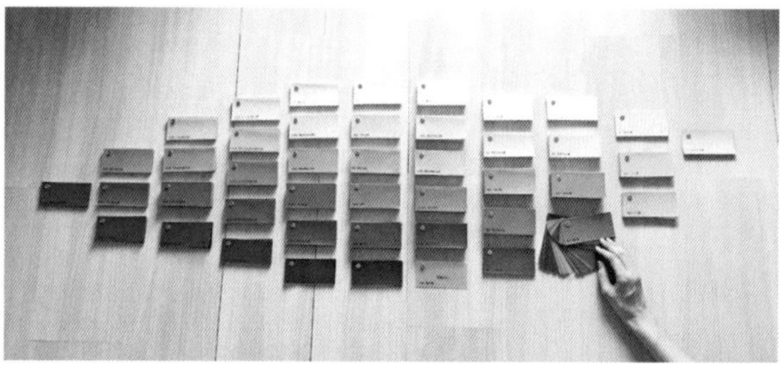

写真2　2色覚基点の配色のための色見本セット
（1948色のNCS色票を2色覚の混同色ごとにとりまとめ、5PB-N-5Y系統色名をもとに2色覚が識別できる44色の領域に分類したものである。各束の最上部は2色覚識別色の色票であり、その下部に2色覚の混同色の色票が束ねられている。）

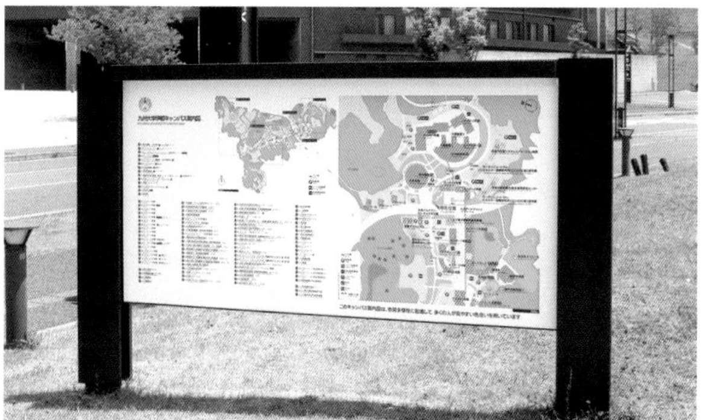

写真3　色覚の多様性に配慮したキャンパス案内図
（2色覚を基点にした配色を実現した九州大学キャンパス案内図の第1号であり、椎木講堂前に設置された。多様性に配慮したサインデザインの実践が評価され、2020年度SDA賞（日本サインデザイン賞）に入選し、加えて、九州地区賞を受賞した。）

ITO CAMPUS FUTURE

Ⅲ　伊都キャンパスのこれから

18 九州大学学術研究都市推進機構の取組み

吉田 敬介

九州大学学術研究都市構想を実現する
組織の取り組みに関する理解を深める。

九州大学学術研究都市推進機構（OPACK）とは？

九州大学学術研究都市推進機構は、2004（平成16）年10月に設立された財団法人である[1]。現在は、法規等の改正により、公益財団法人となっているが、いずれにしても名称が非常に長く、関係者以外にはほとんど覚えられないので、その英語名称「The Organization for Promotion Academic City by Kyushu University」の略称からOPACKと呼んでいる。OPACKの読みは「おーぱっく」あるいは「おぱっく」である。

当機構は、九大が移転を開始する４年前、国立大学が2004年に法人化する１年前の2003（平成15）年に策定された九州大学学術研究都市構想[1]にもとづいて、九州経済連合会の「産」、福岡県、福岡市、現在の糸島市（当時は前原市、志摩町、二丈町）の「官」、そして九州大学の「学」の、九大移転先の産官学当事者の出資と人材派遣によって設立された。

九大伊都キャンパスとOPACKの設立経緯

OPACKを語る前に諸君が思う疑問があると思う。九大はなぜ移転したのか？　なぜこの地に移転したのか？前者は「統合移転の決定から造成まで」（坂井）の項で、少なくとも建前を述べたので、ここでは、なぜこの地に移転したのか？について考えてみる。

我々の「旧キャンパス」である箱崎キャンパスと六本松キャンパスは、それぞれ福岡市東区箱崎と同市中央区六本松にあった。箱崎キャンパスは福岡市の中心部である天神地区から東に４km、六本松キャンパスに至っては２km程度しか離れておらず（両者が６kmも離れていた、ということもできるが）、それを天神地区から10km以上も西に離れた福岡市の西端部、当時は手つかずの自然が残る地、と言えば聞こえが良いが、人もまばらな丘陵地になぜ移転しなければならなかったか。それは、①九大が旧帝大のいわゆる「大きな大学」であったから、②九大が福岡市内で移転したから、であった。

まず、①であるが、九大は16研究院（11学部）をもち、移転対象地区の学生・教職員だけでもそれぞれ15,500名・3,200名を有する西日本の拠点大学である（移転完了時）。大学は商業施設と異なり、その機関自体が直接売上増や利益率拡大（あるいは経費節減）を狙って移転することができないので、都心の一等地に莫大な経費を使って移転することは原理的に不可能であり、しかも「旧キャンパスが狭いので統合移転」するのであれば、より大きな敷地に移転せねば無意味であり、そのためには莫大な資金を調達しなくてはならない。国の財政を考えるまでもなく、移転先は「田舎」にならざるを得ない。国立大学で1960～70年代に移転した筑波大学（旧東京教育大学）や、1990～2000年代に移転した金沢大学も「田舎」に移転したが、九大のような旧帝大の統合移転は前例がなかった。

一方、②については、このような広大な敷地を福岡市内で探そうとすると、適地は、というより移転可能な場所はほぼこの地しかなかった。ここで改めて、福岡市という場所を考えてみる。福岡市は、明治以降、九州内の他の県庁所在地より速度を速めて発展しており、現在は国内５番目の人口を有する都市（人口約160万人、面積343km^2）である。アジアの玄関口を謳う九州の中心的都市として、市域の大部分が市街地化しているため、まとまった土地は、西南部（西区、早良区）以外にもうほとんど空いていない。その西南部も農業振興策等による土地利用制限で市街地化を防止する行政的手法、いわば「田舎をキープ」する政策が実施されてきた場所が残っているだけである。幸運にもこのような政策があったからこそ、福岡市西部の元岡・桑原地区の丘陵地を九大の統合移転先の丘陵地と決められたのであった。そうは言っても、移転先は「田舎」であった。

しかし、良く考えてみると、移転先のキャンパスで生活する人々が２万人規模というのは、人口２万人が通う新たな町が出現することである。交通、物流も盛んになる。人々の行き来が活発になれば、移転先のキャンパス周辺は、いずれは市街地化せざるをえない。商業の立地や交通施設が進展するのはいつのことか？　1911年、九州帝国大学箱崎キャンパスが置かれた、当時の福岡県粕屋郡箱崎町が1940年に福岡市に編入され市街地化したように、数十年経てば町になろう。しかしながら、九大の学生や教職員は、いつまでも待つことができない。旧キャンパスの生活環境は時代とともに徐々に変化したが、移転すれば生活環境は急変する。誰も急な環境の変化を好まない。さらにこれは旧キャンパスの発展時にも言えることだが、都市計画が乏しいと無秩序開発によって「大学町」の健全な形成が阻害される恐れも少なくない。「キャンパス移転の理由は理解するが、移転先は町になるまで何十年かかるの？　自然に任せておいて、それまで学生・教職員はどうなるの？」という不安や疑問の声は、九大関係者はもちろんのこと、周辺住民や経済界、さらには九大OBからも聞かれた。

そのような声があがる中、伊都キャンパスの造成基本計画が決定した1998（平成10）年５月、地元経済界や自治体など関係機関による「九州大学学術研究都市推進協議会」が発足した。協議会名には「九州大学」の名が付されてはいたものの、九州・山口経済連合会（現在の九州経済連合会）を事務局にして集まった団体であり、九大はこの大きなテーブルの構成員であった。この発足により、関係者のさまざまな活動と検討が活発に行われることになった。その結果、九大のキャンパス統合移転を機会に、移転先のキャンパス周辺地域の計画的な「大学まちづくり」を九大とともに実施しようとの合意に達し、キャンパス内の建設計画に合わせたまちづくり構想を2001年６月に策定した。これが九州大学学術研究都市構想である。いかめしい名前であるが、「学術研究」は英語の「academic」を和約した行政用語であり、要は「九大を核としたアカデミックなまちづくり構想」ということである（以下、九州大学学術研究都市は九大学研都市と略記する）。

本構想の詳細は文献［1］を参照されたいが、ここで強調したいのは、本構想によるまちづくりが２つの基本概念である「タウン・オン・キャンパス（英語、Town-on-Campus)」と「ほたる（日本語、蛍）」によって構成されるということである。すなわち、

(1) 伊都キャンパス周辺に、それと連続したエリアの土地を整備し、いわゆる「大学門前町」を作っていく（タウン・オン・キャンパス）。
(2) その他の糸島半島を中心とする地域は、都市周辺地域の農林水産業や全国有数の観光レジャー資源を維持・発展させながら、小規模の土地（ほたる）開発を順次行っていく。

分かりやすく言うと、伊都キャンパス周辺地域は、福岡市がこれまで実施してきた西区元岡・桑原地区に代表されるような農業振興策や市街地化防止策などの、いわば「開発禁止政策」を修正して、九大の学生教職員はもちろんのこと、新しい住民に「まち」を提供するが、それは従来型の市街地ではなく、秩序ある開発、田園都市的（は言い過ぎだが）、「農」や「水」に関する産業や集落・住宅と共存できるような「まち」、それを好んで住む新しい都市住民に土地や環境を提供するまちを作りましょう、というものである。伊都キャンパス周辺を箱崎や六本松と同じにしようとするものではない。そうでなければ、伊都キャンパスに行く意味がない、どうせ行くのだから、大学なのだから、新しい環境、ユニークな環境のまちにしよう、チャレンジしよう、それがひいては新しい時代に向けた九大の発展のためになる。それがこの構想である。ただ、「九大とともに」とは言え、経済団体・自治体ともに九大を支援する理由づけがないと、いくら「九大の移転は社会にとって重要だから協力して」と言っても、前者は出資企業に、後者は納税者である市民に説明がつかないと、動きようがない。そこで本構想には、「九大の知の資源を活かした企業集積」、すなわち「企業立地」「企業進出」「企業誘致」「ベンチャー支援」なども謳われている。

さて、そうは言っても、このような構想は、「作ってしまって、ハイ、終わり！」になりかねない。構想の実現に向けた活動は、構想の策定に比べると人も金もけた違いに大きくなる。特に、計画から移転完了まで30年近くかかる伊都キャンパスへの移転事業では、「本構想を策定した当初は『行け行けドンドン』で企業誘致や開発がすすめられたが、時間が経つと人も変わり『そんな

九州大学学術研究都市構想
（OPACKホームページhttps://www.opack.jpより）

図1　本構想が目標とするまちづくりのイメージ（OPACKホームページより）

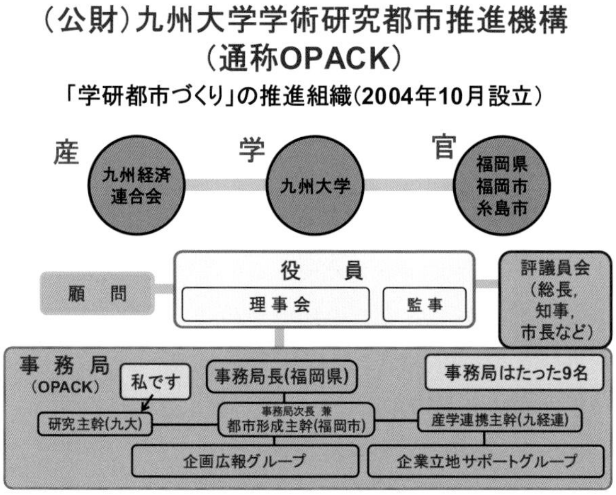

図2　OPACKの組織図

構想あった？』となって、立ち消えになるのでは？」との懸念があり、それを避けるための組織が必要とされた。経済団体、自治体、九大が協議した結果、それぞれの団体からの出資、人材派遣による財団法人を設立することにした。それがOPACK、財団法人九州大学学術研究都市推進機構であり、その設立は、九大伊都キャンパスの移転開始（2005年10月）の１年前の2004年10月のことであった（2013年４月から公益財団法人）。

OPACKの組織と活動

前章で、本構想の実施組織であるOPACKの設立経緯について述べたので、ここでは、OPACKの活動を概説する[2]。

OPACKの組織図を図２に示す。公益財団法人は、理事会と評議員会によって運営されるが、実際の行動部隊は事務局で、出資団体からの派遣である。2017年４月現在、９名（福岡県２名、福岡市２名、糸島市１名、九州経済連合会２名、九大２名）からなる。いずれも現役の職員であり、給与は出資元から支給される。なお、九大教員（工学研究院教授＝筆者）１名を除き、全て事務職である。教員の存在が、産学連携活動におけるOPACKの特徴となっている。

OPACKの活動は、本構想が掲げる全体像としての４つの理念（キーワード）「共生社会の実現」「世界・アジアとの交流」「創造性の発揮」「新産業の展開」を意識し、２つの核（まちづくり活動の大きな方針）「知の交流・創造活動を促進する地域科学技術システムの構築」「知・住・悠の舞台となる快適空間の形成」を目指しながら行うものであるが[1]、これでは抽象的過ぎるので、OPACKが行っている具体的な４つの活動を以下に述べる。

（1）企画広報

OPACKは産学官でできた団体であり、高い情報収集能力とPR能力を活かしたニュースレターの発行・配布等を通じて、九大や各自治体、経済界が開催するイベントなど、当エリアに関する情報提供を行っている。また、九大学研都市のイメージビデオも作製しており、年１回、福岡市中心部などでの「九大学研都市情報交流セミナー」を開催し、「当エリアはこんなに盛り上がっていますよ！」という情報を発信している。

（2）研究支援

大学の研究者は「研究支援」というと、OPACKが研究費を助成してくれると誤解されることが多いが、それは九大学研都市の自治体や企業の役割であり、OPACKはあくまでPromotion組織として、九大を中心とする九大学研都市エリア内で活動する産学研究者・技術者が活動しやすいように、新産業・新技術に関する研究開発をサポートする。大学教員の研究成果や研究上の技術シーズなどは、研究者自身が思っている以上に周辺社会の発展に有益であることが少なくない。企業発展に必要な先端技術はもちろんのこと、大学では「古いと認識されている研究や技術」でも、企業にとっては大変有難い知見になりえる。昨今の大学における産学連携活動の活発化とも相まって、OPACKは九大研究者の研究シーズを企業に紹介し、企業の技術開発に関連する研究者探し等の相談に乗っている。OPACKの職員は、九大の産学連携

(a) OPACK 作成の九大研究シーズシート

(b) 東京セミナー

(c) 企業向け現地説明会

図3　OPACKの活動例

部署（学術研究・産学官連携本部、AIR-IMAQ）と秘密保持契約を締結したうえで緊密な連携を取り、企業に研究者を紹介している[3]。なお、九大は総合大学であり、自然科学や工業・農業などいわゆる理工農系に加え、人文社会学系はもちろんのこと、医学系や芸術工学系など伊都キャンパスに移転しない専門分野の学部等もそのシーズを発信し活用できることが、九大にとっての強みである。また、九大研究者の研究紹介として、学内での活動ならば各研究者（主として教員）の紹介を平等に、網羅的に扱う傾向にあったが、OPACKはそもそも九大と産官の連携活動によるまちづくりを目的としているため、それが実現しそうな「ターゲット企業」と「ターゲット研究者」のみを橋渡しすれば良く、戦略的な活動が可能である（図３（a））。

（3）立地支援

OPACKの目的は九大学研都市づくりであるが、前述の「新技術・新産業の展開」をはかるための企業立地が当面の大きな目標の一つである。究極的には、大学の研究者や、教育を受けた卒業生等が起業して当エリアで活動できる環境を整えることであるが、当面は企業や研究所誘致が現実的な活動である。その活動として、九大の研究シーズから発展した「水素社会実現プロジェクト」「有機EL開発プロジェクト」などを国内の産業界に紹介して、国内外の企業進出活動をPromoteしている。具体的には、福岡県、福岡市、糸島市等の各自治体と連携して、九大学研都市の紹介イベントを東京・名古屋などの各地で企画し（図３（b））、九大学研都市エリアへの企業等の視察見学を案内し（図３（c））、さらには各地へ出向いてターゲット企業を訪問して、企業の立地支援に努めている。

（4）交流支援

この活動は、上の（1)～(3）以外の全ての活動ともいえる。すなわち、企業と九大・自治体等の交流を促進するための活動全般をさす。その意味では「まちづくりに資するためなら、大学、企業、市民に資するためなら何でもする」という活動であるが、その中で特筆すべきは、先端電子顕微鏡フォーラムの運営である。これは、九大超高圧電子顕微鏡室（当時）の、伊都キャンパス移転時に新設された世界最大性能の顕微鏡を学外にも開放して有効活用させたい、との要望に対応し、OPACKが会員企業を募ってフォーラムを作り、企業の研究者に電子顕微鏡を使用した解析を支援するものである。電子顕微鏡は、操作法を覚えて対象資料を単に見ただけでは目的の情報を知ることができず、「何を見たことになっているのか」を知るための学問と技術と経験が要求されるが、それを総合的に指導してくれるのが、九大超高圧電子顕微鏡室（現 超顕微解析研究センター）のスタッフである。企業は適切な会費で解析が可能であり、大学も高性能な電子顕微鏡を通じて社会に貢献でき、OPACKにとっては、OPACKならではの交流支援によって人材ネットワークを構築できるなど、３者ともに大きなメリットがある活動である。この他に、九州経済連合会や地元自治体と九州大学が一緒になって進めてきたILC（国際リニアコライダー）の脊振山地への誘致活動の「裏方」も述べるべきである。素粒子物理学者がその建設を切望する巨大直線加速器が国内適地の一つである脊振山地に誘致されれば、経済効果のみならず当エリアの国際的認知度の向上は測り知れず、九大学研都市構想にまで“良い”影響が出てくるものとして、2012年度から２年間取り組んだ。具体的には国内外の加速器設計担当者や国内の地質研究者の視察・調査のアレンジや、学者が一般的に苦手な広報活動などを引き受けてきた。2014年９月に候補地として関係学者が出した結論は脊振山地ではなかったが、このような誘致活動は今後も引き続き行うことになっている（ILCと、その誘致活動については、Wikipediaを始め、学会、経済団体、マスメディア等、多くの情報が存在するので、それらを参照のこと）。

ところで、上述の４つの主な活動を行うには、OPACK事務局と九大教員との迅速かつスムーズなコミュニケーションが不可欠である。年１～２回程度なら良いが、教員と頻繁にやり取りするのは教員のほうが比較的容易であることから、設立時よりOPACKに教員を配置してきた。筆者は機械工学を研究教育分野とする工学研究院の教員として2007（平成19）年10月から出向（兼任）しており、九大の教員紹介や技術相談、企業訪問に同行した九大のPR、自治体職員等には大学研究者の気質の解説など「よろず屋」に徹した活動を行っている。[4]～[9]

産学官連携組織として、「まちづくり」を目標にしたOPACKのユニークな活動内容は、設立当初は時に「姿が見えない」と言われてきたが、まちづくりのPromotion組織として、少ないスタッフで地道ながら活動するにつれ、着実に認知度が上がりつつある。

Promotion組織なので、論文数や、売り上げや、誘致企業数や、人口増加や、動員数や、相談件数などの成果を数値的に挙げる意義はないが、これまでの活動と九大学研都市の研究施設等の集積状況については文献［10］（OPACKパンフレット）を参照されたい。現在のところ、公設試験研究機関がほとんどであるが、2015年を過ぎたころから、研究開発型の民間企業の立地も始まっている。

OPACKの今後と伊都キャンパスのまちづくり

九大伊都キャンパスへの統合移転事業は、国立大学法人九州大学の所在地が、2018（平成30）年10月１日をもって、福岡市東区箱崎6-10-1から同市西区元岡744に変更され、さらに2020（令和２）年度末に農学部附属農場が当キャンパス内に移転したことをもって、終了した。JR九大学研都市駅発の路線バスの行き先も、「九州大学伊都キャンパス」から「九州大学」へと変えられた。しかしこのことは、移転を予定した施設が当キャンパス内に完成したことしか意味しない。本構想が目指す「まち」の成熟にはさらに時間を要する。本構想を特徴づけるまちづくりのスキームとして、キャンパスと隣接地域との一体的なまちづくり「タウン・オン・キャンパス」と分散型地域核「ほたる」がある。前者については九大移転に必要な「大学門前町」として九大新町地区の住宅群と研究所群の建設がほぼ完了してはいる。しかし、桑原地区などの伊都キャンパスの北側はまだ手つかずのままであり、開業後わずか10年余りのJR九大学研都市駅周辺の予想を上回る発展（図４）に比べ、対照的である。後者も「新しいほたる」の需要が待っているが、当エリアにはそれを確保する場所についての議論が進みつつあるものの、まだ十分とは言い難い。九大学研都市の持つポテンシャルは想像以上に大きくなっている。もし、伊都キャンパスへの移転完了を期に九大学研都市づくりを止めれば、当初の産官学をあげて他に類を見ない構想を作り上げてきた努力が徒労に終わってしまう。既に述べたように、当エリアは九大の移転が契機となって、数十年すれば人家が集まっていくであろうが、九大が不便で

図4　JR九大学研都市駅北口広場の様子（同一方向を撮影）
（左：2007年12月，右：2020年10月）

渋滞する環境の悪い大学にならないよう、構想に基づくまちを建設する機運が維持され続けることが重要である。伊都キャンパスへの統合移転の成否は本構想の実現にかかっており、OPACKの役割は移転完了後からますます重要になっている。既にOPACKでは、移転完了約10年後における「九大学研都市のあるべき姿」を目標にし、それを実現するための中期事業計画を策定して、着実に事業を進めている。

参考文献

[1] 九州大学学術研究都市推進機構（OPACK）ホームページ, https://www.opack.jp

[2] 九州大学学術研究都市推進機構報告書等（事業計画），九州大学学術研究都市推進機構（OPACK）ホームページ, https://www.opack.jp/houkokus/

[3] 九州大学ホームページ（産学官連携支援）, https://www.kyushu-u.ac.jp/ja/research/cooperation/consulting/

[4] 吉田敬介，日本機械学会講演論文集，No.08-1, 4219,（2008）

[5] 吉田敬介，日本機械学会講演論文集，No.09-1, G2001-1-2,（2009）

[6] 吉田敬介，日本機械学会講演論文集，No.12-1（DVD），G200011,（2012）

[7] 吉田敬介，日本機械学会講演論文集，No.14-63, 325,（2014）

[8] 吉田敬介，日本機械学会講演論文集，No.16-1（DVD），G2000101,（2016）

[9] 吉田敬介・佐々木直栄，日本機械学会講演論文集，No.17-1（DVD），G2020306,（2017）

[10] 九州大学学術研究都市　知の創造空間づくりの現状（OPACKパンフレット），https://www.opack.jp/pamphlets/

19 先端技術が創り出す社会とキャンパス

安浦 寛人・綿島 理晃・坂井　猛

九州大学伊都キャンパスは、様々な先端技術の実証実験の場でもある。新しい技術を社会が受容するために、技術だけではなくそれを利用する社会制度やサービスのあり方を実践的に試行する場としての伊都キャンパスのあり方について理解を深める。

エネルギー技術の実証実験キャンパス

広大なキャンパスは、新しい先端技術の実験場でもある。伊都キャンパスには、公用車として２台の燃料電池自動車が配備され、水素ステーションも設置されている（図１）。また、水素材料や水素エネルギー関係の研究所、国内最大の大型燃料電池（都市ガスから水素を発生させて発電する最大出力250kWの大型設備）などの施設や設備が揃っており、世界有数の水素エネルギーに関する研究拠点となっている。

また、太陽光発電や風力発電と大型燃料電池を電力会社から購入する通常の電力系統と接続してキャンパス内のエネルギー供給を行っている。キャンパス全体の使用電力量とその供給源と供給量を「見える化」して、ホームページや学内の大型モニターに表示している（図２）。夏の猛暑日や冬の寒い日は、冷暖房による電力消費が大きくなり、電力会社との契約最大電力（現在は、13,890kw）を超過しそうになるが、大型燃料電池や太陽光発電などによって、400kW程度は補える。それでも、契約電力を超えそうになると、メールやホームページを使って、キャンパス内の教職員や学生に緊急節電を依頼するなどの対策を打つ。いろいろな新技術も導入しながら将来の水素社会のエネルギーマネジメントの実証実験を実践しているキャンパスである。

図1　水素ステーションと燃料電池車

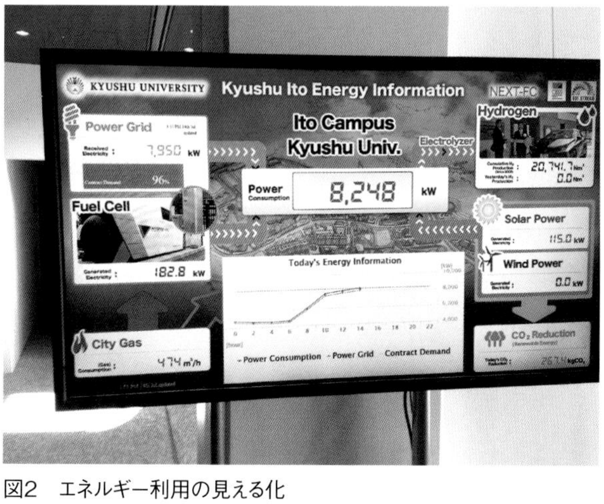

図2　エネルギー利用の見える化

情報通信技術の実証実験キャンパス

伊都キャンパスは、情報通信技術（ICT）による社会情報基盤の実証実験場でもある。九州大学の学生証や職員証は、本学で開発した独自技術であるVRICS（価値と権利の流通システム）で構成されており、建物や部屋の電子錠、各種証明書などの発行、図書館の利用証、生

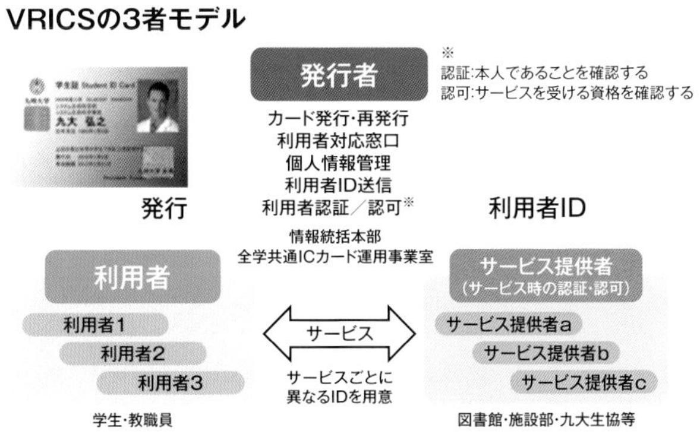

図3　学生証／職員証VRICS

図4　糸島市の市民カード（いとゴンカード）

協が発行する電子マネー、車の入構証など多くのサービスを一枚のカードで利用できるようになっている。キャンパス移転が完了するまでの間は、駅とキャンパスを結ぶ昭和バスの利用にもこの電子マネーが使え、学生に限っては自動的に約100円を大学が補助する仕組みもあった。

VRICSでは、カードの発行管理は情報統括本部で一元的に行っている。VRICSの最大の特徴は、それぞれのサービスごとに認証に使う利用者IDを違えていることである。電子錠は施設部、図書館証は図書館、電子マネーは生協とサービス提供者が違っている。それぞれのサービス提供者はそのサービスに必要なサービス固有の利用者IDと関連する個人情報を持っている。例えば、施設部は、電子錠を開くのに必要な資格（教職員や学生の所属や利用権の有無の情報など）だけを持っており、名前や学生番号などは持たない。図書館は、学生の名前と学生証番号までは持っているが、住所などの個人情報は持っていない。もし、図書の返却などで学生個人に直接連絡が必要な時は、情報統括本部を通して、学務部に当該学生の所属あるいは住所などの必要な情報を必要最低限だけ取得して利用する。情報（特に個人情報）を持つことはリスクであるととらえ、できるだけサービスを提供する部署のリスクを小さくする仕組みである。また、サービスごとに使っている利用者IDが異なるので、一つのサービス提供者のデータが、万一サイバー攻撃などにより漏えいしたり破壊されたりしても、他のサービスには全く影響が出ない。さらに、カードの利用による図書館や生協の利用履歴や建物の入管履歴などが意図的に紐付けられてプライバシーが脅かされることもない。このようにVRICSでは、プライバシーの保護とセキュリティの管理が効率的に行える仕組みとなっている。

VRICSは、糸島市の市民カードである「いとゴンカード」にも使われており、玄海原子力発電所の事故時に対応する避難訓練（毎年実施）や子供や老人の見守りなどに利用されている（図４）。

モビリティ技術の実証実験キャンパス

将来のキャンパス内の移動手段の高度化を目指して、キャンパスの入構ゲートの内側を、新しい移動技術の実験場としても活用している。福岡県警から、伊都キャンパスのゲートの内側に関しては、「道路交通法における道路性を認めない」という指定をうけ、通常の公道では行えない交通に関する実験を、大学の管理のもとで行えるようにしている。

2018年、日産の自動運転車（リーフを改造したもの、図５）とDeNAのロボットシャトル（12人乗り、図６）の自動運転の実験が、厳格な実験計画に基づき、安全を確保しながら実施された。

バスや乗用車、２輪車、自転車、歩行者が普通に往来する環境において、新しい自動運転技術を継続的に実験する環境は、国内にはほとんどない。一方、自動運転技術を利用した、利便性と経済性に優れたモビリティの導入は、今後の伊都キャンパスでの教育・研究活動に大きな影響を与える。大学が、場所と利用者を提供し、企業が技術を持ち込んで、実験走行によるデータ取得を行う。未来のモビリティ技術の実証実験キャンパスである。

図5　日産の自動運転実験車(通常のナンバープレートがないことに注意)

図6　DeNAの自動運転バス

図7　mobby rideの電動キックボード

自動運転のほか、自動運転を補完する技術として、スマートフォンを利用したオンデマンドバスサービス（日産とNTTドコモ）や信号機情報の無線配信とその利用（日本信号と日産）、路面側に置いたセンサー情報を利用した路車間通信による歩行者の安全確保（NTTドコモ）、AIを用いた交通案内サービス（NTTドコモ）、キャンパス内の人流解析による交通需要予測（NTTドコモ）などの実証実験も同時に行った。

2019年には、株式会社mobby rideによる電動キックボード（図７）のシェアリングサービスの実証実験を行った。電動キックボードは、日本の現行規制（道路交通法及び道路運送車両法）では、原動機付自転車として取り扱われているため、車体を改造しナンバープレートを取得したものしか公道走行ができない。伊都キャンパスでの実証実験は、公道に近い環境の中で、ナンバープレート等をつけず、かつ免許不要・ヘルメットの着用任意で利用できるシェアリングサービスとして日本初の事例となった。

九州大学を舞台に、NTTドコモ、DeNA、日産、日本信号、福岡市、福岡地域戦略推進協議会（FDC）、パナソニック㈱、㈱mobby rideによりコンソーシアムが組まれ、これらの実験を行ってきた。複数の企業が連携し、新しい交通システムの実験をバスや一般車両も通行しているキャンパス内で大学の認可の上で行っているのは全国的にみても珍しい事例である。

BYODとラーニングアナリティクス

九州大学では、５年前から学部学生に入学時に自分のパソコンを購入させている。いわゆるBYOD（Bring Your Own Device）である。マイクロソフトのOSやOffice、ウィルスチェックソフトのような基本ソフトウェアは、大学から学生に無料配布している。学生は、自分のPCを管理しながら、日々の学習を進める。これによって、人文社会科学系の学生も自ずとPCリテラシーを身につけることになる。授業は、電子教科書で行われ、予習や復習も含めて、その閲覧記録（いつどのページをどのくらい読んだかなど）を大学が集めている。１日で20万件以上のデータが集められ、すでに１億件以上の学習データが集まっている。ラーニングアナリティクスセンターでは、このデータを分析し、学生の学び方の指導や教員の教え方の改善に生かす取り組みを進めている（図８）。教育ビッグデータによる教育の見える化である。

九州大学から始まった情報技術を用いたラーニングアナリティクスによる学び方と教え方の改革は、今後、他大学から初等中等教育、社会人教育へと幅広く展開されることが予想される（図９）。伊都キャンパスで学ぶ学生諸君の日々の経験や意見が、日本のあるいは世界の教育を大きく変える可能性を秘めている。

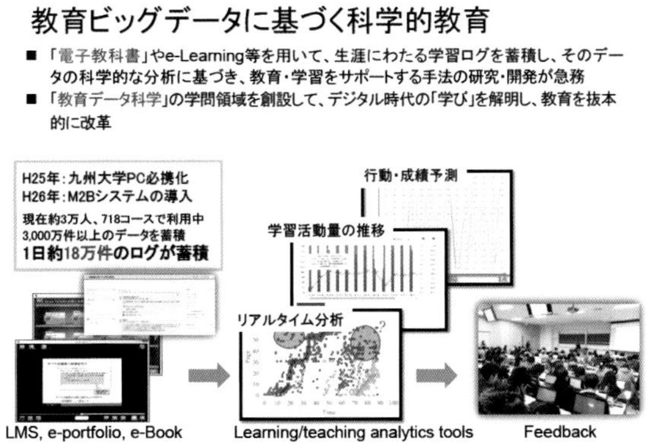

図8　ラーニングアナリティクス

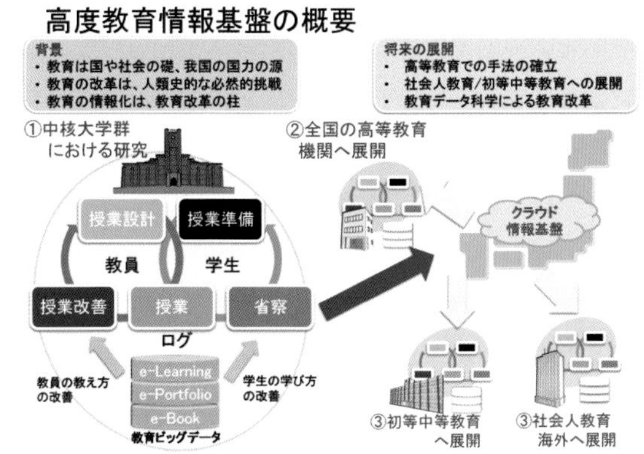

図9　情報技術による新しい教育の展開

キャンパスを活用した学生の活動

学生達もこのキャンパスを素晴らしい形で活用している。例えば、クラブ活動として「狩り部」（狩猟研究会）を作り、箱罠でのイノシシ捕獲と駆除を行っている。狩猟免許も取得し、専門家の教員の指導のもと、狩猟から解体、そして最終的な食肉にするまでの過程を学生自らが行い、自然界からの恵みをヒトがどのように享受しているかを実体験している。狩り部を創設した学生は、卒業して糸島地域のジビエ食材の流通を行う会社を起業した。また、糸島地域の振興に貢献しているサークルや学生の団体も多い。農業、酒の醸造、海の生態系の保存など幅広い活動が行われている。

このように、新しいキャンパスは、教育の高度化や多様化の壮大な実験場ともなっている。2017年６月には、起業部がクラブ活動として150名の部員で新しく立ち上がった。「野球部が野球をするように、起業部は起業をする」ということで、在学中の起業が入部条件となっており、多くの実業家にメンターとして協力していただきながら活動を始めている。新しい産業の担い手も育ちつつある。

日本の縮図とも言える伊都キャンパスの豊かな自然や各種の施設を資源として活用して、未来の社会を構築する夢をいろいろと試し、体験してほしい。

参考文献

［1］水素拠点全体像（水素エネルギー国際研究センター），http://h2.kyushu-u.ac.jp/education/index.html
［2］九大伊都エネルギーインフォメーション，http://energy-info.kyushu-u.ac.jp/#/
［3］九州大学全学共通ICカードについて，http://web.card.kyushu-u.ac.jp
［4］九州大学情報統括本部、http://iii.kyushu-u.ac.jp
［5］CT街づくり推進会議地域懇談会@九州，http://www.soumu.go.jp/main_content/000300639.pdf
［6］スマートモビリティ推進コンソーシアム，http://smpc.jp/outline.html
［7］ラーニングアナリティクスセンターについてhttp:// lac.kyushu-u.ac.jp/about.html
［8］糸島ジビエ研究所、http://gibierlab.jp/about/

20 「水素キャンパス構想」—未来エネルギー社会実現を目指す九大の挑戦—

佐々木 一成・藤田 美紀・財津 あゆみ

水素エネルギーによって未来のエネルギー社会の実現を目指す取り組みに関する理解を深める。

はじめに—人類とエネルギーの関わり—

人類とエネルギーの関係は、約50万年前に火を使い始めた頃までさかのぼる。その後、18世紀に入り産業革命が起こると、石炭をエネルギー源とする蒸気機関が利用されるようになった。エネルギーの利用用途も広がり、20世紀には石油が主要なエネルギー源となった。電気が普及し、発電に利用できるエネルギー技術の開発が進められ、今日では、石油や石炭、天然ガス、原子力、自然エネルギーなど我々の生活を取り巻くエネルギー源は多様化している。また、2014年12月には燃料電池自動車（FCV）の市販が開始され、水素ガスが一般車の燃料として使われ始めた。それに伴い、水素ステーションの設置や関連する燃料電池・水素エネルギー産業の形成が進み、エネルギー分野における大きな変革の一歩となった[1]。

水素エネルギーの供給と利用—エネルギー革新技術としての燃料電池—

水素エネルギーの研究開発を長年着実に進めてきた我が国は、その商用化で世界をリードしている。水素エネルギーシステムを利用した家庭用燃料電池（エネファーム）やFCVなどはすでに商用化されているが、それらのシステムの心臓部にあたるのが、燃料電池である。

燃料電池は、電気を出すデバイスとしては、乾電池やリチウムイオン電池などの蓄電池と同じであり、中心にイオンしか通さない電解質という材料が使われている化学電池の一種であることも共通している。しかし、乾電池や蓄電池がエネルギー源となる化学物質が内部に入っているタイプの電池であるのに対し、燃料電池はエネルギー源となる化学物質が電池内部に入っていないタイプの電池である。そのため、電気を出すにはエネルギー源となる物質を外から供給する必要がある。エネルギー源となる物質を供給し続けると電気を出し続けてくれるため、機能的には電池というより発電機に近いと言える。

燃料電池には様々なタイプの燃料電池がある。燃料電池の中心には電解質というイオンしか通さない物質が使われている。特定のイオンしか通さない物質は多く知られており、対象のイオンが十分に動く温度にすることで燃料電池を作動させることが可能になる。動けるイオンとしては、水素イオン（プロトン）、酸素イオン、炭酸イオン、OHイオンなどが知られている。これらの動くイオンの違いで、燃料電池のタイプが図１のように整理される。近年、普及してきているFCVをはじめ、家庭用燃料電池であるエネファームにおいては、固体高分子形の燃料電池が使われることが多く、その作動原理は図２

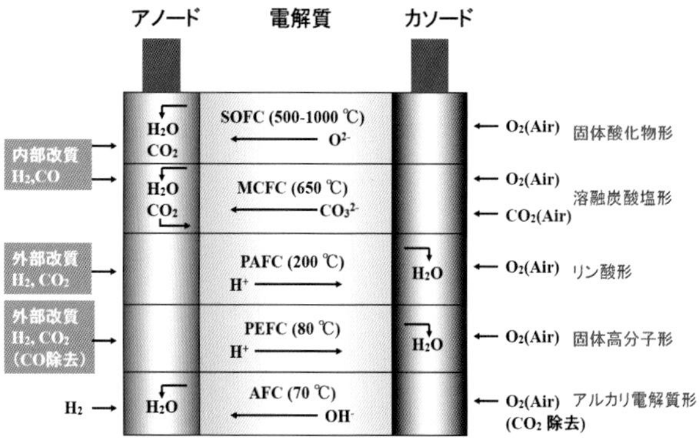

図1　燃料電池のタイプ

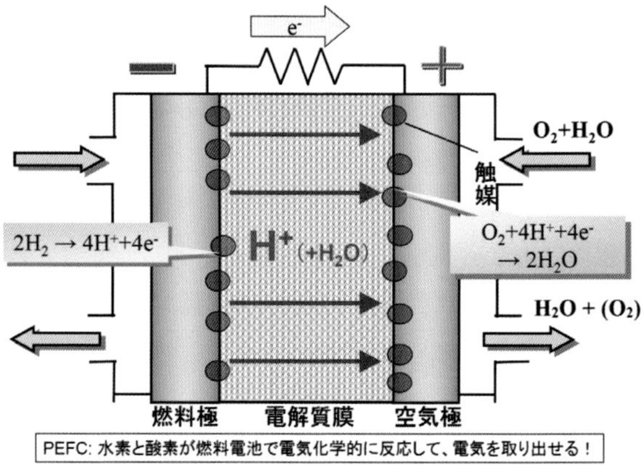

図2　固体高分子形燃料電池の作動原理

のとおりである。

燃料電池発電においては、燃料を燃やすプロセスがない。熱機関では、燃料の化学的なエネルギーが燃焼によって熱エネルギーになり、タービンやエンジンピストン等の運動エネルギーを介して、発電機を回して電気エネルギーに変わる。それに対して、燃料電池は化学エネルギーを直接、電気エネルギーに変換する。この「エネルギーの産地直送」を実現するのが燃料電池であり、電気化学反応にかかわる燃料が水素である。産業革命以降、膨大な量の化石エネルギー資源を燃やして経済発展をしてきた人類にとって、“燃やさずに”効率よく電気を取り出せる革新的なエネルギー変換手法と言える。

この反応で使われる水素は、地球上に最も多く存在する元素であり、水素ガスはいろいろな方法で作ることができる。製油所や製鉄所、ソーダ電解事業所の副産物の水素を有効に活用して、車の燃料として供給することが可能である。都市ガスやLPガスなどの既存のエネルギー供給ネットワークを活用して、水素原子を多く含むこれらの炭化水素燃料から取り出すこともできる。

また、エネルギー変換効率が高い燃料電池で発電することで、同じ量の電気を取り出すために必要な燃料の使用量を減らすことができ、結果的に省エネとCO_2排出削減が可能になる。つまり、水素を介して発電する燃料電池が普及することは、水素をエネルギーとして利用する、化石燃料依存型の現在の先にある「脱炭素社会」の実現につながる。

水素エネルギー利用技術とは

水素エネルギー利用技術は、エネルギー資源の大部分を輸入に頼るわが国にとって、エネルギーの多様化につながり、エネルギーセキュリティの観点からも重要になっている。また、わが国のエネルギー供給のあり方を根幹から変える可能性を有している。例えば、エネルギー供給事業者から見ると、エネファームを使うことで、都市ガスやLPガスから電気を供給することができる。これまで電気を供給・販売していなかったガス会社や石油会社が間接的に電気を供給販売することになる。水素が車の燃料になれば、水素を製造販売する石油会社だけでなく、都市ガスから水素を作れる都市ガス会社や水素を扱う産業ガス会社が車の燃料を販売することになる。水の電気分解で水素を作ることができれば、電力会社が車の燃料を販売できるようになる。消費者から見ると、エネルギーを購入する際の選択肢が増え、消費者自身がエネルギーを選んで買える時代が到来する。これらの水素を使った技術は我々の生活にも普及し始めている。

例えば、2009年に我が国が世界に先駆けて商用化を始めた家庭用燃料電池「エネファーム」は国民にとって身近な水素エネルギーシステムの一つである。政府の補助金政策や関連企業の低コスト化努力、計画停電体験を踏まえた家庭での創エネ意識の高まりなどを背景に、2021年８月には販売台数が累積40万台を突破している。

また、2014年12月以降、ガソリンに代わって水素を燃料とするFCV（図３）がトヨタとホンダから発売されている。更に、FCVと並行して、2016年には燃料電池バス（図４）の市販や、スズキの燃料電池二輪車（図５）の公道走行も始まっている。車は単なる移動手段であるだけでなく、電気と熱と水をすべて供給することが原理的に可能であるため、避難所の電気を賄うなど、非常時のライフラインとしても活用できる。

その他にも、高効率化のメリットが大きい数kW～数百kWレベルでの大型燃料電池やバス、トラック、フォークリフト、ポータブル発電機や船舶などの開発が進められている。

燃料電池を核にした水素エネルギー利用技術の本質的な社会的価値は以下に集約される。

- 燃料電池は、燃料を燃やさずに、効率良く電気を作れる。（水素を介した電気化学反応）
- 水素ガスを燃料にすると、出てくるものは水だけになる。（ただし、水素ガスを作る時にはCO_2を排出）
- 水素で車が動くならば、産業・車社会が石油に過度に依存せず、持続可能になる。（日本の基幹産業・我々の日々の移動が、特定の資源に依存しなくなる）
- 変動が激しい自然エネルギーからの電気が、水素の形で貯蔵可能になる。（電気を水素の形で蓄えることで、再生可能エネルギーからの電力の受入余地が増加）

水素製造・貯蔵技術

水素を使いこなす社会では、いかに水素を作り、蓄え、使うところまで運ぶかが鍵であり、これらの技術が、水素社会の成否を大きく左右する。FCVでは高圧ガスの形で水素を蓄えるが、定置型水素ステーション（図3，6）向けに大量の水素を貯蔵したり、移動式水素ステーション（図7）へ輸送する場合は、液化水素が有利になる。

また、有機ハイドライドなど水素原子を多く含む化学物質の形で水素を蓄えると、既存の燃料輸送用車両やインフラが使える。水素貯蔵材料や大量の水素貯蔵に適した水素キャリアの技術開発も進められている。メチルシクロヘキサンやアンモニア等、多くの水素原子を含み、エネルギー密度が高い物質にも期待が集まっている。

図5　スズキ製燃料電池二輪車「バーグマン フューエルセル」（東京モーターショー2017）

図3　九大水素ステーションとトヨタ自動車製「新型MIRAI」（右）[2]、「初代MIRAI」（中央）[2]と本田技研工業製「クラリティFUEL CELL」（左）[3]（すべて九大公用車）

図6　九州大学水素ステーション貯蔵タンク室（九大伊都キャンパス）

図4　トヨタ自動車製燃料電池バス（九大水素ステーション）

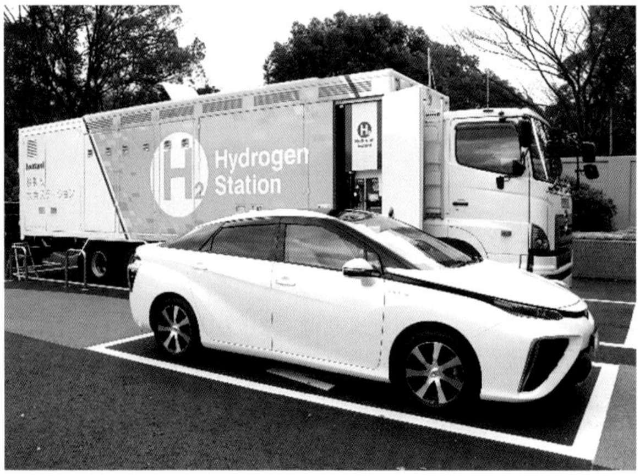

図7　移動式水素ステーション（イワタニ水素ステーション、福岡県庁）（写真提供 福岡県）

本学における定置用システムの普及啓発

二次エネルギーである水素の利活用は、燃料電池を使うことで高効率化が実現するメリットから本格化したと言える。エネファームは、発売当初、主に戸建て住宅への設置に限られていたが、マンション等の集合住宅への設置も始まり、固体高分子形モデルから一体型、自立運転対応、固体酸化物形の商用化、貯湯ユニットとの一体化とコンパクト化が進んでいる。本学では、その技術の進化がわかるように、図８のように、主な世代のエネファームを並べて設置している。

また、三浦工業製の業務用燃料電池（図９）を体育館の新設時に導入し、温水プールへの熱電併給にも貢献している。

さらに、三菱重工業製の産業用燃料電池複合発電システム（図10）をいち早く導入し、契約電力が１万キロワットを超える伊都キャンパスの電気の数％を賄う実証試験を実施して、２万５千時間の屋外での実運転を達成している。地震、台風、寒波、数多くの瞬間停電など、本学での実作動環境下の実証試験で得られた知見が、更なる技術革新に活かされている。

定置用システムは、その用途を拡大していくために、業務用、産業用、そして将来の発電用への更なる展開が期待されている。

本学における移動体用システムの普及啓発

今から50年以上前に我が国は液化天然ガス（LNG）の輸入を開始し、その後、数十年かけて都市ガスの燃料転換を成し遂げた。政府のグリーンイノベーション基金も活用して水素サプライチェーンの構築が始まっているが、国民が身近に接する水素インフラが水素ステーションになる。そのため水素ステーションの全国展開が水素社会構築に向けた大きな一里塚となる。

水素ステーションは高圧の水素ガスを蓄える施設であるが故に、安全対策には万全が期されるため、水素ステーションを設置する際には近隣住民の理解が欠かせない。また、水素ステーションの価値は、その水素を使ったゼロエミッション・モビリティにあるため、FCVとセットで社会の理解を得る取り組みが欠かせない。そこで本学では、2005年に実証研究用に設置された水素ステーション（図３，６）を現在も運営している。16年以上前から使われているこの水素ステーションは、国内外で

図8　各種家庭用燃料電池「エネファーム」（パナソニック、東芝燃料電池システム、アイシン精機、JX日鉱日石エネルギー（いずれも当時）の各社製、九大伊都キャンパス設置）

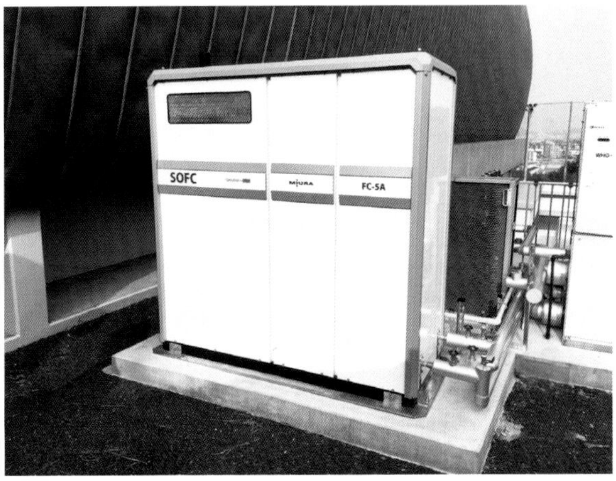

図9　業務用燃料電池システム（三浦工業製、九大伊都キャンパス設置）

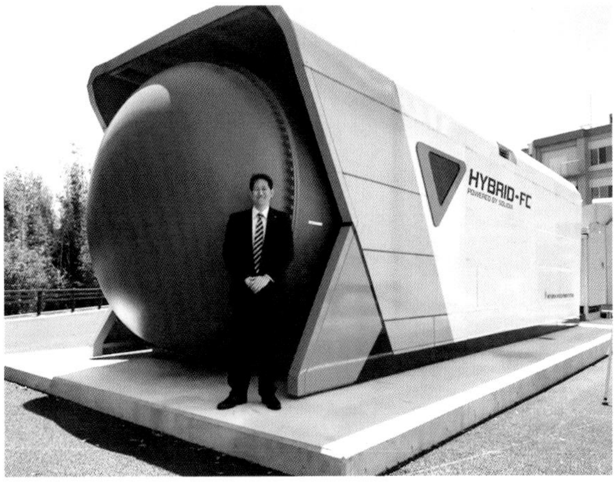

図10　産業用燃料電池複合発電システム（三菱重工業製、内蔵のマイクロガスタービンはトヨタエナジーソリューションズ製、九大伊都キャンパス設置）

も最も歴史が長いステーションの一つである。この水素ステーションは、電力会社と連携して作られたステーションで、現在は、常圧の固体高分子形水電解（水の電気分解）によって水素ガスを作り、10気圧未満対応のバッファータンクに一時的に蓄えた上で、400気圧まで昇圧して、汎用の金属製タンクに蓄えるタイプである。FCVへの充填は圧力差で行う旧式タイプであり、一般商用ではなく、本学のFCV公用車のみへの充填を行っている。

2005年の設置当時、定出力運転を行う原子力発電所の電気は夜間に余裕があったので、その電気で水素を作れば、燃料などの非電力の新規マーケットを開拓できるというコンセプトからスタートしたものである。社会は大きく変わり、現在は、変動が激しく、余りやすい再生可能電力を水素に変換して蓄え、モビリティや夜間の発電などに使えないか、検討できる水素ステーションになっている。構造がシンプルで理解しやすいステーションでもあり、これまで５万人以上の見学者・視察者の方々にできるだけ内部まで公開し、水素ステーションに対する理解を深めていただく場になってきた。皇太子殿下（現天皇陛下）をはじめ、国内外の国務大臣・国会議員・政府要人、地方議員・自治体関係者、課外学習の中高校生、地域住民、オープンキャンパス来場者、本学卒業生、産業界の方々、海外からの見学者などが訪れている。

本学では、2015年にトヨタ・MIRAI（図11）[2]、2016年にホンダ・クラリティ（図12）[3]、そして2021年にトヨタ・新型MIRAI（図13）[4]を大学公用車として導入し、伊都キャンパスが水素社会を体感・実感できる場になっている。大学での講義でFCV試乗会を行い、水素で走るクルマの乗り心地を体感してもらうことは学生にとって印象深い機会となっている。３台で乗り心地などを比べることも可能で、水素モビリティの進化を実感することができる。コロナ禍で、東京モーターショーなどの多くのイベントの中止が続き、大学でもほとんどの講義がオンラインになり、多くの学生にとってリアルな学びや体験がほとんどできなくなっていたため、福岡で感染状況が落ち着いていた2021年３月に感染防止対策を徹底した上で新型MIRAIの納車式（図13）[4]を開催した。

また遠隔講義がほとんどだった学生に技術革新をリアルに実感・体感してもらう機会を作るため、トヨタ自動車様、本田技研工業様、福岡県様のご尽力で、多様な水素自動車を展示する「九大水素モーターショー」（図14, 15, 16）[4]を開催した。水素の用途拡大には、水素燃料電池の商用車への展開が重要であり、関心を有する企業

図11　世界初の大学FCV公用車納車式　トヨタ自動車製「初代MIRAI」（2015年3月25日　九大伊都キャンパス）

図12　大学FCV公用車納車式　本田技研工業製「クラリティ FUEL CELL」（2016年10月15日　九大伊都キャンパス）

図13　大学FCV公用車納車式　トヨタ自動車製「新型MIRAI」（2021年3月19日　九大伊都キャンパス）

図14　九大水素モーターショー全景（2021年3月19日　九大伊都キャンパス）

…年会議所九州地区協議会の「九州縦…大伊都キャンパス、2021年7月30日）

…生の参加（図15）を得ること…

…は、九州経済連合会と日本青…「水素エネルギーの利活用推…し、「九州縦横断FCVキャラバン」出発式（図17）を伊都キャンパスの水素ステーションで開催した。"水素の聖地"である伊都キャンパスを起点に水素エネルギーの普及啓発イベントを九州各県で開催することで、水素インフラの整備や水素エネルギーの本格普及に地域を巻き込んで地道に取り組んでいる。

図16 「九大水素モーターショー」で展示された水素モビリティ：トヨタとホンダの共同開発による移動式発電・給電システムを搭載した燃料電池バスMoving-e（上）、デンヨーとトヨタの共同研究による長時間給電可能な燃料電池電源車（中）、発電された電気を調理器具に利用できるキッチンカー（下）

水素エネルギー社会の可能性
―九州大学水素プロジェクト―

アジアで初めて産業革命が起こった地に1911年に創立された九州帝国大学を源流とする九州大学は、創立当初から工学、特にエネルギーに関わる研究教育を着実に進めてきた。創立時に、当時のエネルギーシステムの学理であった蒸気工学を教授する機械工学第四講座が発足し、その流れを現在の水素利用プロセス研究室などの水素関連研究室が受け継いでいる。また、翌1912年に作られた材料強弱学教室が材料力学や水素脆化の研究教育を着実に進め、水素を多用する社会の安全を担保する役目を果たしている。このように、エネルギー研究教育は本学の110年にわたるDNAと言える。現在、水素製造から水素貯蔵、水素利用、安全までの水素エネルギーの総合工学的な体系を研究教育し、水素エネルギー全体を俯瞰する国際的な研究教育拠点としての活動を進めている。図21に示すように、人材育成、基盤研究、産学連携、技術実証、社会実装、国際連携、未来科学創造に向けた取り組みを今後とも大学を挙げて着実に進めたいと考えている。

水素社会の実現に向けた技術開
が、その道のりの中での関門の
と言える。水素社会を実現する
解や賛同が不可欠であるが、国
まだ身近なエネルギーとは言い
ても、そのイメージが頭に浮か
いないのが現状である。社会に
には、水素社会を多くの方々に
ともに、社会に普及させる社会
加速させていく必要がある。そ
を実証実験キャンパスと位置づ
やすく「見える化」する試みを
ス移転以降、地道に続けている（図18）。伊都キャンパスを水素社会のショーケース「水素キャンパス」（図19）として、多様な水素エネルギーシステムを設置・展示することで普及啓発に努めるとともに、エネルギー貯蔵技術としての水素エネルギーの可能性の実証、ゼロエミッ

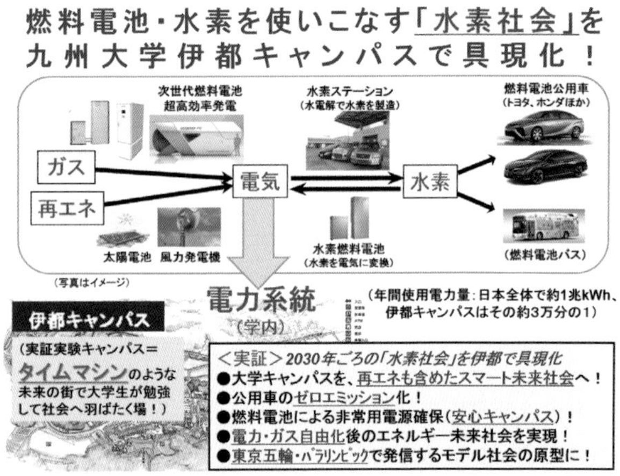

図18　九大伊都キャンパスで「見える化」する水素社会

図19　「水素ワールド」水素社会ショーケース（九大伊都キャンパス）

21世紀は知識基盤社会であると言われており、高等教育機関である大学にとって教育や研究を通じて社会をリードする人材を育成することは、最も重要な責務の一つである。九州大学水素拠点においては、2010年４月に設立された世界初の水素エネルギー分野を専門とする大学院である工学府水素エネルギーシステム専攻と連携し、水素エネルギー技術を核とした環境共生型エネルギー技術の基礎学理を習得した技術者・研究者の育成に貢献している[5],[6]。水素研究教育拠点は九州大学水素プロジェクトの活動を支える責任運営組織である水素エネルギー国際研究センターや関連センター施設群を含めると、現在、実験研究スペースは１万m^2を優に超え、教員・研究者・研究支援者・関連学生も総勢200人を大きく超える世界最大規模の拠点に成長している（図20）。工学府・水素エネルギーシステム専攻では「自己推薦型入試」を始めており、機械工学科以外の学科生もGPAやTOEICスコア、小論文、口頭試問などで選考の上、本専攻に入学することが可能になっている。また、水素を含む脱炭素エネルギー分野の博士課程生を対象とした「脱炭素エ

図20　福岡・九大の水素エネルギー研究教育拠点

ネルギー先導人材育成フェローシップ」のフェローに採用されると、月20万円の経済的支援と研究費を受けながら博士研究に専念できる。

これらの基盤を元に水素製造から水素貯蔵・水素利用や安全まで、再生可能エネルギーや社会受容性向上なども含めた、水素エネルギー全体を対象とする国際的な教育研究拠点としての活動を進めている。また、図21に示すように、多様な分野で社会に貢献する九州・福岡に世界最大規模の水素エネルギー関連の研究教育拠点が作られている。

このような拠点の重要性は水素エネルギー分野に限らず多くの産業分野・学術分野にも共通している。5年後、10年後の実用化を目指す革新技術の創製や、20年後、30年後の我々のエネルギー技術開発を牽引してくれる人材の育成は、息の長い取り組みが欠かせないエネルギー分野で特に重要である。人材育成をはじめ、基礎基盤研究や産学連携、技術実証や社会実装、国際連携、未来科学創造に向けた取り組みを今後とも着実に進めたいと考えている。

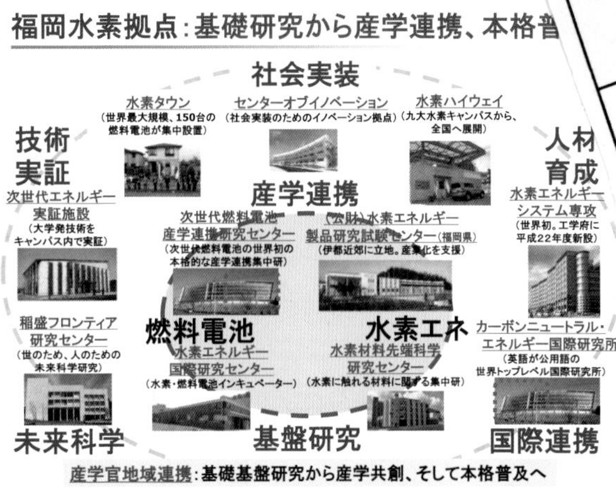

図21　九大の水素エネルギー研究教育拠点

参考文献

[1] K. Sasaki, H.-W. Li, A. Hayashi, J. Yamabe, T. Ogura, and S. M. Lyth, Hydrogen Energy Engineering: A Japanese Perspective, Springer (2016)

[2] トヨタ自動車ホームページhttp://toyota.jp/mirai/

[3] HONDA ホームページ http://www.honda.co.jp/CLARITY/

[4] 九州大学・水素エネルギー国際研究センター ホームページ https://h2.kyushu-u.ac.jp/

[5] 九州大学・大学院工学府水素エネルギーシステム専攻 ホームページ http://www.mech.kyushu-u.ac.jp/j/

[6] 九州大学・エネルギー研究教育機構 https://q-pit.kyushu-u.ac.jp/

21 有機光エレクトロニクスが切り拓く未来社会とキャンパスを中心としたイノベーションの集積

安達 千波矢

未来を切り拓く基礎研究と大学を中心とした
イノベーションHUBの形成に関する理解を深める。

有機化合物に電気が流れる？

電気伝導性の視点から物質を分類した場合、大きく絶縁体・半導体・金属に分類することができる。一般に炭素骨格からなる有機化合物は、プラスチックに代表されるように“絶縁体”として振る舞うことが常識であり、プラスチックの表面にテスターを当てても電流は決して流れることはない。しかし、プラスチックフィルムを0.1ミクロン（一万分の１ミリ）の極めて薄い膜に形成することで事態は一変する。この極薄膜に５V程度の電圧を印加すると、陰極と陽極から電子と正孔（プラスの電流）がプラスチックフィルム層に流れ、それらの電荷の再結合によってエネルギーの高い励起状態が生成され、その励起状態が元の基底状態に戻る際に光が放出される。これが有機エレクトロルミネッセンス（有機EL）※の原理である（図１）。ここで重要なポイントは、超薄膜化によって電界強度が１cm当たり約100万Vにも達していることである。まさに、物質をこのような極限状態に追い込むことで、常識では考えられない機能が発現するのである。（※現在、有機ELは、その発光原理に基づき、OLED：Organic light emitting diodesと呼ばれている。以下、OLEDと略す）。原理的にはフィルム状の発光デバイスが出来るため、現在では、軽量で薄膜のディスプレイや照明用途への開発が急速に進んでいる（図２）。

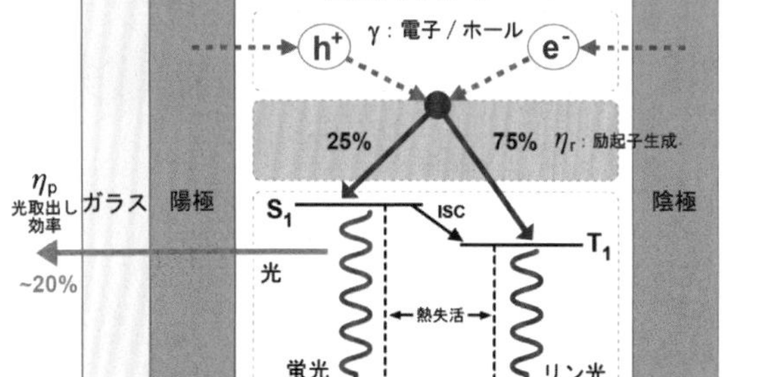

図1 OLEDの動作機構。電流励起下では、一重項励起子と三重項励起子が1:3の比率で形成される。

図2 フィルム状のOLEDのデモンストレーション

九大に起点があるOLEDの歴史

有機化合物の最初のEL現象は、1960年代にW. HelfrichとW. G. Schneiderらによって、ベンゼン環が３つ縮環したアントラセン単結晶において初めて観測されている[1]。当時は液晶デバイスの黎明期でもあり、Helfrichは液晶の研究も同時に進め、有名なTN液晶の発明者でもある。OLEDと液晶のどちらが未来の表示デバイスとして優れているのかの検討が真剣に行われていたことが、その当時の研究論文から伺える。そして、その頃のOLEDは、数ミリの厚みのある単結晶を用いていたために、電流駆動に数百Vの電圧が必要であり、実用化への展開は困難であると考えられ、多くの研究者が液晶の研究開発にシフトしていった。1970～80年代においてもいくつかの基礎的な研究が進められたが、実用化にはほど遠い状況であった。そんな中、1980年代の中頃から九州大学では、OLEDの萌芽的な研究がその当時電総研から着任された斎藤省吾先生によってスタートし、1987（昭和62）年から1991（平成３）年にかけて今のOLEDの基礎となる技術が確立されている（図３）[2]。丁度、同時期に

E. Kodak社のTangらによる積層構造デバイスの発表もあり、OLEDの研究が急展開を迎えた。そして1990年以降、世界中の多くの研究者がOLEDの研究開発に取り組み、さらに2000年以降、室温りん光材料の登場によって研究開発が加速され、産業化においても、携帯電話やMP3プレーヤー等の小型のパッシブ型の表示素子からアクティブ型のフラットパネルTVディスプレイへと実用展開が進められてきた。このような進展において、2012年、九大OPERAの研究グループは、OLEDの鍵となる革新的な発光分子の開発に成功した[3]。

分子を電気励起する過程で、発光効率を向上させる最大の難しさは励起子生成過程にある。電子とホールが再結合する際にスピン統計則に則り、一重項励起状態と三重項励起状態が25%と75%の割合で形成される。そのため、通常、一重項励起子を経由する蛍光材料を用いる限り、内部効率は25%の低い値に留まるが、三重項励起子を経由するりん光材料を用いれば、原理的には最大100%の高い励起子生成効率を得ることが可能となる。図４には、これまで開発されてきたOLEDの発光材料を示す。有機化合物で発光する材料と言えば多くの材料が蛍光材料（第一世代）であり、歴史的にも蛍光材料がOLEDの発光材料として幅広く用いられてきた。しかしながら、蛍光材料では電流励起下で本質的に内部効率が25%に留まるために、1990年後半頃から室温りん光材料の開発が進められ、イリジウム（Ir）化合物に代表される室温りん光材料の開発によって、発光効率の大幅な向上が達成された。これは中心金属に重原子をもつ有機金属化合物の内部重原子効果により一重項励起子が全て項間交差され三重項励起子となり、さらに三重項励起子からの光放射が許容されるためである。実際に、最適化したデバイス構成においては、ほぼ100%に達する内部効率が得られている[4]。

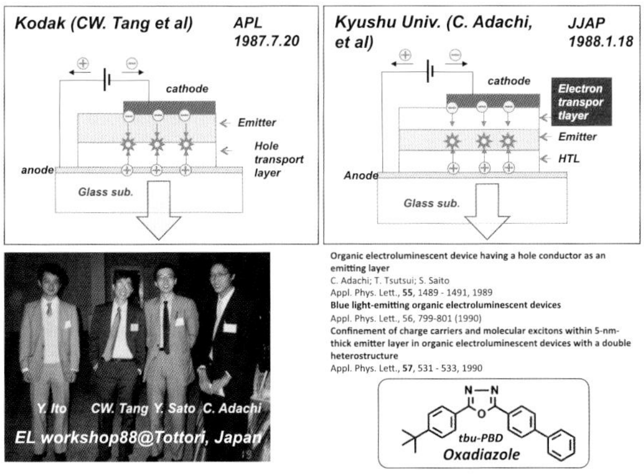

図3　1988～1989年ごろの九大におけるOLEDの研究活動の様子

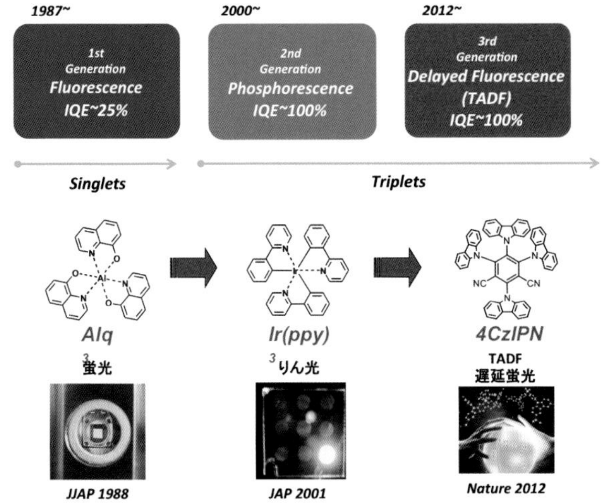

図4　OLED用発光材料の変遷

基礎研究から究極の発光分子の登場

りん光材料は三重項励起子の有効利用の観点から優れた発光効率を有するものの、分子骨格がIr、Pt等の貴金属を含有する有機金属化合物に限定されるために、分子構造が限られ、また、コストや希少資源の観点など様々な問題点を抱えている。さらに、りん光材料を含む貴金属錯体系では未だ安定な青色発光デバイスの実現が困難であることも大きな課題である。九大OPERAでは、2006年頃から有機化合物の特異な発光機構に着目し、これまで全く焦点が当てられてこなかった熱活性化遅延蛍光（Thermally activated delayed fluorescence：TADF）現象に着目した。三重項励起状態をりん光として取り出すのではなく、三重項励起子をアップコンバージョンによって一重項励起状態へ熱エネルギーによって持ち上げ、遅延蛍光発光として発光を取り出す技術である（図５）。TADFの現象自体はすでに1940年ごろから知られていたが、アップコンバージョン効率は数%程度であり、OLEDへの適用は極めて困難であると考えられていた。

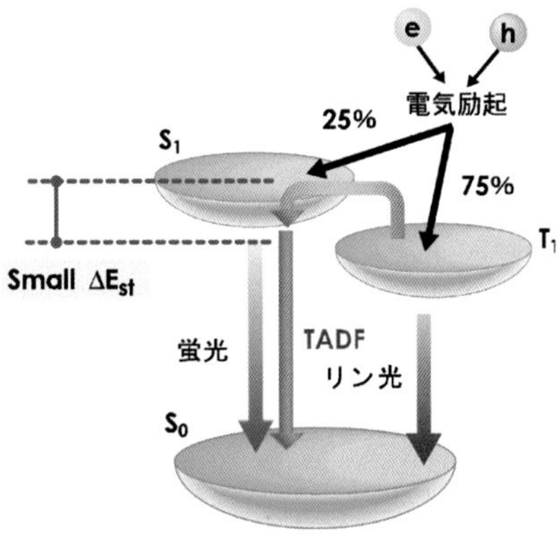

図5　熱活性化遅延蛍光（TADF）の発光機構

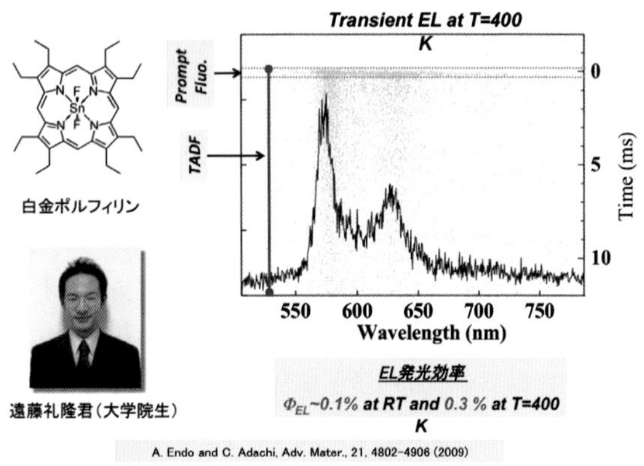

図6　世界初の電流励起によるTADFの報告

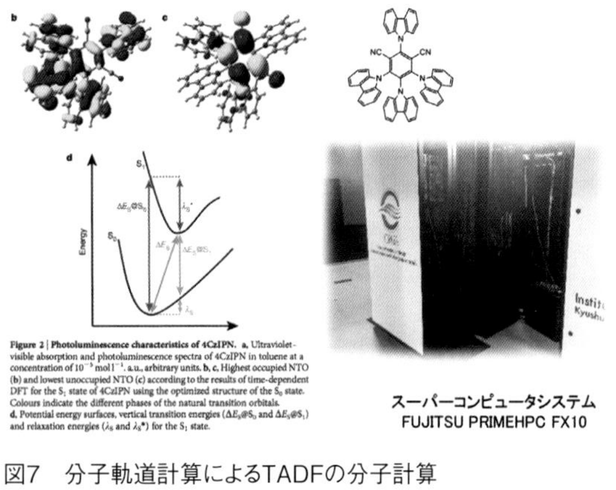

図7　分子軌道計算によるTADFの分子計算

当初、TADFの発現が知られていたPtポルフィリン（SnF２OEP）をモデル化合物にOLEDへの適用を行い、2009年に世界で初めて電流励起下でのTADF現象を確認している（図６）[5]。しかしながら、その外部発光効率は0.1%と極めて低い値に留まっていたために、大きな注目を集めることはなかったが、その後、量子化学の原理に立ち戻り、基礎的な分子設計に取り組み、ドナーとアクセプターからなるシンプルな分子構造で内部効率100%を示すTADF材料の開発に成功した（2012年Nature誌）[3]。これらの材料は、極めて単純なドナーとアクセプターからなる芳香族化合物であり、第一世代である蛍光材料、第二世代であるりん光材料の長所を併せ持った発光材料であり、100%の電気→光変換が実現したのである。TADFの大きなメリットは、その分子構造の自由度にあり、有機合成化学の知見を生かすことで無限の分子設計が広がっている。まさに、基礎研究をベースとしたハイリスクから生まれた、大学ならではの研究成果である。一度、TADFの原理が確立されると、様々な分子の創出が続き、現在では、スーパーコンピューターを用いた網羅的な材料設計やコンビナトリアルな材料探索が始まっている。今後、材料研究は従来の枠に留まらず、AI技術との融合が加速度的に進み、研究の手法が大きく変わると期待される。九州大学においても、最先端のスーパーコンピューターが導入されており、当分野の進展が期待される（図７）。

伊都キャンパスを中心としたイノベーションHUBへ

画期的なTADFの研究成果を受けて、2013年４月に、九大に隣接して、有機光エレクトロニクスの実用化の橋渡し拠点である“有機光エレクトロニクス実用化開発センター（i^3-OPERA）（(財）福岡県産業・科学技術振興財団）”が竣工した[6]。ここでは、九州大学OPERAで生まれた基礎研究の迅速な実用化展開を産学連携の共同研究で進めており、OLEDの研究開発からビジネス戦略、アプリケーション開発までを牽引出来る組織を構築すること、そして世界におけるOLED産業の新しい流れを形成することをミッションとしている。また、隣接した福岡市産学連携交流センター内に、福岡市の九州先端科学技術研究所（ISIT）があり、最先端の九州大学の研究と連携した民間企業との産学官連携研究が進められている[7]。ここでは、今、大学で生まれたシーズを迅速に実用化の視点から開発を進めることで、時間的なロスを最小限に抑え、新しい産業展開を推進することができる拠点形成が進んでいる。また、同じ建物内には、TADFを実用化する大学発ベンチャー（(株）Kyulux）が2015年度４月に設立された[8]。九大OPERAにて開発されたTADFの知財を核に、JSTやベンチャーキャピタル等から約15億円出資を受け、福岡とボストンを拠点にワールドワイドなアライアンスを形成し、早期の実用化を推

図8　九大発のベンチャーKyulux Inc.の設立

図9　九大伊都キャンパスを中心とした分子システムデバイスバレー構想

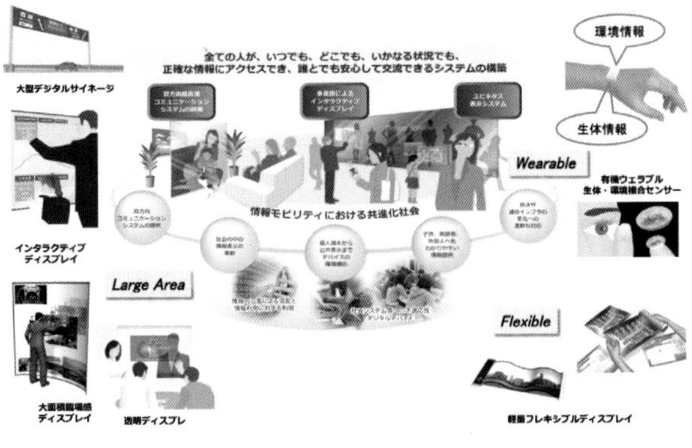

図10　未来社会を切拓く有機デバイスの発展と実装

進している。(図８)。

有機光エレクトロニクスはOLEDに代表されるように、省エネルギー、低コスト、大面積、フレキシブル、低環境負荷を実現する次世代エレクトロニクスの切り札である。今後、有機分子の無限の分子設計の可能性を生かして、さらに新しい有機半導体材料の創製を進めていくことで、画期的なデバイスの創成が期待できる。大学における研究の醍醐味は、まさに、“Zero to One”の研究に躊躇なく挑戦出来ることである。大学は、誰もが出来ないと思っている研究課題に積極果敢にチャレンジし、新しい研究の芽を作って行くことができるハイリスク－ハイリターンを実現出来るイノベーションのHUBである。新奇な現象は多くの場合、学問の境界領域に存在することから、今後、学問の枠を超えた融合研究が学内で進むことを期待したい（図９）。

同時に、デバイス化、アプリケーションの開発までを集積化することで、新しい未来社会の開拓が期待される。今後、私たち人類のライフスタイルは、国境を越えたシームレスな社会の形成へと進んでいる。その中核となる超大型ディスプレイやフレキシブル技術を核とした超薄型軽量モバイルディスプレイを実現するのは、まさにOLEDである（図11）。2005年の新キャンパスへの移転以来、九大OPERA、i^3-OPERA、ISIT、そして大学発のスタートアップが一体となって融合することで、基礎研究から実用化開発、実ビジネスまでが一体化した研究開発HUBの形成が、今、進んでいる。世界中から若い優秀な学生や研究者が伊都キャンパスに集積し、基礎研究から実用化開発までの研究開発のエコシステムが形成され、新たなイノベーションの創出が続くことを期待したい。

参 考 文 献

[1] M. Pope and C. E. Swenberg, “Electronic Processes in Organic Crystals and Polymers”, Oxford University Press, (1999).
[2] C. Adachi, S. Tokito, T. Tsutsui, S. Saito, “Organic Electroluminescent Device with a Three-Layer Structure”, Jpn. J. Appl. Phys. Part II, 27, L713 (1988).
[3] H. Uoyama, K. Goushi, K. Shizu, H. Nomura and C. Adachi, “Highly efficient organic light-emitting diodes from delayed fluorescence”, Nature, 492, 234 (2012).
[4] C. Adachi, M. A. Baldo, M. E. Thompson, S. R. Forrest, “Nearly 100% internal phosphorescence efficiency in an organic light-emitting device”, J. Appl. Phys., 90, 5048 (2001).
[5] A. Endo, M. Ogasawara, A. Takahashi, D. Yokoyama, Y. Kato, C. Adachi, “Thermally activated delayed fluorescence from Sn4+-porphyrin complexes and their application to organic light emitting diodes - a novel mechanism for electroluminescence”, Adv. Mater., 21, 4802 (2009).
[6] 有機光エレクトロニクス実用化開発センター（i^3-OPERA）http://www.i3-opera.ist.or.jp/
[7] 九州先端科学技術研究所（ISIT）http://www.isit.or.jp/
[8] 株式会社Kyulux http://www.kyulux.com/ja/index.html

22 これからの緑地環境

大槻 恭一

九州大学の緑地の今と後を見つめる。

はじめに

アメリカの日本近代史学者Conrad D. Totmanは、The Green Archipelago（緑の列島）というタイトルで、有史以来明治維新に至る日本の森林・林業史を出版した[1]。この本は、1998年に「日本人はどのように森をつくってきたのか」という題で翻訳出版された[2]。本書は、原著も翻訳書も極めて興味深い。日本における人と森の関わりの通史をこれほど明確に興味深くまとめた史書に未だ嘗て出会ったことがない。明治維新以降、日本では人と森林の関わりは大きく変化しているが、現在の日本の森林緑地の背景を理解するうえで、本書は必読の史書だと評価できる。

Totmanが日本を「緑の列島」と呼んだのは、日本が豊かな森林緑地で覆われていることに起因する。日本列島の68.5%は森林で覆われているが、この森林率は経済協力開発機構（2015年時点、OECD）加盟32カ国中フィンランドに次いで2番目に高い（表1）。この流れを汲むと、九州大学をGreen University（緑の大学）と呼ぶことができるし、伊都キャンパスをGreen Campus（緑のキャンパス）と呼ぶことができる。

表1　OECD加盟国森林率上位5か国（FAO,2015）

順位	国名	森林率（%）	森林面積（千ha）
1	フィンランド	73.1	22,218
2	日本	68.5	24,958
3	スウェーデン	68.4	28,073
4	韓国	63.7	6,184
5	スロベニア	62.0	1,248

九州大学の94%を占める演習林

九州大学は、日本で3番目に敷地面積が広い大学である（表2）。最も広い大学は北海道大学、2番目に広い大学は東京大学で、九州大学はこれに次ぐ。これらの大学が広い敷地面積を有しているのは、広大な演習林を有しているからである。

表2　日本の大学面積上位5大学

順位	大学名	面積*（ha）	演習林面積率（%）
1	北海道大学	66,024	98.9
2	東京大学	32,602	98.9
3	九州大学	7,581	94.0
4	鹿児島大学	3,656	92.9
5	日本大学	3,128	84.0

*借地及び地上権を有する土地を除いた面積

九州大学演習林は、九州帝国大学開学の翌年、1912年に設置され、2018年に創立106周年を迎えた。現在は、農学部附属施設であり、次の3つの演習林から構成されている（図1）。

- 北海道演習林：北海道足寄町
- 福岡演習林：福岡県篠栗・久山町
- 宮崎演習林：宮崎県椎葉村

九州大学演習林は九州大学の敷地の94%を占め、北は北海道から南は宮崎県に配置されており（表3）、日本の大学演習林で最も広域に展開している（緯度：32〜43°、経度：131〜144°）。したがって、3演習林の気候・植生は多様である。

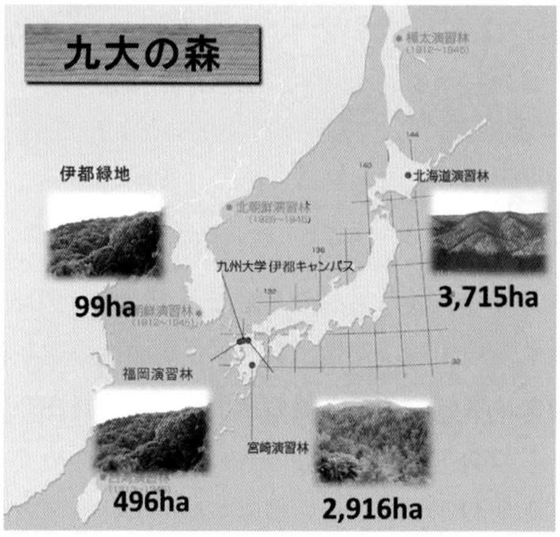

図1　九州大学の森林緑地の位置図

表3　九州大学の土地内訳

土地	面積 (ha)	面積構成比率 (%)
北海道演習林	3,713	49.0
宮崎演習林	2,916	38.5
福岡演習林	496	6.5
伊都キャンパス	100	1.3
合計	7,126	94.0

年降水量で見ると、福岡演習林は日本のほぼ平均に相当する約1,700mm、北海道演習林は日本最少クラスの約800mm、宮崎演習林は日本最多クラスの約3,500mmである。年平均気温も、北海道演習林の４～６℃、宮崎演習林の７～13℃、福岡演習林13～16℃で、年平均気温が数珠繋ぎのような形でつながっており、気候区分は冷温帯～中間温帯～暖温帯をカバーしている。北海道演習林所在の足寄町に位置する標高1,499mの雌阿寒岳は、山麓部はエゾマツ・トドマツ、中腹部はハイマツで覆われており、標高1,000m程度登るだけで、本州では標高2,500mの高山に登らないと見ることができない植生にで出会うことができる（写真１）。このように、九州大学演習林は、所在地域を含めれば亜寒帯～暖温帯に至る幅広い植生帯をカバーしており、亜熱帯を除く日本の自然植生に触れることができる。

写真1　雌阿寒岳中腹のハイマツ群落

九州大学演習林は自然植生だけでなく、多様な人工林も有している。日本の森林の41%は人工林で占められており、その上位はスギ（43%）、ヒノキ（25%）、カラマツ（10%）で占められている。九州大学演習林では、これら主要人工林樹種の全てについて施業試験を継続している。さらに、北海道演習林では、最近日本で取り組まれるようになった広葉樹造林を1972年に全国に先駆けて実施した。この広葉樹造林は、150年を１周期としてミズナラ良質大径材を持続的に生産する試験として始まったものであり、試験開始当初は奇異の目で見られていたが、46年の年月を経た現在、非常に貴重な広葉樹人工林試験地として世界から注目されている。

このように、九州大学は、全国に広く多様な演習林の森林を展開しており、Green Universityと呼ばれるのに相応しい森林を有している。

日本最大の伊都キャンパスの36%を占める保全緑地

伊都キャンパスの敷地面積は272haであり、単独キャンパスでは日本最大である（表４）。伊都キャンパスで特筆すべき点は、この広大なキャンパスの36%に相当する100haが保全緑地と呼ばれる緑地で覆われていることである。保全緑地の面積は、日本の大学キャンパス敷地面積全国第８位の大阪大学吹田キャンパス100haとほぼ等しく、同第９位の宮崎大学木花キャンパス84haより広い。すなわち、伊都キャンパスはGreen Campusと呼ばれるのに相応しい広大な森林緑地を有している。

表4　日本のキャンパス敷地面積上位5大学

順位	大学	キャンパス	敷地面積* (ha)
1	九州大学	伊都	271.7
2	東北大学	川内・青葉山	256.1
3	広島大学	東広島	249.2
4	筑波大学	筑波	245.4
5	金沢大学	角間	200.9

*借地及び地上権を有する土地を除いた面積

保全緑地は、森林法に基づく福岡県林地開発基準により、敷地面積の25%以上の森林率を確保し、周辺部に残置森林または造成森林を配置することが義務付けられていることから、伊都キャンパスに配置された緑地である。この保全緑地を大学の「緑の資産」として活用することは、九州大学の新たな百年への課題であるとともに、近年世界の大学で求められているサステイナブルキャンパス[3]を実現するための課題でもある。

保全緑地の特徴

伊都キャンパスが位置する糸島半島は、玄界灘に突出した半島で、西に可也山（標高365m）、北西に火山（標高244m）・柑子岳（標高254m）等の山並・丘陵が広がり、南に背振山系に至る広大な平野に田園が広がっている。伊都キャンパスは、この緑豊かな糸島半島のほぼ中央に位置する東西に伸びる小起伏の丘陵地であり（最高標高121m）、北側・西側は森林で囲まれ、南側・東側は田園地帯で囲まれている（標高最低１m）。

伊都キャンパスには、東西に長く伸びる中央部のアカデミックゾーンを貫く幹線道路とウエストゾーンを南北に伸びる幹線道路が横Ｔ字型に繋がって配置され、キャンパスの骨格を成している。保全緑地は、この幹線道路に面する教育研究施設を取り囲むような形でキャンパスの縁辺部に配置されており、以下の５つのゾーンに分けられている。

１．生物多様性保全ゾーン

伊都キャンパス北部に位置する森林と水辺が接する森林緑地であり、生物多様性が高く、多様な生物と接する自然体験を通じて森林や野生生物について学ぶことができる場所である。

２．生物多様性研究ゾーン

伊都キャンパス南縁に位置する森林緑地であり、生物多様性や自然再生に関する野外研究に活用することが可能な場所で、博物館等と連携して自然散策や自然学習の場所としても活用できる。

３．史跡の森散策ゾーン

伊都キャンパス東部北縁に位置する森林緑地であり、多数の古墳を有する。緑地の中に歴史や文化に即した景観を形成し、史跡を巡る散策を通じて歴史・文化を学ぶことができる場所である。

４．森林群落保全ゾーン（東部エリア）

伊都キャンパスの東部南縁に配置された多様な森林群落を有する森林緑地である。水崎城址を擁する標高95mの城山が中央部に位置し、伊都地区における九州大学のランドマークとなっている。

５．森林群落保全ゾーン（西部エリア）

伊都キャンパスの西縁に配置された多様な森林群落を有する森林緑地である。竹林管理技術や照葉樹林保全技術の確立のための実験地として有効な場所であり、運動施設ゾーンと連携した散策やトレーニングの場所としても活用できる。

６．森林群落再生ゾーン

伊都キャンパスの西部北縁に位置し、林床移植や根株移植等により森林の再生を図る場所である。

伊都キャンパスの緑100年を考える

九州大学は、2001年に九州大学新キャンパス・マスタープラン2001を決定した。その全体計画目標の一つとして「糸島地域の悠久の歴史と自然との共生」を掲げ、保全緑地をこの目標を実現する主要な場所として構想に入れた。

マスタープラン2001決定から約20年を経た現在、九州大学の新たな百年を見据え、今後の伊都キャンパスの緑地環境をマスタープラン2001に挙げられている保全緑地に関する構想を軸に見直してみたい。

１．生物多様性の保全と自然・生命との共生

保全緑地は、天然林・里山二次林・人工林等の多様な森林で覆われた小山・丘陵地（森林生態系）であり、常緑広葉樹林・落葉広葉樹林・常緑針葉樹林等の多様な樹種を擁している。キャンパスの谷間からは水が湧き出て、湿地が形成され、小川が流れ、ため池が各所に配置され（水域生態系）、その周辺は水田・畑地・果樹園・牧草地などで構成される農学部附属農場（農業生態系・草地生態系）で囲まれている。この保全緑地や農場を縫うような形で建築された近代的な学園都市（都市生態系）では最先端の教育研究が行われている。このように、伊都キャンパスは多様な生態系によって構成されており、「緑の列島」、「瑞穂の国」、「科学技術立国」と呼ばれる日本の縮図のようなキャンパスであると言っても過言でない景観を有する日本で唯一無二のキャンパスである。

保全緑地確保のきっかけは、森林法に基づく福岡県林地開発基準による開発規制であった。しかし、そのお蔭でこのような多様な生態系を織り成す日本の縮図とも呼ばれるのに相応しいキャンパスを構築できたのは、創立百周年の節目を迎えた九州大学にとって千載一遇のチャンスである。

２．保全緑地と整備緑地が融合した景観の創造

保全緑地は、伊都キャンパスの縁辺部に配置され、キャンパスに多様な森林緑地景観を提供している。キャンパスの骨格を成す幹線道路・キャンパスモール周辺のキャンパスコモンや教育研究施設用地にも緑豊かな整備緑地が配置され、縁辺部の保全緑地と融合した景観を提供している。この整備緑地を通じて縁辺部の保全緑地を繋ぐグリーンコリドーが設置されている。これらの緑地を融合し連結することにより、キャンパス内の緑の景観を途切れさせずにつなぎ、また縁辺部に配置された保全緑地の生態系を互いにつなげて豊かな生物多様性が保全されるようにした。

3．遺跡の保存・活用に基づく歴史と自然の共生

糸島地域は、弥生時代には「伊都国」と呼ばれ、政治・経済・外交の拠点として中国や朝鮮半島の文化・技術の影響を受けて発展してきた悠久の歴史を誇る地域である。したがって、糸島地域には遺跡が多く、伊都キャンパスにも古墳、製鉄遺跡、集落跡、中世山城の遺構等の埋蔵文化財が数多く残されている。これらの遺跡は、伊都キャンパスの開発と共に慎重に発掘調査されながら保存されてきた。今後は、遺跡の発掘調査・保存を継続するとともに、必要に応じて順次公開し、九州大学の資産として活用することが望まれる。

伊都キャンパスの遺跡の多くは保全緑地に存在している。公開対象の遺跡を織り成す形で保全緑地内に遺跡散策路を敷設することが求められているが、遺跡と緑地の共存は簡単ではない。植生の成長に伴う根の伸長や樹体の荷重増が遺跡に損傷を与える可能性があり、公開された遺跡の見物客の踏圧等により植物の成長が妨げられる可能性がある。したがって、保全緑地における歴史的資産と自然的資産を活用しながら共生させる技術を確立する必要がある。

4．周辺地域から見た景観形成への配慮

糸島地域は、福岡市中心部から車で40分程度に位置する自然と歴史に恵まれた地域である。また、糸島地域は農業・畜産業・水産業も盛んで、風光明媚な土地柄から観光も盛んになり、全国的に人気を博するようになった。このような背景のもと、九州大学は周辺地域から見た伊都キャンパスの景観にも配慮している。伊都キャンパス開発時には、キャンパス内の施設群の景観が周囲の山並みや集落等の景観と調和するよう注意が払われてきた。保全緑地では、移転開始時から繁茂していた竹林の除去に尽力してきた。今後は、竹林除去を継続するとともに、良好な景観やセラピー効果が得られるような整備竹林も創出していく必要がある。

5．緑地の環境資源を生かすネーチャー・トレイル

伊都キャンパスには、知的交流を推進する活気溢れる環境を提供するとともに、思索に耽ることができる精神的な潤いと憩いを享受できる環境も提供する必要がある。そこで、伊都キャンパスでは、保全緑地や整備緑地内に散策路としてネイチャー・トレイルを整備することが計画されている。保全緑地は豊かな自然環境のみならず、悠久の歴史を刻んだ遺跡に富み、糸島地域の魅力的な眺望が得られる視点場を多数包含している。ランドマークである水崎城址の山頂に展望台を設ければ、福岡市や博多湾を含む360°の景観を眺望できる。

生物多様性保全ゾーンの沢地、豊かな自然を体感できる森林、古代の遺跡、周辺の田園地帯や山並みの良好な眺望が得られる視点場等の特徴的な空間をつなぐネーチャー・トレイルのネットワークを形成することで、利用目的に即した特徴ある多様な散策ルートを提供することができる。ネーチャー・トレイルは、保全緑地や整備緑地を体験学習に活用する「自然観察の道」、心身をリフレッシュする「逍遥の道」、自然の静寂な環境の下で思索に耽る「哲学の道」、クロスカントリーやトレイルランを楽しめる「健康増進の道」として活用されることが期待される。ネーチャー・トレイルは、「緑地・境界管理道」として、緑地・境界の維持管理に必須の作業道としても利用可能である。

おわりに

伊都キャンパスは、保全緑地を中核に、多様な生態系を織り成す日本の縮図と呼ばれるのに相応しいキャンパスである。ただし、広大な緑地は諸刃の剣でもある。緑地は適切に維持管理し活用すれば資産となるが、維持管理が不適切であれば負の資産になってしまう。伊都キャンパスの緑地を「緑の資産」とするためには、緑地内・境界の安全安心を保障する専任技術者による管理体制、緑地を活用する専任教職員による運用体制の整備が不可欠であると考える。

参考文献

[1] Conrad DT. “The Green Archipelago: Forestry in Preindustrial Japan”, California University Press, (1989).

[2] コンラッド・タットマン・熊崎実（訳）“日本人はどのように森をつくってきたのか” 築地書館,(1998).

[3] Giulia S. et al. “True green and sustainable university campus?” Sustainability, 8, 83 (2016).

[4] FAO “Global Forest Resources Assessment 2015” FAO, (2015).

23 多様なひとに拓かれるインクルーシブキャンパスへ

田中 真理

キャンパスを利用するすべてのひとがその能力に応じて教育等の機会を作るために、多様なひとに拓かれたインクルーシブキャンパスはいかにあるべきだろうか。そのための物理空間・制度・情報・心理的なバリアフリー環境の構築を理解する。

多様性と包摂inclusion

2015年９月の国連サミットで採択された持続可能な開発目標（SDGs：Sustainable Development Goals）は17のゴールから構成されている。これらのうち、繰り返し登場するキーワードのひとつに包摂性inclusionがある。例えば、目標４教育では、「すべての人に包摂的かつ公正な質の高い教育を確保し、生涯学習の機会を促進する」、目標８経済成長と雇用では、「包摂的かつ持続可能な経済成長及びすべての人々の完全かつ生産的な雇用と働きがいのある人間らしい雇用を促進する」、目標11持続可能な都市では、「包摂的で安全かつ強靭で持続可能な都市及び人間居住を実現する」、目標16平和では、「持続可能な開発のための平和で包摂的な社会を促進し、すべての人々に司法へのアクセスを提供し、あらゆるレベルにおいて効果的で説明責任のある包摂的な制度を構築する」等である。

包摂性の対象については、文化・宗教・国籍・世代・ライフステージ・性別・心身機能等、多くの観点が挙げられるが、本章では、心身機能の多様性に関する「障害」という観点を取り上げていくこととする（図１）。

上述したような国際的動きとともに、国内において「障害」の観点から包摂性をめぐる法的な動向を概観すると、2006年バリアフリー新法、2018年障害者文化芸術活動推進法、2019年読書バリアフリー法、2021年改正障害者差別解消法等、複数の法整備がすすんでいる。これらの法的動向を背景に、九州大学においても、2016年に国立大学法人九州大学就業通則の一部を改正し、第28条の３に「職員は、障害者に不当な差別的取扱いをしてはならない。また、障害者の意思の表明の有無にかかわらず、合理的配慮を提供しなければならない。」と追記された。また、2016年「国立大学法人九州大学における障害を理由とする差別の解消の推進に関する規程」および「障害を理由とする差別の解消の推進に関する実施要領」が策定され現在にいたっている。

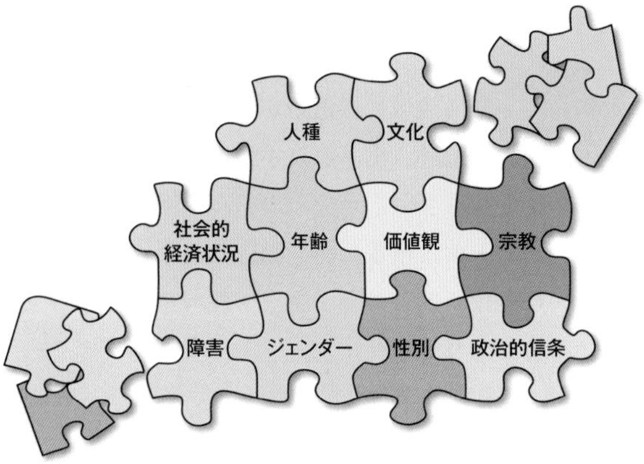

図1　多様性

したがって、九州大学において制度化されたもとでの、「障害」の観点からのインクルーシブキャンパス推進の取り組みの歴史は始まったばかりであるといえる。

九州大学における障害者

障害学生を包摂したインクルーシブキャンパスに関して、先進的な欧米では、例えば、リハビリテーション法504条をもとにして1990年に障害をもつアメリカ人法（ADA：Americans With Disability Act）、またイギリスでは障害者差別禁止法（DDA: Disability Discrimination Act）等により、障害の有無に関わらず大学で教育をうける機会が保障されてきている。このことの推進状況の違いは、障害学生の在籍率が日本が1.09％（2020年）であるのに対して欧米では３～10％という数字の開きからもよみとることができる。

九州大学では、現在、何らかの障害や疾患のある学生数は500名程度在籍し、その５分の１の学生が授業における合理的配慮[1]を申請している。配慮が申請されている授業数は年々増加しており、2020年度では1295科目において実施されている（図２）。

このような数値からも、九州大学には多様な心身機能の構成メンバーが存在していることが示唆される。したがって、多様性に拓かれ個々人の個性と能力を十分に発揮できるインクルーシブキャンパスの構築は喫緊の課題である。

障害と社会包摂

「障害」とは、「心身の機能障害があるものであって、障害及び社会的障壁により継続的に日常生活または社会生活に相当な制限を受ける状態にあるもの」と定義されている（国立大学法人九州大学における障害を理由とする差別の解消の推進に関する規程，2016）。つまり、何らかの心身機能に障害があることのみが「障害」なのではなく、「社会的障壁」もある場合に障害があるととらえる、という社会モデルの考え方である。九州大学において漢字の「障害」表記となっていることも、この社会モデルに依拠していることによる[2]。

つまり、障害は社会によって作られた社会的障壁によるということができる。したがって、インクルーシブ環境を推進していくためには、キャンパス内に存在する社会的障壁を低減あるいは除去するためのアプローチが求められる。

４つの社会的障壁

伊都キャンパスでは、社会的障壁を減じるために、どのようなバリアフリー化をすすめているだろうか。

社会的障壁は、物理空間・制度・情報・心理の４つの側面から分類できる。本章では、紙幅の都合上、制度的バリアフリーは割愛し、その他の３つについてそれぞれ具体的な事例を取り上げながら概説する。

なお、ここで紹介する実施事例は、ユニバーサルデザイン（ハード・ソフトを含む）として整備されたものではなく、個別の要望を背景に実施されたものである。例えば、施設等のハード整備におけるユニバーサルデザインについては、他章でも紹介しているように、「福岡市福祉のまちづくり条例」の整備基準を満たし、九州大学「パブリックスペース・デザインマニュアル2016」の指針にしたがって取り組まれてきているが、本稿では、教職員や学生からの要望に個別に対応し、その結果としてユニバーサルデザインとなった事例を中心に紹介していく。

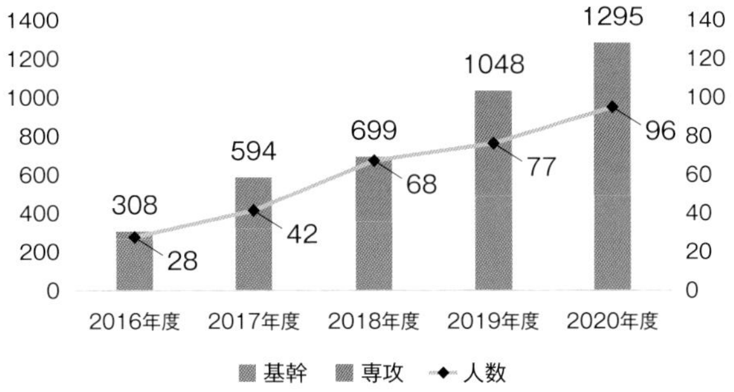

図2　合理的配慮申請科目数および申請人数

1）物理空間のバリアフリー

伊都キャンパスは、地形上避けられない高低差が、キャンパス内のほぼすべての場所に存在している。そのため、エスカレーターやエレベーター等の昇降装置等を設置することにより移動のバリフリー化を図っている。この快適な動線により移動を支えている中心となるのが、イーストゾーンからセンターゾーン、そしてウエストゾーンまでの主要建物10棟をつなぐ東西約２kmにわたる「ユニバーサルレベルルート」である（図３）。計画当初から、雨に濡れずにキャンパス内を車いすでも移動できることを目指したものであり、2021年にはセンターゾーン１号館から５号館に屋根付きの通路が完成した（図４）。

これらのバリアフリー化によって、車いすユーザー等の移動が可能になった。特に、自走式車椅子を使用している場合には、車椅子を操作しながら傘をささなければならない状況は、移動に大きなバリアをもたらす。このような社会的な障壁をなくすために、ユニバーサルレベルルートや屋根付きルートは機能している。

以下、伊都キャンパスの物理空間や移動のバリアフリー化の取り組みを示す。

- 椎木講堂前信号：車いす利用者にとって交差点移動に十分な時間を確保するために、青信号（点灯＋点滅）時間を19秒から24秒へ変更した。
- 信号の位置：車いす利用者は信号操作ボタンに手が届

かなかったため、操作しやすい位置へ移動した。

・駐車場：ドライブスルー型駐車場（コラム１参照）

・歩道段差：肢体不自由者にとっては段差が支障となるが、一方で視覚障害者にとっては段差によって歩道と車道との違いが明確となるため、両者を加味した段差を設定した。

・自動販売機：子どもや車いす利用者等が利用する高さや、手先に不自由さのある利用者が操作しやすい形状となっている（図５）。

2）情報のバリアフリー

キャンパスで主体的に行動していくために必要不可欠なこととして、情報収集がある。学生について考えると、情報のなかでも特に中核となるのは授業内容である。大学の授業は、その授業形態が非常に多様であり、講義・演習・実験・実習等の形態や、使用される教材も作品・映像・化合物などの視覚的な情報、教員の講義をはじめ他の受講生のプレゼンテーションなど聴覚的な情報といった非常に幅広い情報が含まれている。これらの情報へのアクセシビリティを保障することがインクルーシブ教育には求められる。

また、授業以外で取得しなければならない情報としては、様々な行事や各種サービスに関する情報等が挙げられ、これらはキャンパス生活の福利厚生の向上に関わる必須の情報である。さらに災害等の非常時の情報取得は命に直結する情報である。このような情報取得は自立したキャンパス生活を支えることにつながっており、それらの情報を受け取る側のひとの多様性をふまえて整備する必要がある。

以下では、九州大学が情報のバリアを除去するための取り組みの事例を示している。

・遠隔授業システム：講義室へのアクセスが困難な場合に、別空間からリアルタイムで授業に参加できるシステム。画面の大きさが視聴者側で調節可能であり、リアルタイムで字幕も表示される。Moodleともシームレスに連携している（図６）。

・看板：色覚の多様性に対応した色使い（カラーバリアフリー）を使用した学内案内版を設置している（コラム２参照）。

・ノートテイク：音声情報を文字情報にかえて情報を届ける。ノートテイカーを担うのはトレーニングを受けた九州大学アクセシビリティ・ピアサポーター（以下PS）の学生である（図７）。

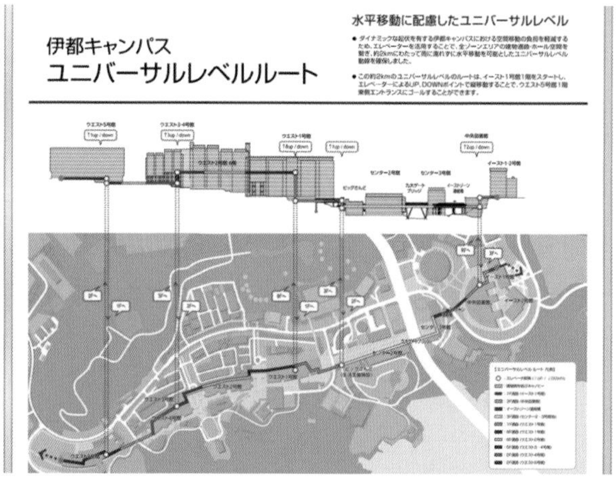

図3　ユニバーサルレベルルート

図4　伊都キャンパスセンター1～5号館通路

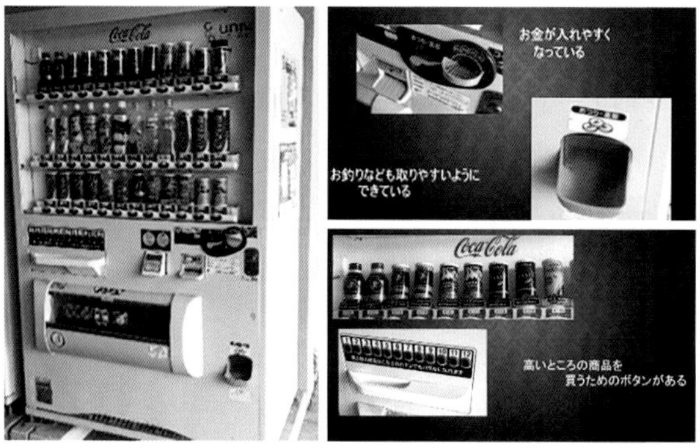

図5　多様なユーザーを想定した自動販売機

・緊急情報を伝えるためのフラッシュライト：聞こえに障害がある場合には非常ベルや緊急放送では情報が届かないため、光で緊急事態を伝える（図８）。

4）心理のバリアフリー

先述したように、「障害」は個人の心身機能の障害と社会的障壁の相互作用によって作り出されているという「障害の社会モデル」の理解を深め、社会的障壁を取り除くのは大学の責務であるという認識の醸成を推進することが求められる。

そのためには、教育・啓発が欠かせない。九州大学基幹教育では、総合科目（フロンティア科目）として、「アクセシビリティ基礎」「アクセシビリティ入門」「バリアフリー支援入門」「ユニバーサルデザイン研究」「アクセシビリティ支援入門」、高年次基幹教育として「アクセシビリティマネジメント研究」、教育学部の専攻教育科目として「アクセシビリティ心理学講義Ⅰ」「アクセシビリティ心理学講義Ⅱ」「アクセシビリティ心理学演習」「アクセシビリティ心理学実践演習」を開講し、障害の観点からインクルーシブ社会を学ぶ授業を通して、インクルーシブ教育を展開している。

これらの授業を通して九州大学のアクセシビリティ支援を担うPS学生の育成も進められており、このような学生は心理的バリアフリーをすすめる中核人材のひとつである。障害学生との共学はすべての学生にとっての豊かな学びとなる。したがって、PS学生による支援活動には、支援者として意味があることに加え、支援を通してPS学生自身がインクルーシブ社会について学ぶ機会となる。

次に、啓発活動の事例を以下に示す。

- バリアフリーマップ：構内のバリアおよびバリアフリーの位置を示すためのバリアフリーマップを作成している（図９）。
- 啓発ポスター（図10）
- 九州大学バリアフリーシンポジウムシリーズ：多領域の専門家の話題提供のもと多様なバリアフリーの未来を考えるため学外にも広く拓かれた議論の場を開催している（図11）。
- バリアフリーアート：文化芸術は、人々に心の豊かさや相互理解をもたらすものであることに鑑み、障害者の個性と能力の発揮及び社会参加の促進を図ることを目的としている（コラム３参照）。

以上、物理空間・情報・心理の社会的障壁とこれらに対するバリアフリー化の事例を述べてきた。しかしながら、一方で「バリアフリーコンフリクト」が生じていく可能性についても考えていく必要がある。ある側面のバリアフリー化によって、別の側面からみると新たなバリ

図6　遠隔授業システム

図7　式典でのノートテイク（画面左）

図8　緊急事態を光で知らせるフラッシュライト

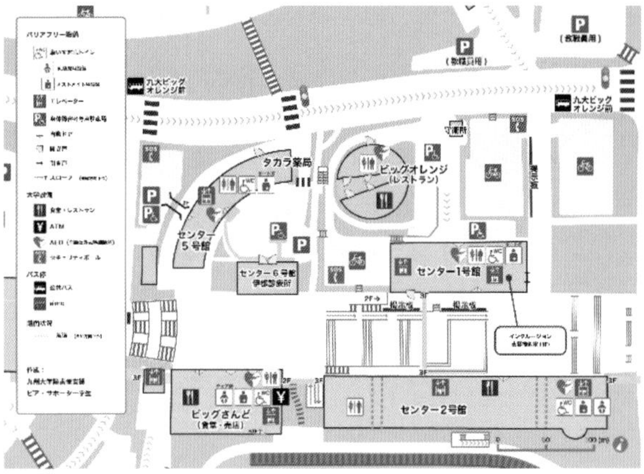

図9　バリアフリーマップ（PS学生作成）

23 多様なひとに拓かれるインクルーシブキャンパスへ

アを生じているという両者間に生じるコンフリクトである。障害種間に生じる例としては、視覚障害者用の誘導ブロックは視覚障害者の移動に有効だが、誘導ブロックの凸凹が車いすユーザーにとっては移動の支障になりうる。また、交差点での歩行者用青信号点灯時間を延長することは移動に障害のある場合には安全に道路横断をするために有効だが、それにより車両の渋滞を引き起こす可能性もある等がある。したがって、バリアフリー化のその先に生じる可能性のあるバリアフリーコンフリクトも視野にいれたインクルーシブキャンパスの在り方の検討が課題である。

図10　学内啓発ポスター（PS学生作成）

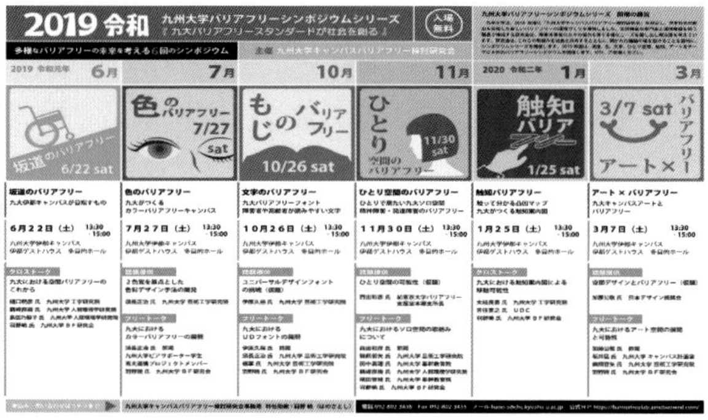

図11　九州大学バリアフリーシンポジウムシリーズ

これから

Nothing about us without us.（国連障害者権利条約）やNo one will be left behind.（SDGs）の精神をふまえるならば、何より当事者不在であってはならない。九州大学バリアフリー検討研究会[3]は、当事者の生活に密着したヒヤリングを重視していること、また「九州大学障害学生モニター制度」[4]は、当事者の声を直接聞く場の設定という点で、これらの存在の意味は大きい。今後も当事者感覚を起点とする取り組みは不可欠である。

九州大学芸術工学院には、九州大学社会包摂デザイン・イニシアティブがある。これは、多様なニーズに応じたサービスを提供し、個人のポテンシャルを引き出すための「仕組み」をデザインすることで、健全な成長や、豊かさの新しい価値を生み出す社会づくりを先導する研究教育機関である。このような包摂型の社会の実現に向けてリーダーシップをとっている機関同士が連携をとりあっている。

心身機能の多様性として「障害」という観点からインクルージョンを考えるとき、以下のふたつの枠組みが重要である。ひとつは、障害学生との共学はすべての学生の学びを豊かにするということである。ふたつめは、障害者のニーズはソーシャルイノベーションを生み出すアイデア源でもあるということである。したがって、マイノリティへの支援という側面のみではなく、キャンパス全体・社会全体を新たに創造していくという側面から、インクルーシブキャンパスを構築していくことが期待されている。

用語解説

[1] 合理的配慮とは、「障害者が他の者との平等を基礎としてすべての人権及び基本的自由を享有し、または行使することを確保するための必要かつ適当な変更及び調整」をいう。

[2] 九州大学では、障害者権利条約の理念に則り、「障害」とは個人に帰属するのではなく、個人と社会との間にある取り除くべき社会的障壁であるという社会モデルの意味に基づき、本学ホームページや各種広報物においても、漢字での「害」を用い「障害」「障害者」と表記している。

[3] 平成30年度より障害者支援推進委員会のもとに発足した。医学・心理学・色彩・音響・情報科学・建築計画・都市計画・交通計画等の多様な分野を専門とする教職員で構成され、新しいしくみや技術の開発を通して、未来型バリアフリーの実現を目指している。多様なバリアに直面している当事者目線を起点とし、インクルーシブ社会のモデルとなる大学を構築していくことをミッションとしている。

[4] 九州大学では、バリアのない大学生活をめざし、教育担当理事の要請に応じた学生モニターから障害者支援に関する意見や提案等を聴取する制度を設けている。

＼コラム／

03

障害者アート作品の展示

障害者アート作品には、柔らかさやあたたかみ、すごみや緻密さなど、鑑賞者に様々な印象を与える作品が多い。例えば、図1に示す作品は、空から俯瞰した構図でロンドンの街並みが描かれた作品であり、福祉施設「ひまわりパーク六本松ピースプラント」に所属する簑田利博さんが描いたものである。ロンドンを旅した作者が、市街地を散策し、帰国後にその体験をもとに描いたものであるが、福祉施設スタッフによると、作者は旅行中にこの絵のように市街地を俯瞰していないそうである。帰国後、散策の体験をもとに短時間で制作したという。作者は還暦を迎える年齢であるが、この絵は子どもが描いたように柔らかく楽しげであり、それでいて落ち着いた色合いで表現されている。九州大学では、キャンパスに障害者アートを展示し、学生や教職員、来学者がこのような障害者アーティストの才能に日常的に触れる機会を提供している。

伊都キャンパスの中央図書館エントランス前には、ふたりの障害者アーティストの作品が展示されている（写真１）。福祉施設「工房まる」に所属する太田宏介さんと山野井寛さんの作品である。太田さんの作品は、ガンジー、チャップマンシマウマ、アメリカバイソンの３作品であるが、動物をモチーフに数多くの作品を制作し続けている太田さんが、2016年に描いた作品である。動物と周囲の自然が、鮮やかな色彩で描かれている（図２）。山野井さんの作品は、「夢見る人」という題名である。将来を思う時の希望と不安が混在する様子を人物の表情と陰影で表現した2002年の作品である（図３）。

これらの展示は、作品の原画を高精度でスキャンし、拡大してグラフィックシートに印刷したものである。高度なスキャニング技術とシートの質感により、画材のひび割れやかすれまで忠実に再現され、作者の筆づかいや息づかいを感じる迫力のある展示となっている。

作品の展示開始後、鑑賞者にアンケートを取ったところ、回答者の８割以上が展示プロジェクトを肯定的に捉え、否定的に捉えた回答者は１％以下であった。回答者の９割以上が、作品を鑑賞して人がもつ才能は障害の有無に関わらないと感じたと答えた。キャンパスにおける障害者アートの展示は、障害者の才能に気付き、相互理解を深める機会となることが期待できる。物理的環境の充実とともに心のバリアフリーが充実し、障害者と健常者がともに学び、働き、生活を送り、お互いに様々な発見を与える、そのような相互関係が生まれるキャンパスとなることを期待したい。（羽野 暁）

図1　空から見たロンドン市街（簑田利博 2015年）

写真1　中央図書館エントランス前のアート展示

図2　ガンジー、チャップマンシマウマ、アメリカバイソン（太田宏介 2016年）

図3　夢見る人（山野井寛 2002年）

24 これからのキャンパス計画とフレームワークプラン

坂井　猛

国の政策、大学の基本理念と施策をふまえた
これからのキャンパス計画に関する理解を深める。

キャンパス環境を創造するための基本的視点と方向性

キャンパスは、創造性豊かな人材養成や高度な学術研究を推進するための拠点であり、地域活性化への貢献の場でもある。急激な少子高齢化の進行、地域コミュニティの衰退など社会の急激な変化や、東日本大震災などの国難に直面した我が国において、大学が持続可能で活力ある社会の形成を図るために社会変革のエンジンとして能動的な役割を果たすことが求められている。

創造性豊かな人材の養成、独創的で多様な学術研究の推進と研究成果の実証、高度先端医療の提供等のための拠点として重要な役割を果たす大学のキャンパス整備にあたって、高度化･多様化する活動に対応する各キャンパスの機能・役割の強化と活用が急務である。施設の整備において、以下の三つの視点に立って計画的、重点的に推進し、高度化･多様化する大学の活動に対応する必要がある。

(1)「質的向上への戦略的整備」(Strategy)
(2)「地球環境に配慮した教育研究環境の実現」(Sustainability)
(3)「安全、安心な教育研究環境の確保」(Safety)

このような中、キャンパスの現状を再評価し、その機能・役割を強化することが急務となった。激しく変化する社会において、大学に対する期待と要請が拡大・多様化している中で、教育研究の質的向上を図り、その成果を社会的・公共的価値や経済的価値の創出につなぐために、大学の資産であるキャンパスを最大限活用していく必要がある。

文部科学省では科学技術基本計画を受けて、2001（平成13）年より３次にわたって国立大学法人等施設整備５か年計画を策定し、第４次５か年計画に向けた重点的な施設整備として、(1) 安全・安心な教育研究環境の整備、(2) 国立大学等の機能強化等変化への対応、(3) サステイナブル・キャンパスの形成を掲げ、さらに、計画的な施設整備を推進するための方策として、(1) 戦略的な施設マネジメントの一層の推進、(2) 多様な財源を活用した施設整備の推進を掲げている（文部科学省今後の国立大学法人等施設の整備充実に関する調査研究協力者会議、「次期国立大学法人施設整備５か年計画策定に向けた中間報告」)。

これからの九州大学とキャンパス計画

九州大学は、世界第一級の教育・研究と診療活動を展開し、アジアを重視した知の世界的拠点大学として、また、日本を代表する基幹総合大学として、都市と共に栄え、市民の誇りと頼りになる大学として、発展し続けることが期待されている（九州大学百年メッセージ)。2011（平成23）年の創立百周年を機に、新たな百年に向けて、すべての分野において世界のトップ百大学に躍進する「躍進百大」というスローガンを掲げ、「自律的に改革を続け、教育の質を国際的に保証するとともに、常に未来の課題に挑戦する活力に満ちた最高水準の研究教育拠点となる」を基本理念とし、これを実現するためのアクションプランとして、「学生・教職員が誇りに思う充実したキャンパスづくり」を骨子とし、(1) グローバル・ハブ・キャンパスの実現、(2) 病院地区・大橋・筑紫キャンパスの整備、(3) 安全・安心・快適な教育・研究・診療環境づくりを主要施策としている（九州大学アクションプラン2015)。さらに、第３期中期目標・中期計画において、「26. 教育研究の基盤及び地域の核となる我が国トップレベルのキャンパスの環境を整備する。」を施設設備の整備・活用等に関する目標に掲げ、伊都キャンパス移転の2018（平成30）年度完了、自治体や住民及び関連機関との連携強化、安心・安全なキャンパスの環境整備の推進、組織の変更に柔軟に対応できる新たな仕組み検討、戦略的かつ効率の良い施設の管理運営を行うこととしている（九州大学第３期中期目標・中期計画)。

伊都地区フレームワークプラン2014

伊都地区フレームワークプラン2014（平成26年７月将来計画委員会了承）は、これまでの新キャンパス・マスタープラン2001を継承しつつ、目標年を50年後の2064年とし、キャンパスの骨格を維持し、日々進歩を遂げる学術分野の変化にも柔軟に対応できるような長期的計画を提示している。新キャンパス・マスタープラン2001に続く次のマスタープランを作成する際の拠り所として、土地利用、動線を主とするキャンパスの骨格、さらに、これらを補完するための施設・環境計画、運用計画を定めている。

目指すべき基本的将来像―総合科学の中枢

「九州大学学術憲章」、「九州大学教育憲章」、さらに「九大百年メッセージ」における新たな百年に向けての基本理念を前提条件として、それらを物的側面から実現するための計画としてフレームワークプランを位置づけている。福岡都市圏における九州大学キャンパスは、都心部から三方向に向かう広域的な都市軸上にあり、伊都地区（図１）は、病院地区、大橋地区、筑紫地区と相互に有機的な関係を保ちつつ、「総合科学の中枢」としての役割を担う（図２）。

都市計画と伊都地区周辺

住みよく、学びやすく、かつ質の高い研究活動が推進できる環境を整備することを目的とする九州大学学術研究都市構想を産官学が一体となって推進している。九州大学伊都キャンパス及びその周辺は、大学と地域が一体となった学術研究都市コア・ゾーンとして位置づけられ、学術研究都市形成の先導的役割を果たすことが期待されている。

福岡市基本計画では、伊都キャンパス及びその周辺を活力創造拠点とし、「九州大学伊都キャンパス及びその周辺は、糸島半島を圏域とする九州大学学術研究都市の核として、学生や研究者などが、新たな知を創造し、発信する、研究開発拠点の形成を図る地区」としている。

また、糸島市は、「都市と農山漁村が共存・持続するまち」を目指し、九州大学伊都キャンパス周辺を九州大学連携地域と位置づけて、九州大学伊都キャンパス西側周辺、西九州自動車道前原ＩＣ周辺、二丈武、二丈松国地区を、九州大学の研究活動関連する企業や研究所、学生、教職員のための住居やレクリエーション施設などを誘致・誘導する地域としている。

伊都キャンパスの原点
「新キャンパスの基本的考え方」

九州大学では、「国際的・先端的研究・教育拠点の形成」と「自律的に変革し、活力を維持し続ける社会に開

図1　伊都キャンパスと九大新町

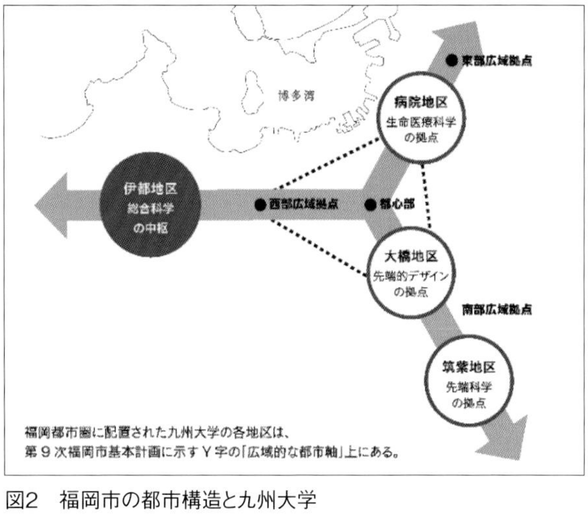

図2　福岡市の都市構造と九州大学

かれた大学の構築」を目指す大学に相応しい研究・教育施設を整備するため、五項目を「新キャンパスの基本的考え方」（1998年５月）に掲げ、キャンパス計画の拠り所としてきた。マスタープラン2001では、これを受け、九項目のキャンパス像と九項目の全体計画の目標を設定した。これらは、フレームワークプラン2014でそのまま受け継いでいる（図３）。

ゾーニングの全体方針

全学的な見地から、東西に長い敷地形状等の形態的側面、部局間の連携等組織的側面、キャンパスの一体感等機能的側面等を考慮して、ゾーニングを設定している（図４）。キャンパスのほぼ中央部の東西方向にアカデミック・ゾーン（図５）を設け、その東側と西側には、運動施設ゾーンを確保し、敷地南西部、中央部北側、東部に農場ゾーンを確保している。キャンパス用地及び施設は、大学の財産であり、いかなるゾーニングも部局間の境界として設定するものではない。

(1) アカデミック・ゾーン（図５）：主として研究教育施設、共同利用施設等地するゾーン。以下のような空間を配置する。

- 学際的な研究教育活動をつなぐ連続的な歩行者専用空間「キャンパス・モール」
- 研究教育活動を支援する動脈「幹線道路」
- 憩いと安らぎをもたらす開放的な「キャンパス・コモン」
- 教育研究施設を展開する空間「施設建設用地」
- 未来を拓く空間軸「戦略的施設用地」
- 保全緑地をつなぎ、緑・生態系を繋ぐ「グリーン・コリドー」
- 新たな伝統を刻む「象徴的空間」

新キャンパスの基本的考え方
（1998年5月）

(1) センター・オブ・エクセレンスに相応しい研究・教育施設の整備
(2) 環境と共生する未来型キャンパスの創造
(3) 地域に開かれた魅力的なキャンパス生活の創造
(4) 新しい学術研究都市の核となるキャンパスづくりと地域連携の推進
(5) キャンパス間の連携に配慮した新キャンパスの創造

▼

21世紀を活き続けるキャンパス像
（九州大学新キャンパス・マスタープラン2001，2001年3月）

(1) 連携と競争を尊重する知的創造のフロンティア
(2) 最新・最先端の知的情報を世界へ発信し続ける情報ステーション
(3) 地域および世界に開かれた科学技術と知的交流のセンター
(4) 地域と世代を越えた友好のコミュニティ
(5) 地域の経済と産業のエンジン
(6) 新たなチャレンジと試行の実験都市
(7) 芸術、文化、歴史、伝統、知的活動成果の蓄積と継承の拠点
(8) 美しさと快適さを内包する風格あるシンボル
(9) 学生生活の観点を重視した賑わいと憩いの共存するアメニティ空間

▼

全体計画の目標
（九州大学新キャンパス・マスタープラン2001，2001年3月）

(1) 学府・研究院制度の理念を実現する空間構成とその管理・運営の確立
(2) 東西骨格に支えられる総合大学としての一体的な研究・教育環境の構築
(3) 経営を視野に入れた産学・地域連携と国際交流の拠点「タウン・オン・キャンパス」の戦略的育成
(4) 民間施設等の活用や立地誘導による研究・教育の活性化と生活支援の促進
(5) 伝統を創り出す象徴的空間と柔軟に変化・増殖する空間の共存
(6) 糸島地域の悠久の歴史と自然との共生
(7) 安心・安全で快適なキャンパス環境の整備
(8) 多様な技術に支えられたサステイナブル・キャンパスの形成
(9) 新しいシステムの創造にチャレンジする実験都市の構築

図3　基本的考え方・キャンパス像・全体計画の目標

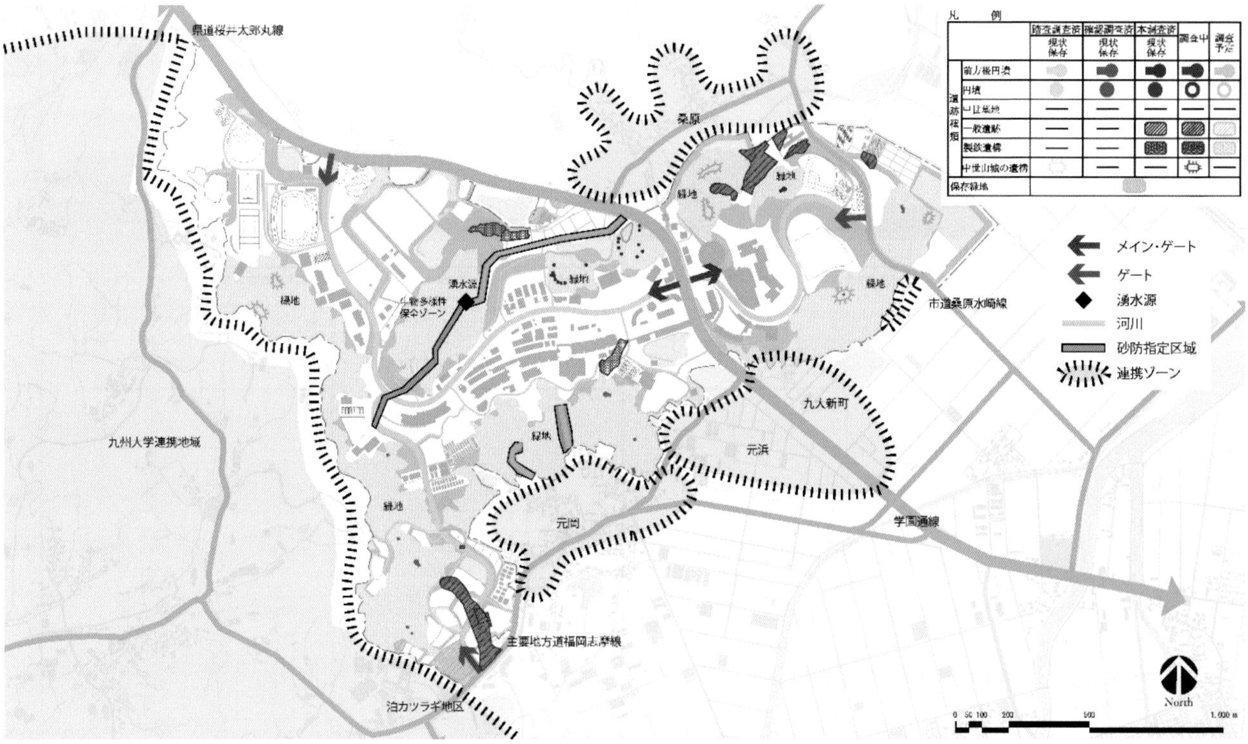

図4　土地利用上配慮する条件

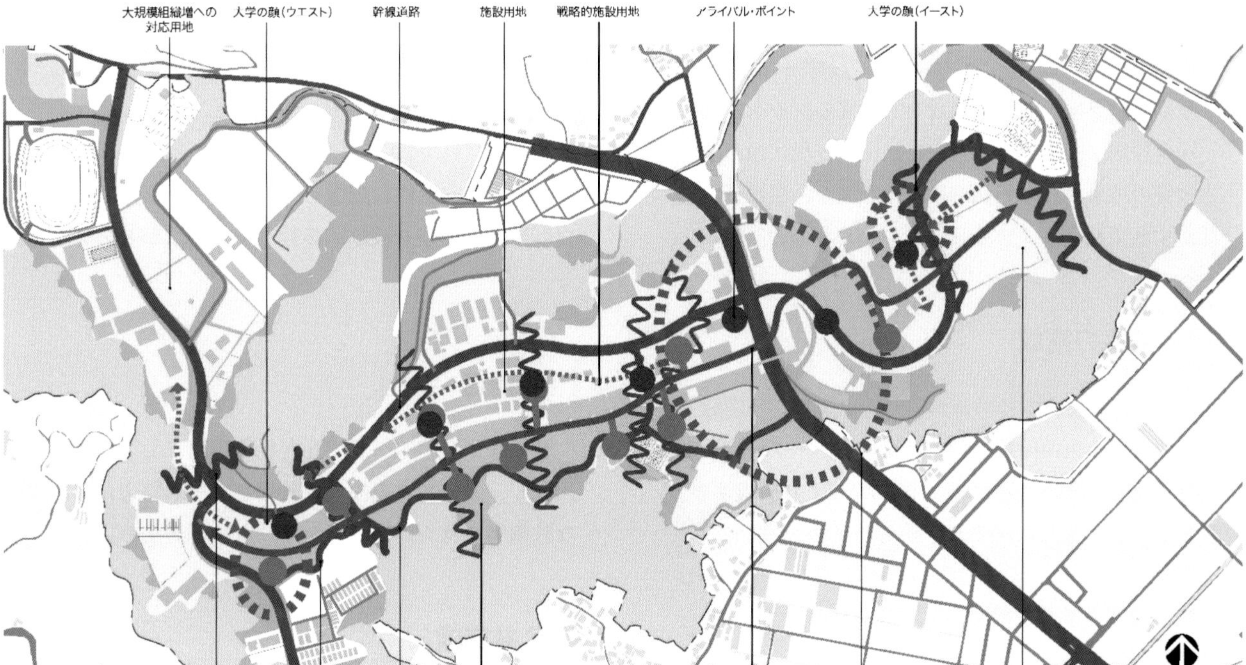

図5　アカデミック・ゾーンの骨格の構成概念

24 これからのキャンパス計画とフレームワークプラン

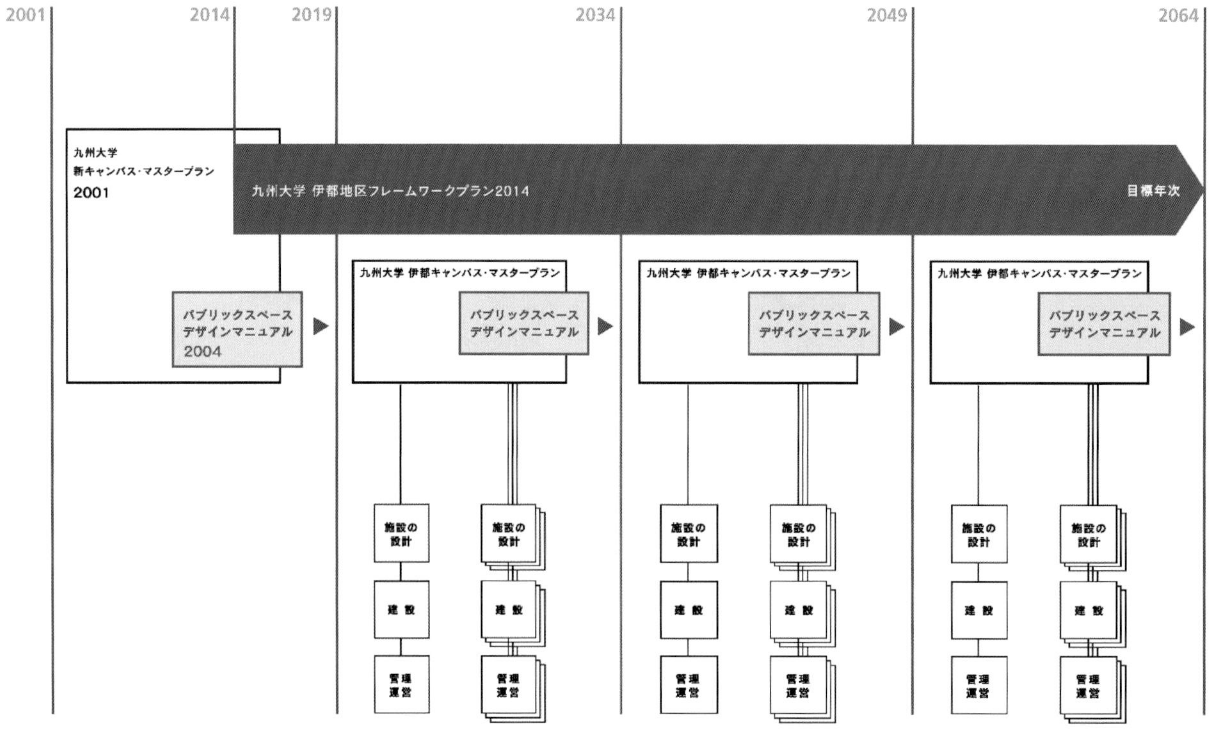

図6　伊都地区フレームワークプランの位置づけと運用フロー

(2) 国際連携ゾーン：産官学民による多様な国際連携機能の強化充実を図るゾーン。

(3) 農場ゾーン：農場の研究教育施設、実験圃場及び関連施設を配置するゾーン。

(4) 運動施設ゾーン：運動施設を背馳するゾーン。

(5) 保全緑地：多様な生物種や自然環境、現状保存する古墳等の埋蔵文化財包蔵地の保全を図り、環境資源を活かす散策路「ネイチャー・トレイル」を設置する。

幹線道路の構成

自動車の主動線となる幹線道路については、学園通り線の東西を結ぶ東西幹線、およびウエスト・ゾーン西部の北ゲートと南ゲートをつなぐ南北幹線より構成する。ウエスト・ゾーンでは、アカデミック・ゾーン北側の幹線道路に加えキャンパス・コモン側の南回りルートとして、準幹線及び支線を設け、ループ化することにより、利便性を確保する。

駐車場

駐車場については、学生・教職員の 通学・通勤向けと来訪者向けの需要を想定し計画する。他のキャンパスからの利用者や、導入されるバス、未来型交通システム等の公共交通の輸送力を考慮して、将来の拡張用地等を活用しつつ、必要最小限の駐車容量を確保する。

自転車交通

歩行者の安全性に配慮し、アカデミック・ゾーン内に自転車専用道路を設け、歩行者と自動車からの分離を図る。

駐輪場

駐輪場は、バイク専用と自転車専用、および両者の共用とし、また、大規模な駐輪場をゲート周辺に、小規模な駐輪場を施設近傍の適切な位置に配置する。

公共交通

交通の利便性を確保するために、当面の公共交通システムとして、機動性の優位なバス交通を位置づける。路線バスのキャンパス内乗り入れ、キャンパス内の循環バス、福岡市都心部からの高速バス、地域循環型バス等の様々なバス交通による利便性の向上を図る。また、実験都市としてのキャンパスに相応しい、環境にやさしく経済的な未来型交通システムの導入について、長期的な都市地域の発展を見据え、九州大学で開発・発明された技術の導入を含め、検討を進める。

環境計画の方針

持続可能なキャンパスとするため、キャンパスの環境計画では以下のような視点が求められる。

(1) 高機能・高性能・長寿命の研究教育環境
(2)「学」の象徴となる空間を有するキャンパス環境
(3) パブリックスペースが一体的にデザインされたキャンパス環境
(4) 都市・地域と連携し協奏するキャンパス環境

九州大学は、我が国の基幹大学として培ってきた歴史と伝統を礎に、自律と改革を続け教育の質を国際的に保障するとともに、常に未来の課題に挑戦する活力に満ちた最高水準の研究拠点を目指している。このために、卓越した研究教育拠点を構築し維持するキャンパスが求められており、フレームワークプランを基本として、様々な知恵を結集し、伊都キャンパスと九州大学学術研究都市づくりが進化し続けることを願う。

参考文献

[1] 文部科学省国立大学等のキャンパス整備の在り方に関する検討会, キャンパスの創造的再生, (2013).
[2] 文部科学省今後の国立大学法人等施設の整備充実に関する調査研究協力者会議,「次期国立大学法人施設整備5か年計画策定に向けた中間報告」, (2015).
[3] 九州大学百年メッセージ, (2012).
[4] 九州大学アクションプラン2015, (2015).
[5] 九州大学第3期中期目標・中期計画, (2015).
[6] 五十年後、百年も持続可能なキャンパスを目指して一伊都地区フレームワークプラン2014, 今泉勝己, 坂井猛, 九大広報, 95, 21-24, (2014).
[7] 九州大学におけるフレームワークプランの取り組み, 坂井猛, 安浦寛人, 2015年度日本建築学会大会(関東)都市計画部門PD資料, 75-78, (2015).

関連データ

計画と建設の経緯

■1991（平成３）年

10月　福岡市西区元岡・桑原地区への移転を決定

■1992（平成４）年

６月「九州大学における大学改革の基本構想」を決定

■1993（平成５）年

８月　新キャンパス計画推進室を設置

11月　新キャンパスのエリアを決定
・福岡市243ha、前原市１ha、志摩町31ha、計275ha

■1994（平成６）年

３月「九州大学新キャンパス基本構想（０次案）」を決定

６月「統合移転に伴う土地処分について」を決定

■1995（平成７）年

５月「九州大学の改革の大綱案」を決定

■1997（平成９）年

７月「新キャンパス基本構想における埋蔵文化財の取扱い方針（案）」を決定

■1998（平成10）年

５月「新キャンパスの土地造成基本計画」を決定

12月　福岡市土地開発公社、エリアの先行取得完了

■1999（平成11）年

４月「新キャンパスの土地造成基本計画」の一部修正を決定

６月「移転シミュレーション検討報告書」をまとめる

７月「アカデミックゾーン内のゾーニングと移転順序」を決定

11月　新キャンパス・マスタープラン策定のための建設コンサルタントを決定
ＭＣＭ設計共同体（三菱地所設計、シーザーペリ・アンド・アソシエーツ・ジャパン、三島設計事務所）

■2000（平成12）年

１月「元岡古墳群E群の取扱い」を決定

２月「九州大学新キャンパス統合移転事業環境影響評価書」をまとめる
「新キャンパス・マスタープランの基本的考え方」を決定

３月「新キャンパス造成基本設計」を決定

５月「元岡遺跡群（第７，12，15次調査地）の取扱い」を決定
「新キャンパス用地等における埋蔵文化財の取扱いの基本的考え方」を決定

６月　造成工事（Ⅰ工区）着工

■2001（平成13）年

３月「新キャンパス・マスタープラン2001」を決定
マスタープラン策定プロジェクトチーム＋MCM設計共同体

９月「工学系部門群配置検討案」を決定

12月　次期造成工事工区をⅢ工区とすることを決定

■2002（平成14）年

２月「工学系研究教育棟施設計画」及び「附属実験施設の施設計画の基本方針」を決定

３月　Ⅰ工区（工学系地区50.5ha）の造成完了

４月　第Ⅰ期移転開始時期（平成17年度後期）を決定

５月　土木学会環境賞受賞「九州大学新キャンパス建設における環境保全」

６月「工学系地区基本設計」を決定
ウエストゾーンWG＋MCM設計共同体

10月「元岡・桑原遺跡群第20、26次調査地の取扱い」を決定

■2003（平成15）年

１月　工学系研究教育棟Ⅱ・Ⅲ着工

２月　Ⅲ工区造成工事着工

６月　理系図書館（Ⅰ期）着工
「センター地区基本設計」を決定
イースト・センター・ゾーンWG＋タウン・オン・キャンパスWG＋黒川・日本設計共同体

８月　給水センター着工

10月　エネルギーセンター着工

■2004（平成16）年

１月　石ヶ原古墳の保存方法及び新キャンパスにおける文化財の活用について決定

３月　給水センター竣工

４月　PFI事業により工学系研究教育棟Ⅰ着工
地球環境系、システム情報系の学生教職員約2,300名

６月　エネルギーセンター竣工

7月　理系図書館（Ｉ期）竣工
9月　「パブリックスペース・デザインマニュアル2004」を決定
新移転スケジュールを決定

■2005（平成17）年

2月　Ⅱ工区の造成工事に着工
3月　「新キャンパス保全緑地維持管理計画」を決定
4月　新キャンパスの名称を「伊都キャンパス」に決定
5月　ウエスト３・４号館が完成
8月　PFI事業により生活支援施設ウエストⅡ着工
9月　工学部　西講義棟着工
10月　伊都キャンパス誕生記念式典
第Ｉ期第一陣移転
機械航空工学部門群
物質科学工学部門群

■2006（平成18）年

1月　「理学系地区基本設計」を決定
3月　工学部　西講義棟竣工
生活支援施設ウエストⅡ（愛称：ビッグどら）竣工
5月　工学系研究教育棟（ウエスト２号館）竣工
6月　「移転スケジュール（六本松地区直接移転）」を決定
7月　水素材料先端科学研究センター竣工
9月　伊都キャンパス学生寄宿舎（愛称：ドミトリーＩ）竣工
10月　第Ｉ期第二陣移転
地球環境工学部門群
システム情報科学研究院

■2007（平成19）年

11月　水素材料先端科学研究センター実験棟竣工

■2009（平成21）年

4月　六本松地区の伊都地区への移転開始
7月　先端プロジェクト実験棟竣工
9月　六本松地区の伊都地区への移転完了
数理研究院等
10月　稲盛財団記念館竣工
12月　福岡市都市景観賞受賞「九州大学伊都キャンパス」

■2010（平成22）年

3月　「農学系地区基本設計」を決定

■2012（平成24）年

7月　用地再取得完了
10月　椎木講堂着工
11月　カーボンニュートラル・エネルギー国際研究所着工
基幹教育院棟着工

■2013（平成25）年

3月　九大ゲートブリッジ着工
9月　「文系地区基本設計」を決定

■2014（平成26）年

1月　センター３号館（基幹教育院棟）竣工
2月　九大ゲートブリッジ竣工
3月　椎木講堂竣工
7月　新中央図書館着工
「伊都地区フレームワークプラン2014」を決定

■2015（平成27）年

3月　新キャンパス計画専門委員会を廃止
4月　キャンパス計画及び施設管理委員会に移行
9月　総合研究棟（農学系）着工
10月　第Ⅲ期理学系移転
11月　総合教育研究棟（人文社会科学系）着工

■2016（平成28）年

3月　「パブリックスペース・デザインマニュアル2016」を決定
4月　新キャンパス計画推進室のミッション再定義に伴い「キャンパス計画室」に名称を変更
10月　南ゲート開通

■2017（平成29）年

4月　学園通り線全面開通
9月　中央図書館竣工
ビッグスカイ竣工

■2018（平成30）年

2月　総合教育研究棟（イースト１・２号館）竣工
4月　共創学部新設
5月　総合研究教育棟（ウエスト５号館）竣工
日本ジョナサン・KS・チョイ文化館竣工
6月　センター４号館竣工
9月　人文社会科学系（イースト１・２号館）、農学

部（ウエスト５号館）、中央図書館移転
伊都キャンパス完成記念式典

■2019（令和元）年

４月　オンデマンド学内バスaimo運行開始
６月　日本都市計画学会計画設計賞受賞「学術研究都市の拠点として地域と共生する伊都キャンパス」

■2020（令和２）年

10月　フジイギャラリー竣工

歴代総長

初　代　山川健次郎（1911.4～1913.5）
第２代　真野文二（1913.5～1926.3）
第３代　大工原銀太郎（1926.3～1929.9）
事務取扱　後藤七郎（1929.9～1929.10）
第４代　松浦鎮次郎（1929.10～1931.7）
第５代　高山正雄（1931.7～1936.11）
第６代　荒川文六（1936.11～1945.3）
第７代　百武源吾（1945.3～1945.10）
事務取扱　西　久光（1945.10～1945.11）
第８代　奥田　譲（1945.11～1949.11）
第９代　菊池勇夫（1949.11～1953.11）
第10代　山田　穣（1953.11～1961.11）
第11代　遠城寺宗徳（1961.11～1967.11）
第12代　水野高明（1967.11～1969.1）
事務取扱　原　俊之（1969.1～1969.5）
事務取扱　問田直幹（1969.5～1969.8）
事務取扱　谷口鉄雄（1969.8～1969.11）
第13代　入江英雄（1969.11～1970.11）
第14代　池田数好（1970.11～1975.11）
第15代　武谷健二（1975.11～1978.11）
第16代　神田慶也（1978.11～1981.11）
第17代　田中健藏（1981.11～1986.9）
事務取扱　山元寛男（1986.10～1986.11）
第18代　高橋良平（1986.11～1991.11）
第19代　和田光史（1991.11～1995.11）
第20代　杉岡洋一（1995.11～2001.11）
第21代　梶山千里（2001.11～2008.9）
第22代　有川節夫（2008.10～2014.9）
第23代　久保千春（2014.10～2020.9）
第24代　石橋達朗（2020.10～）

九州大学キャンパス計画関係委員会

■新キャンパス計画関係委員会歴代委員長、WG長、PT長

▪新キャンパス計画専門委員会（1993.8～2015.3）

委員長　国武豊喜（1993.8～1996.4）
委員長　稲津孝彦（1996.5～1998.3）
委員長　矢田俊文（1998.4～2001.10）
委員長　柴田洋三郎（2001.11～2002.3）
委員長　有川節夫（2002.4～2008.9）
委員長　今泉勝巳（2008.10～2014.9）
委員長　安浦寛人（2014.10～2015.3）

▪キャンパス計画及び施設管理委員会（2005.4～）

委員長　有川節夫（2005.4～2008.9）
委員長　今泉勝巳（2008.10～2014.9）
委員長　安浦寛人（2014.10～2020.9）
委員長　福田　晋（2020.10～）

▪WG連絡会議（1993.8～2008.11）

委員長　国武豊喜（1993.8～1996.4）
委員長　稲津孝彦（1996.5～1998.3）
委員長　矢田俊文（1998.4～2001.10）
委員長　柴田洋三郎（2001.11～2002.3）
委員長　有川節夫（2002.4～2008.9）
委員長　今泉勝巳（2008.10～2008.11）

▪計画WG（1992.12～1998.5）

WG長　樗木　武（1992.12～1998.5）

▪研究教育施設WG（1994.11～1998.5）

WG長　竹下輝和（1994.11～1997.3）
WG長　萩島　哲（1997.4～1998.5）

▪施設計画WG（1998.6～2001.3）

WG長　竹下輝和（1998.6～2001.3）

▪ウエストゾーンWG（2001.4～2019.3）

WG長　梶山千里（2001.4～2001.10）
WG長　大城桂作（2001.11～2005.12）
WG長　荒殿　誠（2006.1～2014.7）
WG長　吉田茂二郎（2014.8～2018.3）
WG長　森上　修（2018.8～2019.3）

▪イースト・センター・ゾーンWG（2001.4～2020.3）

WG長　竹下輝和（2001.4～2006.3）
WG長　出口　敦（2006.3～2011.3）
WG長　吾郷眞一（2011.4～2013.3）
WG長　野田　進（2013.4～2014.3）

WG長　宮本一夫（2014.4～2019.3）

▪ 整備計画WG

WG長　坂井　猛（2020.4～）

▪ 農場計画ＳＧ（1998.6～2001.3）

ＳＧ長　藤原　昇（1998.6～1998.6）

ＳＧ長　福山正隆（1998.7～2001.3）

▪ 農場計画WG（2001.4～2015.3）

WG長　福山正隆（2001.4～2003.3）

WG長　名田陽一（2003.4～2005.3）

WG長　窪田文武（2005.4～2007.3）

WG長　中司　敬（2007.4～2011.3）

WG長　大久保敬（2011.3～2013.3）

WG長　吉村　淳（2013.4～2015.3）

▪ 農場移転WG（2015.4～）

WG長　吉村　淳（2015.4～2017.3）

WG長　望月俊宏（2017.4～2021.3）

WG長　尾崎行生（2021.4～）

▪ 福利厚生体育施設WG（1994.11～1998.5）

WG長　押川元重（1994.11～1998.5）

▪ 福利厚生WG（1999.10～）

WG長　押川元重（1999.10～2003.3）

WG長　石川捷治（2003.4～2007.3）

WG長　麻生　茂（2007.4～2020.3）

WG長　南　博文（2020.4～）

▪ 未来型キャンパスづくりWG（1998.6～2008.11）

WG長　太田俊昭（1998.6～2003.3）

WG長　今泉勝己（2003.4～2005.3）

WG長　大城桂作（2005.4～2006.3）

WG長　高木節雄（2006.4～2008.11）

▪ 情報図書WG（1994.11～1998.5）

WG長　樋口忠治（1994.11～1996.3）

WG長　吉川　敦（1996.6～1998.5）

▪ 情報通信基盤WG（1997.12～2008.11）

WG長　松尾文碩（1997.12～1999.8）

WG長　廣川佐千男（1999.9～2007.3）

WG長　荒川啓二郎（2007.4～2008.11）

▪ 水問題WG（1995.6～1998.5）

WG長　白石眞一（1995.6～1997.3）

WG長　神野健二（1997.9～1998.5）

▪ 地域水循環ＳＧ（1998.11～2005.3）

ＳＧ長　神野健二（1998.11～2005.3）

▪ 環境エネルギーWG（1994.11～1998.6）

WG長　篠島　豊（1994.11～1997.3）

WG長　井村秀文（1997.9～1998.6）

▪ 環境WG（1998.7～）

WG長　島田允堯（1998.7～2005.3）

WG長　神野健二（2005.4～2010.3）

WG長　広城吉成（2010.4～2017.3）

WG長　島谷幸宏（2017.4～2021.3）

WG長　三谷泰浩（2021.4～）

▪ 緑地管理計画ＳＧ（1999.1～2001.3）

ＳＧ長　小川　滋（1999.1～2001.3）

▪ 緑地管理計画WG（2001.4～）

WG長　小川　滋（2001.4～2005.3）

WG長　白石　進（2005.4～2009.3）

WG長　吉田茂二郎（2009.4～2013.3）

WG長　大槻恭一（2013.4～2017.3）

WG長　佐藤宣子（2017.4～2021.3）

WG長　古賀信也（2021.4～）

▪ 交流ゾーンWG（1994.11～2001.3）

WG長　江渕一公（1994.11～1996.6）

WG長　藤田昌也（1996.7～1998.5）

▪ 地域連携・交流WG（1997.4～2001.3）

WG長　森淳二朗（1997.7～1999.4）

WG長　藤田昌也（1999.8～2001.3）

▪ タウン・オン・キャンパスWG（2001.4～2010.3）

WG長　坂口光一（2001.4～2007.3）

WG長　南　博文（2007.4～2010.3）

▪ 文化財WG（1999.10～）

WG長　有馬　學（1999.10～2009.3）

WG長　岩永省三（2009.4～2021.3）

WG長　宮本一夫（2021.4～）

▪ 交通計画WG（2001.7～）

WG長　外井哲志（2001.7～2019.3）

WG長　大枝良直（2019.4～）

▪ パブリックスペースWG（2002.11～2019.3）

WG長　池田紘一（2002.11～2003.9）

WG長　佐藤　優（2003.10～2016.3）

WG長　包清博之（2016.4～2018.3）

WG長　坂井　猛（2018.4～2019.3）

▪ アートワーク選定評価WG（2004.6～2010.3）

WG長　佐藤　優（2004.6～2010.3）

▪ 移転シミュレーションＰＴ（1999.3～2003.2）

ＰＴ長　押川元重（1999.3～2003.2）

▪ 移転ＰＴ（2004.7～2005.10）

ＰＴ長　柴田洋三郎（2004.7～2005.10）

・六本松地区直接移転実施ＰＴ（2006.9～2009.9）
ＰＴ長　小山内康人（2006.9～2009.9）
・ライフスタイルＰＴ（2002.1～2004.3）
ＰＴ長　山口裕幸（2002.1～2004.3）
・共用スペース運用検討ＰＴ（2002.7～2002.12）
ＰＴ長　荒殿　誠（2002.7～2002.12）
・安心・安全ＰＴ（2003.10～2006.3）
ＰＴ長　大城桂作（2003.10～2006.3）
・伊都キャンパス施設整備改善ＰＴ（2012.4～2020.3）
ＰＴ長　佐藤　優（2012.4～2016.3）
ＰＴ長　坂井　猛（2016.4～2020.3）
・フレームワークプラン検討ＰＴ（2013.4～2014.9）
ＰＴ長　今泉勝己（2013.4～2014.9）
・総合交通ＰＴ（2016.4～）
ＰＴ長　安浦寛人（2016.4～2020.9）
ＰＴ長　福田　晋（2020.10～）
・有害鳥獣対策ＰＴ（2017.4～）
ＰＴ長　安浦寛人（2017.4～2020.9）
ＰＴ長　福田　晋（2020.10～）
・石ケ原古墳展望室ＰＴ（2018.4～）
ＰＴ長　安浦寛人（2018.4～2020.9）
ＰＴ長　福田　晋（2020.10～）
・ギャラリー整備計画ＰＴ（2020.4～）
ＰＴ長　緒方一夫（2020.4～2021.3）
ＰＴ長　宮本一夫（2021.4～）

■新キャンパス計画推進室・キャンパス計画室

・室長
国武豊喜（1993.8～1995.3）
稲津孝彦（1995.4～1996.3）
矢田俊文（1996.4～2001.11）
柴田洋三郎（2001.11～2002.3）
有川節夫（2002.4～2008.9）
今泉勝巳（2008.10～2014.9）
安浦寛人（2014.10～2020.9）
福田　晋（2020.10～）
・副室長
竹下輝和（1998.6～2006.2）
坂井　猛（2000.7～）
神野健二（2006.3～2010.3）
佐藤　優（2010.4～2017.3）
・室員（専任）
坂井　猛（1993.8～）
吉田敬介（2007.10～）
鶴崎直樹（1994.7～）
大枝良直（1996.9～2000.11）
広城吉成（2001.1～2005.12）
新井田浩（2003.4～2005.3）
塚原健一（2005.4～2007.3）
石田浩二（2004.10～2017.3）
横田雅紀（2006.4～2016.3）
渡邊浩平（2004.10～2007.9）
森田紘一（1993.9～1994.9）
森　牧人（2000.4～2003.3）
吉越　恆（2003.10～2006.3）
丸居　篤（2006.10～2012.9）
中平賢吾（2012.10～2017.3）
宮沢良行（2017.4～）
坂本淳一（1995.4～1997.3）
甲斐　猛（1997.4～1999.3）
金子憲治（1994.6～1996.3）
宮本能久（1996.4～1998.3）
名古屋泰之（1998.4～2000.3）
梅津頼孝（1999.4～2001.3）
古賀誠司（2000.4～2002.3）
近藤隆司（2002.4～2004.3）
淵上康英（2004.4～2006.3）
前田利家（2006.4～2008.3）
宮﨑浩司（2008.4～2010.3）
山本智之（2010.4～2012.3）
後郷光信（2012.4～2014.3）
永野　真（2014.4～2016.3）
津留真哉（2016.4～2018.3）
山王孝尚（2018.4～2020.3）
綿島理晃（2020.4～）
長慶一郎（2021.4～）
緒方亜佑美（2021.4～）
・室員（兼任）
樗木　武（1993.8～1998.5）
萩島　哲（1993.8～2005.3）
竹下輝和（1993.8～2006.2）
白石眞一（1994.10～1997.3）
井之上準（1997.4～1998.3）
藤原　昇（1998.4～1998.9）

神野健二（1998.6～2010.3）
松尾文碩（1998.6～2004.3）
福山正隆（1998.10～1999.12）
江崎哲郎（1999.1～2010.3）
窪田文武（2000.1～2007.3）
落合英俊（2007.5～2008.3）
三谷泰浩（2010.4～）
出口　敦（2006.3～2011.3）
有馬隆文（2011.4～2015.3）
村上和彰（2004.4～2010.3）
青柳　睦（2010.4～2014.3）
谷口倫一郎（2014.4～2018.3）
岡村耕二（2018.4～）
佐藤　優（2006.1～2017.3）
脇山真治（2017.4～）
清須美匡洋（2020.4～）
広城吉成（2006.1～）
平松和昭（2007.4～2014.1）
玉泉幸一郎（2012.4～2018.3）
望月俊宏（2014.2～2021.3）
吉村　淳（2014.10～2017.3）
宮本一夫（2014.10～）
田上健一（2020.10～）
大槻恭一（2021.4～）
住吉大輔（2020.4～）
羽野　暁（2020.4～）

▪ 施設部長（兼任）

吉本亮三（1993.8～1994.3）
渋谷政利（1994.4～1996.3）
杉田建治（1996.4～1998.3）
和田　満（1998.4～1999.12）
山田泰二（2000.1～2001.12）
佐藤勝次（2002.1～2003.9）
中岡一男（2003.10～2004.12）
小島敏行（2005.1～2008.3）
加納博義（2008.4～2011.3）
近藤昭夫（2011.4～2014.3）
宮浦祐一（2014.4～2018.3）
山本聖一郎（2018.4～2021.3）
小谷善行（2021.4～）

▪ 企画課長・施設企画課長（兼任）

宝蔵博之（1993.8～1995.3）
富永愼吾（1995.4～1998.3）
佐藤政弘（1998.4～1999.3）
長沢　護（1999.4～2000.12）
宮浦祐一（2001.1～2004.3）
近藤昭夫（2004.4～2008.3）
栗木　浩（2008.4～2009.3）
堤　達行（2009.4～2011.3）
森山直治（2011.4～2012.3）
廻　正弘（2012.4～2013.3）
村久木志郎（2013.4～2015.7）
森　徳明（2015.8～2019.3）
内村好美（2019.4～2020.3）
松下栄司（2020.4～）

▪ 整備計画課長（兼任）

山本　隆（2001.4～2004.3）
松岡　力（2004.4～2008.3）
森山直治（2008.4～2011.3）
廻　正弘（2011.4～2012.3）
村久木志郎（2012.4～2013.8）
森　徳明（2013.4～2015.7）
篠原憲二（2015.8～2018.3）

▪ 建築課長・施設整備課長（兼任）

本木孝節（1993.8～1995.6）
佐藤政弘（1995.7～1998.3）
西尾眞太郎（1998.4～2001.3）
出水武雄（2001.4～2003.9）
松岡　力（2003.10～2004.3）
執行正敏（2004.4～2007.3）
山口正春（2007.4～2009.3）
小川賀津夫（2009.4～2014.3）
西村幸一（2014.4～2016.3）
内村好美（2016.4～2019.3）
松下栄司（2019.4～2020.3）
田坂勝之（2020.4～）

▪ 設備課長・環境整備課長（兼任）

熊本　努（1993.8～1994.3）
海江田博夫（1994.4～1997.3）
了戒正昭（1997.4～1999.3）
蒲池祥昭（1999.4～2001.3）
村田静昭（2001.4～2003.3）
中尾秀夫（2003.4～2006.3）
栗木　浩（2006.4～2008.3）
光武俊明（2008.4～2012.3）
中之薗昭一（2012.4～2014.3）
篠原彰一（2014.4～2018.3）
岩崎龍矢（2018.4～2019.1）
山下　誠（2019.1～2020.3）
東房勝司（2020.4～）

▪ 施設管理室長・課長（兼任）

天根正丈（2003.10～2005.3）
郷原保之（2005.4～2007.3）
折田龍彦（2007.4～2009.3）
森　徳明（2009.4～2012.3）
齋藤正実（2012.4～2014.9）
篠原憲二（2014.10～2015.7）
安藤豊幸（2015.8～2017.3）
山下　誠（2017.4～2019.3）
東房勝司（2019.4～2020.3）
今村利光（2020.4～）

▪ 施設企画課長補佐（兼任）

籾井輝寿（2018.4～2021.3）
清水利勝（2021.4～）

▪ 整備計画課課長補佐（兼任）

細野俊治（2001.4～2002.11）
壽福初美（2002.12～2004.3）
廻　正弘（2004.4～2007.3）
森　徳明（2007.4～2009.3）
松下栄司（2009.4～2013.3）
中村拓郎（2015.4～2017.3）
籾井輝寿（2017.4～2018.3）

▪ 施設部係長・主任（兼任）

田中廣幸（1995.4～2003.3）
梅宮兵衛（1994.9～1999.11）
森山直治（1994.9～1999.11）
二又正隆（1996.4～1998.3）
福沢義孝（1996.4～2003.3）
吉富吉宗（2002.9～2005.3）
田鍋和仁（2003.4～2004.3）
山口孝治（2003.4～2006.3）
楠本里見（2003.4～2004.3）
廻　正弘（1998.4～2004.3）
緒方孝一（2004.4～2008.3）
佐伯孝夫（2004.4～2008.3）
森　徳明（2006.4～2007.3）
柳田洋良（2006.4～2010.3）
松下栄司（2008.4～2009.3）
岡本益満（2008.4～2013.9）

中村拓郎（2009.4～2015.3）
石田　巧（2010.4～2015.3）
西原　忠（2011.2～2011.4）
矢崎敏明（2013.4～2014.3）
籾井輝久（2013.10～2017.3）
安部貴之（2014.4～2020.3）
中谷清輝（2015.4～2018.3）
本田武寛（2020.4～）
藤川眞一（1994.9～1996.3）
長副博之（1996.4～2000.12）
山禄秀雄（2000.4～2002.3）

▪ 工学部工営係（兼任）

田中廣幸（1993.8～1995.3）
吉村勝三（1995.9～1999.3）
続　勇二（1999.4～2004.3）
平野泰光（2004.4～2009.3）
森山泰嘉（2009.4～2014.9，2020.4～）
中谷輝清（2014.10～2015.3）
石川裕一（2015.4～2019.3）
青柳秀和（2019.4～2020.3）

▪ 農学部工営係（兼任）

二又正隆（1994.10～1996.3）
平野泰光（1996.4～1999.3）
斉藤弘明（1999.4～2001.3）
花田俊一（2001.4～2004.3）
古江亮司（2004.4～2006.10）
田中廣幸（2006.11～2009.3）
石田　巧（2009.4～2010.3）
籾井輝久（2010.4～2011.3）
野田　修（2011.4～2014.6）
乗冨公一（2014.7～2019.3）
本田武寛（2019.4～2020.3）
永田哲也（2020.4～）

▪ 事務補佐（兼任）

玉井文恵（1993.9～1994.8）
松尾美幸（1994.9～1997.8）
坂本理子（1997.9～2000.8）
小形洋子（2000.9～2003.8）
佐藤　愛（2004.1～2004.5）
末永直子（2004.6～2006.8）
安武　文（2006.10～2007.6）
森塚知栄子（2007.7～2012.3）
浦島直子（2012.4～2015.3）
二木裕子（2016.1～2020.12）
朝倉素子（2020.12～）

マスタープランと地区基本設計

■ 九州大学新キャンパス・マスタープラン2001

九州大学評議会決定：2001（平成13）年３月
検討エリア面積：275ha　計画床面積：50万m²

▪ マスタープラン策定プロジェクトチーム

チーム長：矢田俊文
副チーム長：竹下輝和
委員：神野健二、吉村淳、渡邊俊行、江崎哲郎、出口敦、坂口光一、外井哲志、薛孝夫、池水喜義、坂井猛、厚谷彰夫、奥野輝夫、古賀秀治、和田満、山田泰二、本間実、荻野力、長澤護、西尾愼太郎、蒲池祥昭

▪ コアチーム

チーム長：出口敦
副チーム長：坂井猛、長澤護
委員：外井哲志、西尾愼太郎、蒲池祥昭

▪ コンサルタント

MCM設計共同体
㈱三菱地所設計：久米大二郎、藤江哲也、田中宣彰、内田裕、吉原正、小泉資興、秋山誉一、岡景之、高明彦
シーザーペリ＆アソシエーツ・ジャパン㈱：光井純、高原浩之、大澤学士、呉鴻逸
㈱三島設計事務所：三島庄一、三島計一、秦大二郎、熊谷秀和、岡本利恵
協力会社　ササキアソシエイツ

■ 工学系地区基本設計

九州大学将来計画委員会了承：2002（平成14）年６月
検討エリア面積：20.6ha　計画床面積：17.0万m²

▪ ウエストゾーンWG

WG長：梶山千里、大城桂作
副WG長：大城桂作、末岡淳男
委員：村上敬宣、前田三男、井上雅弘、君塚信夫、荒殿誠、若山正人、石橋健二、岡田龍雄、立居場光生、吉村淳、押川元重、福山正隆、外井哲志、麻生茂、峯元雅樹、園田佳巨、坂井猛、丸山貴志、白川耕市、佐藤隆、岡本正博、佐藤勝次、宮浦祐一、山本隆

▪ WGコアチーム

コアチーム長：坂井猛
委員：井上雅弘、岡田龍雄、大城桂作、末岡淳男、

君塚信夫、石橋健二、園田佳巨、外井哲志、宮浦祐一、山本隆

- **九州大学事務局施設部**

施設部長：山田泰二、佐藤勝次

企画課長：宮浦祐一

建築課長：出水武雄

設備課長：村田静昭

- **コンサルタント**

MCM設計共同体

㈱三菱地所設計：久米大二郎、藤江哲也、田中宣彰、内田裕、吉原正、小泉資興、秋山誉一、岡景之、高明彦

シーザーペリ＆アソシエーツ・ジャパン㈱：光井純、高原浩之、大澤学士、呉鴻逸

㈱三島設計事務所：三島庄一、三島計一、秦大二郎、熊谷秀和、岡本利恵

■センター地区基本設計

九州大学将来計画委員会了承：2003（平成15）年６月

検討エリア面積：23.0ha　計画床面積：13.6万m^2

- **イースト・センター・ゾーンWG**

WG長：竹下輝和

委員：川本芳昭、森川哲雄、山口裕幸、荒殿誠、池田典昭、立居場光生、石井保廣、関文恭、森山日出夫、松隈明彦、丸山貴志、佐藤勝次、今任稔彦、高浪洋一、宮浦祐一、山本隆、川嶋四郎、佐伯親良、岡野進、淵田吉男、安間敏雄、江原徳三、池本龍二

- **タウン・オン・キャンパスWG**

WG長：坂口光一

委員：川嶋四郎、外井哲志、松隈明彦、南博文、出口敦、毛利嘉孝、古川勝彦、矢幡久、藤吉尚之、山本隆

- **合同WGコアチーム**

コアチーム長：坂井猛

委員：淵田吉男、斎藤篤司、岡野進、荒殿誠、松隈明彦、押川元重、鶴崎直樹、本田守、青山幸雄、河野克俊、山本隆

- **九州大学事務局施設部**

施設部長：佐藤勝次

企画課長：宮浦祐一

整備計画課長：山本隆

建築課長：出水武雄

設備課長：中尾秀夫

- **コンサルタント**

黒川紀章・日本設計共同体

株式会社黒川紀章建築都市設計事務所：黒川紀章、植木尚武、小林孝弘、浦島達也、森田健太郎、杉村しおり、入川倫子

株式会社日本設計：常岡稔、岡村和典、笠継浩、松本良多、小野塚能文、鬼木貴章、桂木宏昌、佐藤昌之、椨弘之、横松宗治、岸真澄、山内昭夫、関根智、迫奈津子、花原正基

■パブリックスペース・デザインマニュアル

九州大学将来計画委員会了承：2004（平成16）年９月

検討エリア面積：275ha

- **パブリックスペースWG**

WG長：池田紘一、佐藤優

委員：吾郷眞一、佐伯親良、荒殿誠、谷口説男、若山正人、立居場光生、吉村淳、長谷川勉、吉田茂二郎、竹下輝和、大城桂作、村上敬宣、坂井猛、森田昌嗣、薛孝夫、池田大輔、喜田拓也、藤吉尚之、松岡力、山本隆、松下美紀、杉本正美

- **WGコアチーム**

コアチーム長：佐藤優

委員：池田紘一、竹下輝和、村上敬宣、大城桂作、坂井猛、藤吉尚之、山本隆

- **九州大学事務局施設部**

施設部長：中岡一男

企画課長：近藤昭夫、宮浦祐一

整備計画課長：松岡力、山本隆

建築課長：執行正敏、出水武雄

設備課長：中尾秀夫

施設管理室長：天根正丈

- **コンサルタント**

㈱空間創研：吉田昌弘、立花正充、杉本亨、梶川伸二、松下美紀

■理学系地区基本設計

九州大学将来計画委員会了承：2006（平成18）年１月

検討エリア面積：3.5ha　計画床面積：5.7万m^2

- **ウエストゾーンWG**

WG長：大城桂作

委員：村上敬宣、立居場光生、荒殿誠、中島秀紀、石橋健二、長谷川勉、舘田英典、外井哲志、淵田吉男、吉田茂二郎、大渕和幸、大槻秀明、穴沢一夫、

通山正年、松本進、小島敏行、木村康之、北川宏、加藤工、釣本敏樹、福本康秀、甲斐昌一、坂井猛、松岡力

- WGコアチーム

コアチーム長：荒殿誠

委員：谷口説男、木村康之、北川宏、加藤工、釣本敏樹、福本康秀、甲斐昌一、坂井猛、松岡力

- 九州大学事務局施設部

施設部長：小島敏行

施設企画課長：近藤昭夫

整備計画課長：松岡力

施設整備課長：執行正敏

環境整備課長：中尾秀夫

施設管理室長：郷原保之

- コンサルタント

シーザーペリ＆アソシエーツ・ジャパン：光井純、高原浩之、花澤真哉、松田潤子

■ **農学系地区基本設計**

九州大学将来計画委員会了承：2010（平成22）年７月

検討エリア面積：3.4ha　計画床面積：4.4万m^2

- ウエストゾーンWG

WG長：荒殿誠

委員：村上敬宜、舘田英典、松井卓、白井朋之、石橋健二、髙木節雄、白谷正治、吉田茂二郎、谷本潤、淵田吉男、中司敬、外井哲志、玉上晃、井戸清隆、渡邉廉、谷本滋、島村富雄、塩原耕次、秋山和男、菅野映之、鈴本司、加納博義、久志昇、上村基生、坂井猛、堤達行、森山直治

- WGコアチーム

コアチーム長：吉田茂二郎

委員：飯田弘、平松和昭、福田晋、中尾実樹、黒澤靖、伴野豊、望月俊宏、坂井猛、森山直治、佐本美恵子、小野厚志

- 九州大学施設部

施設部長：加納博義

施設企画課長：堤達之

整備計画課長：森山直治

施設整備課長：小川賀津夫

環境整備課長：光武俊明

施設管理課長：森徳明

- コンサルタント

石本建築事務所：能勢修治、永野豊、春山義明、浦山慎吾、横川和人、石川智也、米山浩一、村瀬英明、松尾和彦、佐藤好幸

■ **文系地区基本設計**

九州大学将来計画委員会了承：2013（平成25）年９月

検討エリア面積：約25ha　計画床面積：約11万㎡

- イースト･センターゾーンWG

WG長：野田進

委員：宮本一夫、阿部芳久、末廣香織、村上裕章、八木信一、山村ひろみ、和田裕文、竹田正幸、谷憲三郎、吉田素文、新谷恭明、福田晃、森田昌嗣、平野浩之、磯山武司、松浦晃幸、大村浩志、皆川秀徳、江島定人、近藤昭夫、久志昇、江藤竜美、今任稔彦、坂井猛、吉田茂二郎、廻正弘、村久木志郎

- WGコアチーム

WG長：柴田篤

副コアチーム長：坂井猛

委員：宮本一夫、阿部芳久、末廣香織、村上裕章、八木信一、山村ひろみ、佐々木玲仁、吉田素文、三輪宗弘、堀賀貴、森田昌嗣、井上祐行、村久木志郎、石丸勝美、花屋浩幸、渡邊俊彦

- 九州大学事務局施設部

施設部長：近藤昭夫

施設企画課長：村久木志郎

整備計画課長：森徳明

施設整備課長：小川賀津夫

環境整備課長：中之薗昭一

施設管理課長：齋藤正実

- コンサルタント

石本建築設計事務所：能勢修治、浜橋正、鎌松亮、藤田貢、梅宮亮、鈴木賢、吉田康一、松田知浩、八木唯夫、矢野資洋

ウエスト・ゾーン

■ **ウエスト１号館（理学系）**

設計：㈱山下設計･西日本技術開発･ペリクラークペリアーキテクツジャパン設計JV、㈱総合設備計画

PFI事業者：㈱伊都サイエンスPFI

施工：【建築】㈱伊都サイエンスPFI　㈱竹中工務店

建築面積：7,278㎡　延床面積：52,579㎡

構造：鉄骨鉄筋コンクリート造　階数：地上10階

竣工：2015年

■ウエスト2号館（工学系）
設計：㈱REQ元岡（NTTファシリティーズ・教育施設研究所）
施工：㈱REQ元岡（西松建設・新菱冷熱・ダイダン・九電工・菱熱JV）
建築面積：6,299㎡　延床面積：54,511㎡
構造：鉄骨鉄筋コンクリート造
階数：地上11階/地下1階
竣工：2006年

■ウエスト3・4号館（工学系）
設計：㈱三菱地所設計・シーザーペリ＆アソシエーツジャパン・三島設計事務所JV
施工：3号館
【建築】鴻池・青木・上村JV
【電気】西鉄電設工業㈱
【機械】㈱西原衛生工業所
3・4号館
【建築】清水・奥村・松本JV
【電気】九電工・クリハラント・九州システムJV
【機械】三機・富士・九州日立JV
4号館
【建築】戸田・熊谷・溝江JV
【電気】トーエネック・旭日JV
【機械】新菱・浦安・千代田JV
建築面積：7,138㎡　延床面積：51,927㎡
構造：鉄骨鉄筋コンクリート造
階数：地上9階/地下1階
竣工：2005年、2006年、2008年

■ウエスト5号館（農学系）
設計：㈱石本建築事務所、㈱T・S・G
施工：【建築】㈱竹中工務店　【電気】㈱九電工
【機械】ダイダン㈱、新菱冷熱工業㈱
建築面積：8,660㎡　延床面積：42,766㎡
構造：鉄骨鉄筋コンクリート＋鉄骨造
階数：地上8階
竣工：2018年

■理系図書館
設計：㈱梓設計、㈱久米設計、㈱新日本設備計画、㈱設備技研
施工：【建築】㈱銭高組、銭高・北洋特定JV
【電気】㈱島田電気商会
【機械】東洋熱工業㈱、高砂熱学工業㈱
建築面積：3,672㎡　延床面積：13,320㎡
構造：鉄筋コンクリート造＋鉄骨造
階数：地上3階/地下1階
竣工：2004年、2009年

■生活支援施設「ビッグどら」
設計：㈱CROSS元岡（坂倉建築研究所）
施工：㈱CROSS元岡（西松建設㈱）
建築面積：1,307㎡　延床面積：2,070㎡
構造：鉄筋コンクリート造　階数：地上3階
竣工：2006年

■生活支援施設「ビッグリーフ」
設計：㈱竹中工務店
施工：㈱竹中工務店
建築面積：1,109㎡　延床面積：2,014㎡
構造：鉄筋コンクリート造　階数：地上3階
竣工：2015年

■稲盛財団記念館
設計：㈱日建設計、㈱三信建築設計事務所
施工：【建築】㈱銭高組　【電気】㈱きんでん
【機械】㈱三晃空調
建築面積：1,133㎡　延床面積：3,338㎡
構造：鉄筋コンクリート造　階数：地上4階
竣工：2009年

■エネルギーセンター
設計：㈱梓設計
施工：【建築】岩崎建設㈱　【電気】㈱星野電興社
【機械】昭和鉄工㈱
建築面積：1,015㎡　延床面積：1,581㎡
構造：鉄筋コンクリート造　階数：地上2階
竣工：2004年

■課外活動施設
設計：㈱徳岡設計
施工：【建築】㈱ナカノフドー建設　【電気】㈱弘電社
【機械】三建設備工業㈱
建築面積：2,180㎡　延床面積：4,090㎡
構造：鉄筋コンクリート造　階数：地上3階

竣工：2010月

センター・ゾーン

■センター1・2号館（基幹教育）
設計：黒川紀章・日本設計JV、㈱テクノ工営
施工：【建築】㈱鴻池組　【電気】日本電設工業㈱
　【機械】㈱朝日工業社
建築面積：センター1号館1,677㎡
　センター2号館2,945㎡
延床面積：センター1号館9,000㎡
　センター2号館8,748㎡
構造：鉄骨鉄筋コンクリート造
階数：センター1号館地上6階
　センター2号館地上4階
竣工：2009年、2014年

■九大ゲートブリッジ
設計：八千代エンジニアリング㈱
施工：㈱鴻池組
建築面積：318㎡　延床面積：318㎡
構造：PC斜材付π型ラーメン橋、鉄骨造
階数：地上3階
竣工：2013年

■ビッグオレンジ
設計：九州大学石田壽一研究室＋九州大学施設部
施工：【建築】大和ハウス工業㈱
　【電気】㈱中工電設、萬電気工業㈱
　【機械】三協設備工業㈱、㈱ディー・エス・テック
建築面積：604㎡　延床面積：604㎡
構造：鉄骨造　階数：地上1階
竣工：2004年、2005年

■生活支援施設「亭亭舎」
設計：㈲阪根宏彦計画設計事務所
施工：㈲真和創巧、㈱海山組
建築面積：376㎡　延床面積：330㎡
構造：木造　階数：地上1階
竣工：2015年

■生活支援施設「皎皎舎」
設計：㈲阪根宏彦計画設計事務所
施工：㈲真和創巧、㈱海山組
建築面積：588㎡　延床面積：475㎡
構造：木造　階数：地上1階
竣工：2015年

■生活支援施設「ビッグさんど」
設計：㈱和田設計コンサルタント、㈱総合設備コンサルタント
施工：【建築】㈱菅組　【電気】重松電機工業㈱
　【機械】山本設備工業㈱
建築面積：1,418㎡　延床面積：3,341㎡
構造：鉄筋コンクリート造　階数：地上2階/地下1階
竣工：2009年、2017年

■総合体育館
設計：㈱大建設計、エスティ設計
施工：【建築】㈱北洋建設　【電気】協栄電気㈱
　【機械】昭和鉄工㈱
建築面積：3,106㎡　延床面積：4,503㎡
構造：鉄筋コンクリート造＋鉄骨造
階数：地上1階/地下1階
竣工：2009年、2018年

■伊都ゲストハウス
設計：㈱徳岡設計
施工：【建築】松井建設㈱　【電気】西部電業㈱
　【機械】山和㈱
建築面積：859㎡　延床面積：2,112㎡
構造：木造　階数：地上3階
竣工：2012年

■日本ジョナサン・KS・チョイ文化館
設計：㈱教育施設研究所、㈱総合設備コンサルタント
施工：【建築】㈱巽工業　【電気】㈱春崎電気工事
　【機械】昭星電業㈱
建築面積：455㎡　延床面積：385㎡
構造：鉄骨造　階数：地上1階
竣工：2018年

■給水センター
設計：㈱ウエスコ
施工：【建築】徳倉建設㈱　【電気】㈱別府電業
　【機械】㈲サンワ商会

建築面積：1,822㎡　延床面積：2,043㎡
構造：鉄筋コンクリート造　階数：地上2階/地下1階
竣工：2004年

■椎木講堂
設計：㈱内藤廣建築設計事務所
施工：【建築】㈱竹中工務店　【電気・機械】㈱九電工
【舞台設備】㈱サンケンエンジニアリング
【外部】西部建設㈱
建築面積：8,013㎡　延床面積：12,665㎡
構造：鉄筋コンクリート造　階数：地上4階
竣工：2014年

■ドミトリーⅠ
設計：㈱CROSS元岡（坂倉建築研究所）
施工：㈱CROSS元岡（西松建設㈱）
建築面積：1,039㎡　延床面積：5,569㎡
構造：鉄筋コンクリート造　階数：地上10階
竣工：2006年

■ドミトリーⅡ
設計：㈱徳岡設計、㈱産研設計
施工：【建築】村本建設㈱　【電気】㈱高砂電業社
【機械】㈱千代田工業所
建築面積：1,047㎡　延床面積：7,158㎡
構造：鉄筋コンクリート造　階数：地上10階
竣工：2009年

■ドミトリーⅢ
設計：㈱長大
施工：【建築】㈱北洋建設　【電気】大一電設㈱
【機械】オリエント空調㈱
建築面積：648㎡　延床面積：2,652㎡
構造：鉄筋コンクリート造　階数：地上5階
竣工：2014年

■カーボンニュートラル・エネルギー国際研究所、次世代燃料電池産学連携研究センター
設計：㈱梓設計、㈱総合設備設計
施工：【建築】㈱安藤・間　【電気】㈱九電工
【機械】ダイダン㈱
建築面積：1,377㎡　延床面積：5,568㎡
構造：鉄骨鉄筋コンクリート造
階数：地上4階/地下1階
竣工：2012年

■共進化社会システムイノベーション施設
設計：久米・プラタナス設計JV
施工：【建築】㈱池田工業　【電気】ダイダン㈱
【機械】高砂熱学工業㈱
建築面積：2,909㎡　延床面積：7,742㎡
構造：鉄筋コンクリート造　階数：地上3階
竣工：2014年

イースト・ゾーン

■イースト1・2号館（人文社会科学系）
設計：㈱石本建築事務所、㈱梓設計、㈱T･S･G
施工：【建築】前田・池田特定JV
【電気】日本電設工業㈱
【機械】大橋エアシステム㈱、川本工業㈱
建築面積：12,831㎡　延床面積：51,924㎡
構造：鉄骨鉄筋コンクリート造　階数：地上9階
竣工：2017年

■中央図書館
設計：㈱石本建築事務所
施工：【建築】戸田建設㈱　【電気】ダイダン㈱
【機械】三建設備工業㈱、㈱大気社、金剛㈱
建築面積：11,310㎡　延床面積：24,829㎡
構造：鉄骨鉄筋コンクリート造
階数：地上2階/地下4階
竣工：2016年、2017年

■生活支援施設「ビッグスカイ」
設計：㈱石本建築事務所
施工：【建築】戸田建設㈱　【電気】ダイダン㈱
【機械】㈱大気社
建築面積：1,055㎡　延床面積：1,055㎡
構造：鉄骨造　階数：地上1階
竣工：2018年

■伊都協奏館
設計：㈱梓設計、総合設備計画㈱
施工：【建築】㈱銭高組　【電気】㈱九電工
【機械】大橋エアシステム㈱

建築面積：2,371㎡　延床面積：14,522㎡
構造：鉄筋コンクリート造　階数：地上９階
竣工：2014年

■イースト・ゾーン連絡橋

設計：㈱石本建築事務所
施工：戸田建設㈱
建築面積：428㎡　延床面積：428㎡
構造：鉄骨鉄筋コンクリート造　階数：地上３階
竣工：2017年

■フジイギャラリー

設計：㈱徳岡設計
施工：㈱環境施設
建築面積：491㎡　延床面積：393㎡
構造：鉄筋コンクリート造　階数：地上１階
竣工：2020年

2001（平成13）年度 土木学会環境賞

九州大学新キャンパス建設における環境保全

［授賞理由］

九州大学新キャンパス建設における環境保全プロジェクトは、21世紀最初に行われる大規模国立大学キャンパスの統合移転事業である。九州大学は、全国に先駆けて学府・研究院制度を導入するなどの大学改革をこれまでにほぼ実現しているが、この新しい九州大学像をフィジカルに実現する舞台として新キャンパスが位置づけられた。275haの広大な丘陵地を開発するにあたり、地盤、水工、生態、交通、都市、建築、考古学等、学内外の研究者、専門家の参加型ワーキンググループによって、キャンパス用地の分析と計画の検討を行い、でてきた課題を１つ１つ詰め、必要に応じて計画にフィードバックしてきた。本プロジェクトの特徴は、

(1) 法的に未整備であった平成６年度より、研究者と関係自治体の協力によって戦略的アセスメントを先取し、環境監視体制を確立したこと。
(2) 良好な景観の沢地をはじめとする緑地105haを残しながら、キャンパスに相応しいオープンで緩勾配の造成を実現し、貴重生物や樹木の移植等、生物多様性保全と緑地環境、歴史環境の保全につとめたこと。
(3) 地下水や再生水など健全な水循環系に配慮したこと。

の３点に集約される。学内外の英知を結集して大規模土木事業での環境との共生を積極的に進めた点が高く評価され、大規模開発の範となる画期的な事業として注目に値するだけでなく、他の分野にも転化可能な潜在性を有していることから、今後の発展性が期待できる。よって、本事業は土木学会環境賞に値するものとして認められた。

2009（平成21）年度
第23回 福岡市都市景観賞

九州大学伊都キャンパス

［講評］

糸島半島の豊かな自然環境と溶け込むかのように九州大学伊都キャンパスは存在する。急勾配の地形を活かし、個性的で重厚な建物が建ち並ぶ。何より開放的な空間に圧倒される。その構図はまるで社会に門戸を広げたいと願う大学の意志を示しているかのように思える。実際に学内研究者と市民が連携して里山などを整備し、敷地内で発見された希少種の保存に取り組んでいる。伊都キャンパスの開発は今後も続く。今回の受賞はいわば未完の景観に贈られたものである。キャンパス周辺は、「魏志倭人伝」に出てくる「伊都国」の歴史の舞台でもあっただけに、新たな都市空間を地域と一体となって築き、社会と共生する学術研究都市が整備されることを期待したい。

2019年（平成31）年度
日本都市計画学会計画設計賞

学術研究都市の拠点として地域と共生する九州大学伊都キャンパス

［授賞理由］

九州大学伊都キャンパスは、272haの広大な敷地に延べ床面積52万m^2、学生・教職員18,700人を擁するキャンパスとして2018年に移転完了した事業である。2001年の新キャンパス・マスタープラン策定から移転完了に至るまで17年の歳月を費やし、学術研究都市の拠点として、キャンパスを周辺の土地区画整理事業等と調和させ、地域社会や地域環境と共生する大学キャンパスを実現している。とりわけ、優れた点は以下である。

①大学改革の内容を反映するとともに、学内外の各種分野の専門家の参加によって、社会実装の場として大学を位置付け、文理融合型の施設群を構成するなど、複合的な機能と高質なデザイン、マネジメントを実現している。

②地形や景観、環境に配慮したキャンパス計画という観点のみならず、キャンパスを環境保全の実証実験の場として機能させている。

③地域と共生する大学に相応しい検討体制を計画の初期段階から構築している。

これらは、今後のキャンパス移転事業および大規模開発の模範となることが考えられ、都市計画の進歩・発展に顕著な貢献をしたものと認められる。以上の点から、日本都市計画学会計画設計賞に相応しいと判断した。

おわりに

九州大学キャンパス計画室教授・副室長
坂井　猛

伊都キャンパスと学術研究都市のこれからを展望しつつ、日頃感じていることを申し上げたい。

(1) 大学は人が集まる都市のマグネットとなる。

少子高齢化社会の到来にもかかわらず、福岡都市圏の西部エリアは人口がしばらく増え続ける。これには、九州大学伊都キャンパスの建設と学術研究都市構想の存在が、JR筑肥線沿線の開発などを誘発したことが一因となっている。国内外の総合大学も程度の差はあるものの地域に同様の現象を引き起こしている。大学のもつ機能と環境は、人が集まる都市のマグネットとなる。

(2) 都市と大学双方が恩恵に浴する機会を増幅させている。

産学官民をあげて、九州大学学研都市推進協議会と推進機構が学術研究都市づくりにむけた協力体制を築いてきた。構想と協議会、機構には「九州大学」の名称を付して対象と目標を明確に設定しており、都市の振興に向けた関係者の期待が込められた。大学が様々な機関の人々と重層的に連携を深めていくことは、都市が大学の知を有機的かつ有効に活かすことを促すとともに、大学にとっても様々な恩恵に浴すことにつながる。伊都キャンパスと学術研究都市づくりを契機に、各々が恩恵を受ける機会は増幅している。

(3) 大学の活動を活かす環境が必要である。

キャンパスの立地する糸島半島は、福岡都市圏域にありながら、豊かな自然を有している。都市とキャンパスの活動をより活発に、より緊密にしなければならない、という課題はまだ残っているが、研究教育の場としての卓越した環境は、水素エネルギーや有機エレクトロニクスのように、今後の九州大学伊都キャンパスで生み出される研究教育の数々の成果の創出に貢献する。

(4) 魅力あるキャンパスデザインが必要である。

世界の多くの拠点大学は、美しいキャンパス環境を有している。都市と大学の連携によって生まれる様々な活動を演出する舞台として、市民に開かれた都市型キャンパスの環境をまとめあげるデザインは重要である。伝統を受け継ぎつつ、将来に向けたマネジメントを効率よく行う必要がある。

2018（平成30）年９月、伊都キャンパス完成記念式典の中で、久保千春総長はこれまでの感謝と将来への決意をこめて、次の３点を骨子とする「伊都キャンパス宣言」を発表した。

1．世界をリードする人材と新しい科学を生み出すキャンパス
2．未来社会を切り拓く研究成果の実証実験の場としてのキャンパス
3．歴史や自然など豊かな環境と共生するキャンパス

九州大学は、学生や教職員が世界の人々と、学びあい、語り合い、競い合う、機能的で美しいキャンパスを得たことをふまえ、新たに大学のイノベーションの扉を開き、未来に向けて躍進し続けることを誓った。

また、九州大学学術研究都市構想の策定から18年が経過し、これまでの様々な事業の成果を踏まえつつ、近年の社会情勢の変化に対応し、都市の成熟に向かうこれから10年先の都市の姿に関する議論を重ね、以下の３点を学術研究都市の目指す姿とする「九州大学学術研究都市の新たなフェーズにおける事業方針」を2019（平成31）年１月に策定した。

1．持続的にイノベーションが創出される活力ある学術研究都市
2．先進技術がもたらす次世代の豊かな暮らしがある学術研究都市
3．自然、歴史、文化を享受し、多様な人々が交流する学術研究都市

推進の主力は、（公財）九州大学学術研究都市推進機構OPACKであり、協議会を構成する九州経済連合会、福岡県、福岡市、糸島市、九州大学である。構成団体内外の多様なメンバーでプロジェクトチームを編成し、この事業方針に沿う個別のプロジェクトを進めることとなった。

伊都キャンパスの実現には、多くの関係者の時間と労力を必要としてきた。糸島半島を１次圏とする学術研究都市の成熟にはさらに10年以上の時間を必要とする。引き続き、皆様のご理解とご支援をお願いしたい。

2022年３月

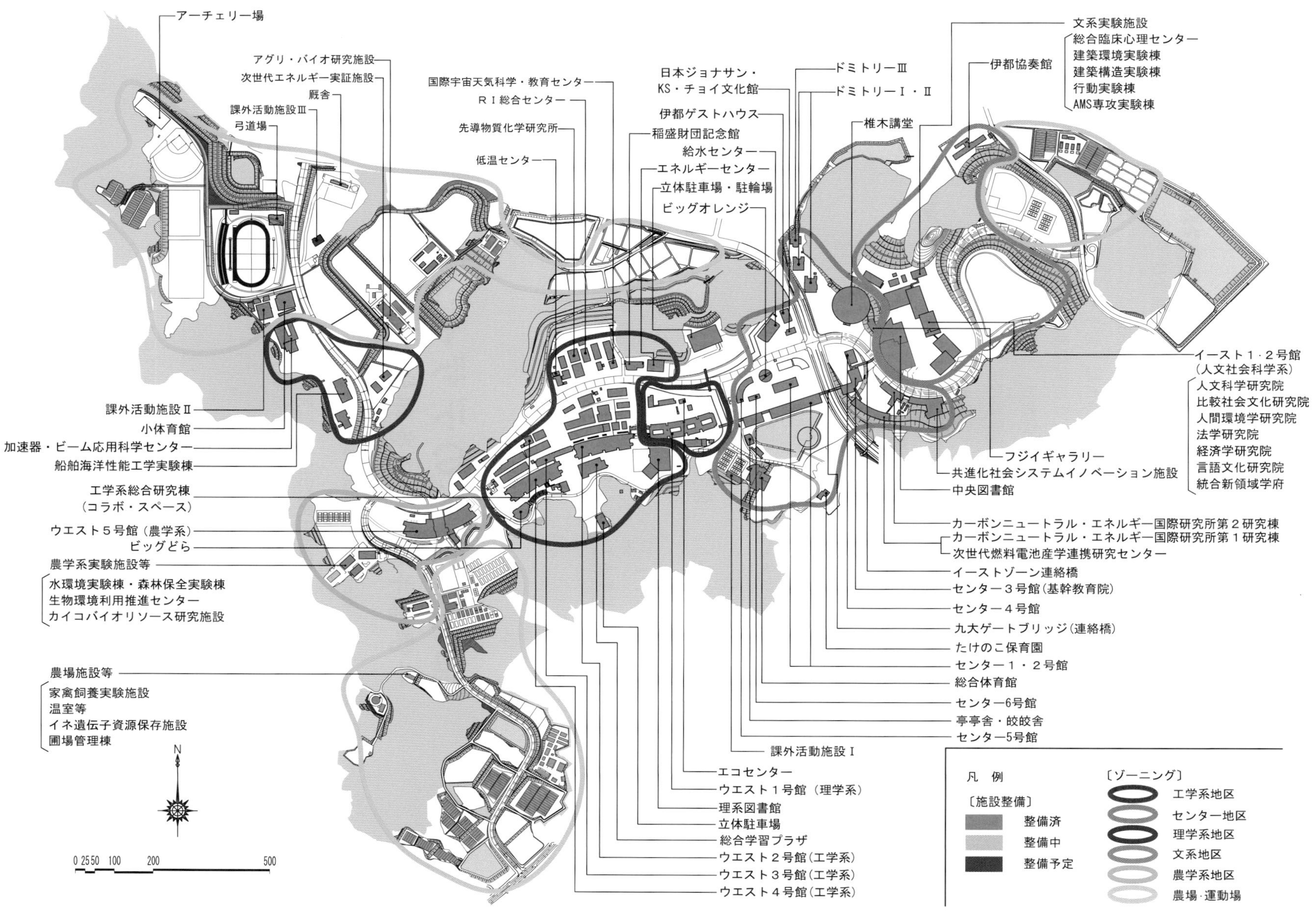

伊都キャンパス配置計画

［執筆者］

安達千波矢	（あだちちはや）	工学研究院教授
岩永　省三	（いわながしょうぞう）	名誉教授
大槻　恭一	（おおつききょういち）	農学研究院教授
折田　悦郎	（おりたえつろう）	名誉教授
小谷　善行	（こたによしゆき）	事務局施設部長
財津あゆみ	（ざいつあゆみ）	水素エネルギー国際研究センター学術研究員
坂井　　猛	（さかいたける）	キャンパス計画室教授・副室長
佐々木一成	（ささきかずなり）	副学長・工学研究院教授
山王　孝尚	（さんのうたかひさ）	福岡市住宅都市局・元キャンパス計画室助教
田尻　義了	（たじりよしのり）	比較社会文化研究院准教授
田中　真理	（たなかまり）	基幹教育院教授
津留　真哉	（つるしんや）	福岡市住宅都市局・元キャンパス計画室助教
鶴崎　直樹	（つるさきなおき）	キャンパス計画室准教授
羽野　　暁	（はのさとし）	キャンパスライフ健康支援センター特任助教
広城　吉成	（ひろしろよしなり）	工学研究院准教授
福田　　晋	（ふくだすすむ）	理事・副学長
藤岡健太郎	（ふじおかけんたろう）	大学文書館教授
藤田　美紀	（ふじたみき）	水素エネルギー国際研究センター学術研究員
宮沢　良行	（みやざわよしゆき）	キャンパス計画室助教
宮本　一夫	（みやもとかずお）	人文科学研究院教授
望月　俊宏	（もちづきとしひろ）	農学研究院教授
安浦　寛人	（やすうらひろと）	名誉教授
吉田　敬介	（よしだけいすけ）	キャンパス計画室教授
綿島　理晃	（わたじまとしあき）	キャンパス計画室学術推進専門員

都市と大学のデザイン
―伊都キャンパスを科学する―

Urban and Campus Design
-Ito Campus Organized by Scientists-

2019年8月29日　初版発行
2022年3月16日　改訂版発行

編　者／九州大学キャンパス計画室
発行者／仲　西　佳　文
発行所／有限会社 花 書 院
〒810-0012　福岡市中央区白金2-9-2
電話.092-526-0287　FAX.092-524-4411
振替.01750-6-35885
印刷･製本／城島印刷株式会社

ISBN978-4-86561-166-3